Sally Page

Das Buch der neuen Anfänge

Sally Page

Das Buch der neuen Anfänge

Roman

Aus dem Englischen
von Yola Schmitz

dtv

Von Sally Page
ist bei dtv außerdem erschienen:
Das Glück der Geschichtensammlerin

Zitat auf S. 379 aus
George Eliot, ›Middlemarch‹
übersetzt von Emil Lehmann, Berlin 1872

Zitat auf S. 63 aus dem Gedicht »Silence«
von Edgar Lee Masters
übersetzt von Yola Schmitz

Zitat auf S. 363 aus dem Gedicht »Meeting Point«
von Louis MacNeice
übersetzt von Yola Schmitz

2024 dtv Verlagsgesellschaft mbH & Co. KG, München

Redaktion: Anne Rudelt
Umschlaggestaltung: U1berlin / Patrizia Di Stefano
Umschlagillustrationen: © Patrizia Di Stefano unter Verwendung
von Motiven von © Whooli Chen; shutterstock.com /
© Greg und Jan Ritchie; istockphoto.com / © Kayocci
Satz: Fotosatz Amann, Memmingen
Gesetzt aus der Stempel Garamond
Druck und Bindung: Druckerei C.H.Beck, Nördlingen
Printed in Germany · ISBN 978-3-423-22095-8

Für Reverend Anne Heywood
Immer eine Inspiration

Prolog

Manchmal braucht es nur einen Wimpernschlag, um eine Entscheidung zu treffen.

Vielleicht erscheint es gar nicht wie eine bewusste Entscheidung. Eher wie der Wunsch, sich mehr Unglück zu ersparen. Es ist der letzte Anstoß, etwas zu verändern. Das Zimmer bleibt davon unberührt. Ein stiller Zeuge. Aber loyal der Frau gegenüber, die den Raum gerade verlassen hat. Der nach hinten gerückte Küchenstuhl hat nichts zu erzählen. Auf einem Teller liegen trotzig ein halb aufgegessenes Sandwich mit Cheddar (dem lange gereiften) und ein paar Essiggurken, die Weihnachten übrig geblieben waren (acht Monate alt, aber noch genießbar).

Der Mann ruft nach ihr, und ohne eine Aufforderung abzuwarten, tritt er durch die Tür vom Flur in die Küche. Warum sollte er auch warten? Schließlich hat er sich schon unaufgefordert Zutritt zum Haus verschafft.

Aufgebracht streift er durch die Küche, öffnet den Kühlschrank, blättert durch das Tagebuch auf dem Küchentisch.

Aber das Tagebuch gibt auch nichts preis. Es beinhaltet Termine für Gemeindetreffen, Chorproben und einen geplanten Besuch der hiesigen Gärten in Begleitung der Kaplanin. Es ist Ausdruck eines scheinbar unbescholtenen Lebens. Vielleicht verrät die Handschrift etwas? Sie ist ordentlich, präzise und deutlich, abgesehen von den S, die den Eindruck machen, als wollten sie der Geradlinigkeit der Zeilen entfliehen.

Ihm gegenüber steht die Tür zum Garten erstaunlicherweise halb offen (sonst braucht es dafür einen Türstopper). Wie der Rest des Raumes scheint sie im Stillstand, beinahe erwartungsvoll.

Dann, ganz langsam, setzt sie sich in Bewegung und fällt geräuschlos ins Schloss.

Neunzig Meilen entfernt, in einer Gasse im Norden Londons, wird eine andere Tür geöffnet. Von einer anderen Frau mit einem anderen Leben. Die Post auf dem Boden wird zur Seite geschoben, und das kaputte Glöckchen über der Tür klingelt ein leises Willkommen. Als Erstes weht ein einsames Blatt über die Schwelle. Wie eine gelbe Erinnerung, die der Wind Ende August vor sich hertreibt – zwar voller Wärme, aber doch ein deutlicher Vorbote des Herbsts. Die Frau beobachtet, wie das Blatt weiter ins ruhige Innere des dunklen Ladens tanzt. Früher war der Herbst für sie eine Zeit der Neuanfänge, die in ihrer Kindheit von der Vorfreude auf neue Schuhe, Buntstifte und Federmäppchen begleitet wurde.

Aber jetzt kann sie nur an all das denken, wovon sie sich verabschieden muss.

1

Fehl am Platz

Jo hebt die Post vom Boden auf und sammelt dabei auch das Blatt ein. Es liegt in ihrer offenen Hand wie die roten Stimmungsfische, mit denen sie sich früher als Kinder die Zukunft vorhergesagt haben. Das Blatt zittert kurz und bleibt dann liegen. Am liebsten würde sie es fragen, ob das bedeuten soll, dass sie eines Tages ihr Glück finden wird. Sie will, dass ihr das gelbe Stimmungsfischblatt verrät, ob James auch manchmal an sie denkt. Während all der endlosen Minuten, die sich zu Stunden ausdehnen, hofft sie, dass er sich gelegentlich auch nach ihr sehnt und ihre Verbindung noch nicht ganz gekappt ist. Eine Hoffnung, an der sie sich festhalten kann. Jo schließt die Finger vorsichtig um das zarte Blatt, schützt es in ihrer Hand, dann klemmt sie sich die Post unter den Arm und schiebt die Tür weiter auf.

Als sie über die Schwelle tritt, klappern die Räder ihres Koffers hinter ihr über die Fliesen im Eingangsbereich des Ladens ihres Onkels Wilbur. Der Laden *Taylor's Supplies* ist nicht viel größer als ein lang gezogener Besenschrank. Zum Verkauf stehen Haushaltswaren und Schreibwaren. Das hier war zweiundfünfzig Jahre lang das Geschäft und das Zuhause ihres Onkels.

Alles sieht noch genauso aus, wie Jo es in Erinnerung hat. Vom Eingang führt ein schmaler Gang ins Hintere des Ladens. Am Ende befinden sich links hinter einer Tür eine kleine Küche und eine Toilette. Von dort führt eine Treppe in die Wohnung über dem Laden. Ein zweiter schmaler Gang führt zurück zu Jo. Abgesehen von einem Bereich im vorderen Teil, in dem ein Verkaufstresen mit Vitrine im rechten Winkel zum Schaufenster steht, macht der Laden von Jos Onkel nicht viel her. Diese altmodische Eichentheke, in der früher einmal Handschuhe und Taschentücher ausgelegt wurden (so stellt Jo sich das zumindest vor), zeigt nun in der Vitrine eine Reihe von Füllern, und in den Schubladen darunter befinden sich die großen Papierbögen, die ihr Onkel Wilbur verkauft.

Ein Platz für alles, und alles an seinem Platz.

Jo kann die Worte ihres Onkels förmlich hören. Und als sie sich so im Laden umsieht, stellt sie fest, dass er seinem Motto treu geblieben ist. Die Regale sind vielleicht etwas spärlicher bestückt als in früheren Jahren, aber alles ist ordentlich, und alles ist an seinem Platz.

Bis auf ihren Onkel, denkt sie, der ist meilenweit entfernt von hier.

Und von ihr.

Jo sieht zur Wand hinter der Theke. Dort hängen, durch einen Faden zusammengehalten, an einem Haken braune Papiertüten. Diese Tüten halten auf magische Weise alle Waren, die bei ihrem Onkel Wilbur zum Verkauf stehen. Von ein paar Schrauben und Nägeln (dann wird die Tüte oben zusammengefaltet) bis hin zu Sägeblättern aus Metall mit glänzenden Zähnen.

Und hier in ihrem Versteck hinter der Theke hat Jo als Kind immer Postamt gespielt. *(Ein Platz für alles, und alles an seinem Platz.)* Ihr Onkel stand hinter der Theke und schützte sie so vor den Blicken der Kunden. Er wusste außerdem, dass eine geschäftige Postbeamtin einen regen Bedarf an Schreibwaren hat. Als kleines Mädchen war es eine ihrer größten Freuden, wenn ihr Onkel sie zu sich bat und ihr eine der braunen Tüten mit unbekanntem Inhalt überreichte. Darin konnte ein Notizbuch sein, dem das Deckblatt fehlte, oder ein Quittungsblock, bei dem ein Kratzer auf dem Durchschlagpapier war. Onkel Wilbur (aber vor allem Mrs Watson-Toft, seine Buchhalterin mit den Argusaugen) hatte gesagt, dass er nur beschädigte Waren verschenken durfte. Aber als Jo älter wurde, vermutete sie, dass ihr Onkel Wilbur, wenn ihm auffiel, dass sie sehnsüchtig die neu eingetroffenen Quittungsblöcke betrachtete, mit voller Absicht seinen breiten Daumennagel über das Durchschlagpapier kratzte.

Jo sieht sich um und bemerkt einen quadratischen Kalender an einer Pinnwand hinter dem Tresen. Abgesehen davon ist dort nichts angebracht. Mittlerweile ist es August, aber der Kalender zeigt immer noch den Juli. Kurz fragt sie sich, wofür Onkel Wilbur die Pinnwand wohl genutzt hat. Sie kann sich nämlich nicht daran erinnern, dass sie schon bei ihren Besuchen als Kind im Laden dort gehangen hätte.

Sie legt die Post und das Blatt auf die Theke, dann macht Jo sich mit ihrem Koffer auf den Weg in den hinteren Teil des Ladens und steigt die Stufen hinauf. Vom Treppenabsatz führt eine Tür in einen schmalen Flur. Eine niedrige Bank steht unter einer Reihe von Garderobenhaken, wo der dunkelgraue Wintermantel ihres Onkels immer noch hängt.

Neben dem Flur liegt das Badezimmer. Es ist zwar uralt, aber immer noch strahlend weiß. Beheizt wird der

Raum mit einem kleinen, nutzlosen Heizlüfter. Sie freut sich gar nicht darauf, hier zu baden. Sie kann sich noch gut erinnern, dass, auch wenn die Wanne voll mit heißem Wasser ist, der Wannenrand eiskalt bleibt.

Dann kommt man in ein Wohnzimmer, und dahinter liegt die Küche. Beide Räume haben hohe Fenster, die auf die kleine Gasse schauen. Gegenüber vom ersten Fenster führen zwei Türen zu den Schlafzimmern. Jo zögert einen Moment und weiß nicht, ob sie das Zimmer ihres Onkels beziehen soll oder doch lieber das Gästezimmer, in dem sie als Kind übernachtet hat, wenn sie im Sommer ein paar Wochen zu Besuch kam. Schließlich öffnet sie die Tür zum kleinen Gästezimmer und beginnt, ihren Koffer auszupacken. Sie wirft die meisten Kleidungsstücke auf einen Stuhl. Das, wonach sie sucht, ist ganz unten in ihrem Gepäck.

Sie holt ein paar dunkelblaue Jeanslatzhosen hervor. Der Stoff ist steif wie Pappkarton. Jo betrachtet die Hose und fragt sich, warum es ihr so wichtig war, sie einzupacken. Ihre beste Freundin Lucy hat sie bei ihr vergessen, als sie das letzte Mal bei ihr übernachtet hat. Das muss schon Monate her sein. Die Latzhose ist vintage, aus den Fünfzigern, mit weiten Beinen und hoch tailliert. Lucy liebt Vintage-Klamotten. Schon als Teenagerin und auch heute noch als achtunddreißigjährige Frau trägt sie die geerbten Kleidungsstücke ihrer Großmütter. Jo betrachtet ihre Liebe zu Schreibwaren als ein Echo der Zuneigung ihrer Freundin zur Vergangenheit. Sie klammert sich an ihre Hingabe zu frisch gespitzten Stiften, denn so fühlt sie sich Lucy verbunden. Schon in der Grundschule waren die beiden perfekt aufeinander eingespielt. Jedes Jahr auf dem Sportfest hatten sie das Dreibeinrennen gewonnen.

Die Latzhose auf dem Schoß, sitzt Jo auf dem Bett. Und jetzt? Jetzt befürchtet sie, dass die beiden es nicht mehr schaffen würden, einen gemeinsamen Rhythmus zu finden, auch wenn man ihre Beine aneinanderschnürte. Noch nie hat sie sich so weit entfernt von ihrer besten Freundin gefühlt, und sie kann gar nicht genau sagen, warum. Sicher gibt es einiges, das dazu beigetragen hat, aber egal, wie oft sie alles hin und her rangiert, ihre Perspektive und die von Lucy, sie kommt einfach zu keiner wirklich befriedigenden Erkenntnis, warum sie sich so entfremdet haben. Sie schreiben sich nur noch selten. Und wenn sie es doch tun, dann stimmt etwas nicht, auch wenn Jo es nicht genau benennen kann. Sie ist sich sicher, sollten sie jetzt ein Dreibeinrennen laufen müssen, würden sie nicht als triumphale Gewinnerinnen hervorgehen, sondern beide auf der Nase landen.

Langsam richtet Jo ihren abwesenden Blick wieder auf die sorgsame Ordnung im kleinen Gästezimmer. Sie sollte wirklich ihre Sachen verstauen und in die Schubladen räumen. *(Ein Platz für alles, und alles an seinem Platz.)* Dafür braucht sie nicht lange. Keine zehn Minuten später hat sie all ihre Habseligkeiten weggeräumt und den leeren Koffer unters Bett geschoben.

Nur eines muss sie nicht auspacken oder wegräumen. Das geht nicht. Das kann sie nicht im hintersten Winkel einer Schublade verstecken. Auch wenn sie es noch so gerne täte.

Jo weiß, dass sie keine Wahl hat und ihr gebrochenes Herz überall mit sich herumtragen muss. Dafür hat James gesorgt, als er vor vier Monaten mit ihr Schluss gemacht hat.

2

Ich aber schon

Jo sitzt hinter dem alten Eichentresen und sieht hinauf zu dem schmalen Streifen Himmel, den sie sehen kann, wenn sie sich auf ihrem Hocker weit genug nach vorn neigt. Hier hat sie die letzten sechs Wochen verbracht, sich um den Laden gekümmert, den endlosen Strom der Fußgänger auf der Straße beobachtet und in dem schmalen Streifen Himmel nach einem Zeichen der Veränderung gesucht. Heute ist der Himmel grau, und die rote Backsteinwand auf der anderen Straßenseite ist nass vom Oktoberregen.

Egal, wie das Wetter ist, Jo findet ihren kleinen Streifen Himmel seltsam beruhigend. Sie weiß, dass sich der gleiche Himmel jenseits der kleinen Seitenstraße (deren Eingang zwischen einem Friseur und einem Café liegt) wie ein Baldachin über eine größere Welt ausbreitet: Highgate High Street, die breite Straße voller Läden und Restaurants. Sie bietet eine Mischung aus Verlockendem und Praktischem. Manchmal ist beides auch vereint. Wie in dem Laden, der mit alten Zeitungen ausgelegt ist und Messer mit Griffen aus Kirschholz und geschwungenen Klingen verkauft. Oder der Kurzwarenladen, an dessen Tür ein Kranz aus Herbstfrüchten hängt.

Jenseits der High Street, wenn sie den Hügel hinaufgehen würde, erstreckt sich Hampstead Heath. Dort reicht derselbe Himmel, den sie von ihrem Platz aus sehen kann, über eine Landschaft, die zu gleichen Teilen aus Park, Vergnügungspark und Wildnis besteht. Es tut gut zu wissen, dass es diese große Welt dort draußen gibt, aber sie ist auch froh, dass ihr Streifen Himmel Grenzen hat, von einer Mauer und einem Dachgiebel eingefasst wird. Ihrem Platz in dieser Stadt, in der sie, Jo, eine Fremde ist, Kontur gibt.

Sie hat versucht, sich vorzustellen, dass dieser Himmel sich wie ein Bettlaken oder ein Tischtuch über ihr altes Zuhause legt: das kleine Reihenhaus am Rand einer Ortschaft in Northumberland. Aber dort ist der Himmel anders. Weiter, größer und aufregender mit seinen wechselnden Stimmungen. Sie kann sich nicht vorstellen, von diesem Himmel ausschließlich einen schmalen Streifen ausmachen zu können.

Aber das musste sie auch nie. Sie konnte immer rausgehen, übers Moor laufen und hinaufsehen.

Heute, wie jeden Tag, trägt Jo Lucys Latzhose. Vintage ist eigentlich nicht Jos Stil (um genau zu sein, weiß sie nicht, was ihr Stil eigentlich ist), aber es scheint passend, hier in ihrem geliehenen Leben geliehene Klamotten zu tragen. Jeden Morgen greift Jo zu der Latzhose. Ihre Pullover darunter sind mal orange, mal gelb, mal grün, je nachdem, wie das Wetter, ihre Stimmung oder ihre Lust, Wäsche zu waschen, ist. Manchmal fühlt sie sich wie eine Ampel, fest und statisch, nur die Farben ändern sich, während das Leben langsam an ihr vorbeizieht. Die hohe Taille der Hose sitzt ihr direkt unterm Herzen, das sich nach ihrer Freundin sehnt.

Seit sie in London lebt, hat Jo schon öfter versucht,

Lucy zu schreiben, aber ihr fehlen die Worte. Allerdings kommen ihr die Worte, die bei ihrem letzten Gespräch vor ihrem Weggang gesagt wurden, immer wieder in den Sinn. Sie wusste schon immer, dass Lucy James nicht leiden konnte, aber bis zu diesem Gespräch war ihr nicht klar gewesen, wie wenig. Jo wusste, dass die Vehemenz von Lucys Ausbruch daher rührte, ihre Freundin so verletzt zu sehen. Aber sie fragt sich, wie Lucy auf die Idee gekommen war, dass sie all das hören wollen würde, oder wie es dazu beitragen könnte, dass es ihr besser ging. Nicht, solange sie sich noch an das letzte bisschen Hoffnung klammerte. Davon hatte sie Lucy aber nichts gesagt. Doch jetzt fragt sich Jo, ob sie ihr das überhaupt hätte erzählen müssen. Lag nicht ein Teil von Lucys Wut genau darin begründet?

Und James? Jo verbringt die meiste Zeit damit, ihm *nicht* zu schreiben. Das fällt ihr nicht leicht. Sie hat schon viele Textnachrichten geschrieben und dann wieder gelöscht. Nur eine Sache hält sie davon ab, auf Senden zu drücken. Der Gedanke daran, dass James' neue Freundin Nickyyy die Nachricht sieht und sie liest. Ohne das »yyy« in der letzten Silbe hochzuziehen, kann Jo nicht mehr an ihre ehemalige Kollegin denken. Sie hatten nur kurz zusammengearbeitet, aber Jo war ihre endlose Nörgelei und schlampige Arbeit schnell satt gewesen.

Jo sieht zu dem kleinen quadratischen Kalender, der immer noch das Einzige ist, was an der großen Pinnwand hinter ihr hängt. Am Ende eines jeden Tages streicht sie ein Kästchen im Kalender durch. Manchmal macht sie das sogar schon lange bevor der Tag vorbei ist, als wollte sie die Zeit vorantreiben.

Sechs Wochen später, und Onkel Wilbur ist immer noch in dem Pflegeheim, in dem er (nur vorübergehend) zur Reha untergebracht ist. Das Heim befindet sich in der Nähe ihrer Eltern, und Jos Mutter besucht ihren Bruder fast jeden Tag. Was als eine leichte Verwirrung angefangen hat (die Jos Mutter auf seinen Sturz zurückführte), hat sich inzwischen als etwas anderes entpuppt. Die Ärzte haben sie darüber informiert, was man alles gegen das Fortschreiten von Demenz tun konnte. Jos Mutter erzählt ihr, wie viel besser es Wilbur schon wieder gehen und dass er bald den Laden wieder übernehmen würde.

Ihr Vater telefoniert selten mit ihr. Er überlässt das alles lieber seiner redseligen Frau.

Aber falls er doch einmal als Erstes rangeht, sagte er leise zu Jo: »Gib ihr Zeit.«

Und das macht sie nun also.

Jo wendet ihre Aufmerksamkeit der einzigen Kundin im Laden zu. Es ist spät am Vormittag, und die Frau steht schon eine Weile vor dem Paketklebeband und dem Packpapier. Gerade will Jo sie fragen, ob sie ihr helfen kann, als eine weitere Kundin den Laden betritt.

Die erste Kundin ist sehr groß, die zweite klein und rund. Während die beiden sich im Laden umsehen, stellt sich die kleine Frau auf einmal vor die große, und die beiden sehen aus wie eine Schimäre. Jo muss grinsen.

Die große Frau geht weiter, und das Bild löst sich auf. Die Frau kommt zum Tresen.

Ein Zögern.

Jo sieht sie erwartungsvoll und, wie sie hofft, einladend an.

Die Frau sieht in die Vitrine und runzelt die Stirn.

»Heute schreibt doch niemand mehr mit einem Füller.«

Sie sagt das ohne jeden Dünkel. Sie will nicht unhöflich sein oder Jo unterstellen, sie sei dämlich, weil sie die noch verkauft. Sie scheint den Zusammenhang auch gar nicht hergestellt zu haben. Dass sie eine Kundin ist, die auf der einen Seite des verglasten Tresens steht, und dass Jo, die Verkäuferin, eine ganze Reihe von Federhaltern in ebenjenem Tresen zum Verkauf anbietet.

»Das liegt wohl daran, dass überhaupt keiner mehr schreibt, stimmt's?« Die Frau sieht auf, wartet aber nicht auf eine Antwort. »Es ist eine verlorene Kunst.«

Jo hat das alles schon öfter durchgespielt. Gern würde sie sagen *ich schon, ich schreibe noch mit dem Füller*. Aber sie weiß, das wäre vergebene Liebesmüh.

Die große Frau vor ihr sieht sie irritiert an, als ob Jo hier fehl am Platz wäre (womit sie auch nicht ganz Unrecht hat, denkt Jo), dann fährt sie fort. »In der Schule lernen sie nicht einmal mehr richtig, mit der Hand zu schreiben.«

Jo fragt sich, was diese Frau wohl von Beruf macht. Sie ist schlank, ordentlich gekleidet und wirkt streng. Apothekerin vielleicht? Oder Zahnärztin?

»Wozu das alles, wenn man E-Mail und soziale Medien hat?«

Jo überlegt sich, was die Frau wohl davon halten würde, wenn sie bei ihr in der Praxis säße und sagen würde *na ja, es muss schließlich etwas nicht mit Ihnen stimmen, wenn Sie den ganzen Tag im Mund anderer Leute herumfuhrwerken wollen*. Aber so etwas würde sie nie sagen. Zumindest nicht zu einer Frau, die einen Bohrer in der Hand hält.

Jo sieht an der »Zahnärztin« vorbei zu der kleineren Frau in ihrem übergroßen Regenmantel, die geduldig darauf wartet, an die Reihe zu kommen, und nickt ihr freundlich zu. Die Frau hebt überraschend beide Brauen und verdreht die Augen, sodass Jo ein Lachen unterdrücken muss.

Die »Zahnärztin« gestikuliert in den Laden und wiederholt etwas abfällig: »Ich meine, wozu das alles?«

»Nun ja, ich denke ...«, hebt Jo an.

Aber die Frau ist nicht in den Laden gekommen, um Jos Meinung zu hören.

»Es ist fürchterlich, wie die Dinge sich verändern«, kontempliert sie laut vor sich hin, als hätte sie selbst keinen Anteil daran.

Jo sieht wieder zu der anderen Kundin. Ihr Gesichtsausdruck ist vollkommen neutral. Das freundliche, offene Gesicht einer Frau mittleren Alters. Ihr mausgraues Haar steckt unter einem Regenhut. Dann blinzelt sie Jo plötzlich zu.

Die Geste ist so unauffällig, aber sie wärmt Jos Gemüt.

Und eine Frage drängt sich Jo auf: Kennt sie diese Frau irgendwoher?

»Wissen Kinder überhaupt noch, wie man einen Stift hält?«, fährt die »Zahnärztin« fort. Wieder ist es keine Frage, sondern eine Beschwerde, die sich irgendwie an Jo richtet.

Jo sammelt sich, zumindest innerlich. Gerne würde sie der Frau ein paar Fragen stellen. Haben Sie Kinder? Sehen die Sie Briefe schreiben? Oder auch nur eine Einkaufsliste? Aber sie weiß, das hätte keinen Zweck. Ihr ältester Bruder und seine Familie leben in einem Haus, in dem es (abgesehen von landwirtschaftlichen Katalogen und Bedienungsanleitungen für Traktoren) kaum Bücher gibt. Aber ihre Schwägerin beschwert sich oft, dass die Zwillinge nicht lesen wollen. »Sie haben überhaupt keine Lust zu lesen. Die haben einfach kein Interesse an Büchern.«

So wie jetzt auch bleibt sie auch da still.

»Kann ich Ihnen mit etwas helfen?«, fragt Jo schließlich höflich. Wieder sieht sie zu der Frau im Regenmantel, versucht, ihren Blick aufzufangen und herauszufinden, warum sie ihr so bekannt vorkommt. Aber die sieht nun aus dem Schaufenster auf die Gasse hinaus. Sie scheint meilenweit entfernt zu sein von dem kleinen Laden im Norden Londons. Entrückt von diesem regnerischen Oktobertag.

Jo beneidet sie ein wenig.

»Ich brauche nur etwas Klebeband.«

Jo gibt der Frau, wonach sie gefragt hat, die bezahlt, und Jo wünscht ihr einen schönen Tag. Sogar ihr selbst kommt ihre Stimme überfreundlich vor.

Die Frau sieht Jo scharf an, als ob sie nicht sicher ist, ob Jo das sarkastisch meint. Es scheint Jo, als ob die Frau sie dabei zum ersten Mal richtig ansieht. Sie muss, abgesehen von den Augen (das immerhin gesteht Jo sich zu), eine unscheinbare Person vor sich sehen. Eine Frau von fast vierzig Jahren in einer Latzhose und einem gelben Pullover.

Schnell wendet sich die »Zahnärztin« ab. Auf dem Weg zur Tür lässt sie die Hand über einen Stapel Umschläge und Briefpapier gleiten. Im Hinausgehen fügt sie dann noch hinzu: »Und Briefe schreibt heute ohnehin niemand mehr.«

Jo flüstert ihr hinterher: »Ich schon.«

Das muss sie weder der »Zahnärztin« noch sich selbst zuliebe laut sagen. Denn die hat natürlich recht. Schreiben könnte bald eine verlorene Kunst sein. Das stimmt. Jo schreibt vielleicht noch Listen, verschickt Postkarten, schreibt Briefe an ihre Mutter und ihren Onkel Wilbur. Ihr macht das Geräusch eines Füllers auf Papier womöglich noch Freude, aber sie wird die Veränderung nicht aufhalten können. Ihr mag es guttun, sich mit anderen Schreibwarenliebhabern über soziale Medien auszutauschen, aber sie ist keine Aktivistin und auch nicht naiv. Sie wird nicht zur Märtyrerin der Schreibwaren gegen das Unausweichliche werden. Und was würde sie überhaupt verteidigen? Das hier ist nicht einmal ihr Laden.

Nicht einmal ihr Leben. Dieser Gedanke schleicht sich ihr unverhohlen ins Bewusstsein.

Die Frau im Regenmantel tritt vor und streckt ihr das abgezählte Geld für die Briefumschläge entgegen, die sie in der Hand hält.

»Niemand glaubt mehr an Gott.«

Jo sieht sie verwirrt an.

Es entsteht eine kurze Pause, und die Frau lächelt Jo schelmisch an.

»Ich aber schon«, fügt sie dann hinzu.

Diese drei Worte hängen zwischen ihnen. Und dann, mit einem weiteren Lächeln, als ob die beiden gerade einen Scherz gemacht hätten, dreht sie sich um und verlässt den Laden.

3
Schwarz auf weiß

Jo starrt ihr hinterher. Warum um Himmels willen hatte die Frau das gerade gesagt? Und warum hat Jo den Eindruck, sie schon einmal gesehen zu haben?

Jo hat nicht die leiseste Ahnung.

Eine Gestalt, die an ihrem Fenster vorbeigeht, zieht ihre Aufmerksamkeit auf sich. Der Mann ist zierlich gebaut. Er telefoniert. Es ist einer ihrer Nachbarn.

Der Laden ihres Onkels ist baugleich mit den beiden anderen Geschäften in der kleinen Seitenstraße. Der Laden ihres Onkels, eine unentschlossene Mischung aus Schreibwaren und Haushaltswaren, kommt als Erstes. Direkt daneben befindet sich ein Optiker, der von einem extrem geschäftig wirkenden Spanier namens Lando Landaidas betrieben wird. Der ist gerade an ihrem Fenster vorbeigelaufen. Lando war, ein paar Tage nachdem sie den Laden übernommen hatte, vorbeigekommen, um sich als Nachbar vorzustellen. Er ist ordentlich gekleidet, Ende dreißig, mit kurzen schwarzen Haaren und einem grauen Ziegenbart. Er hat einen Stöpsel und einen Anspitzer gekauft, obwohl es nicht den Eindruck machte, als würde er eines von beidem benötigen. Gerne hätte sie sich revanchiert, aber sie braucht keine Brille und will seine Zeit nicht verschwenden.

Neben dem Optiker ist ein Tätowierer, von dem Jo

weiß, dass er Eric heißt. Aber das hat sie nur herausgefunden, weil sie einmal gehört hatte, wie jemand in der Gasse nach ihm rief. Eric winkt ihr immer nett zu, wenn er morgens am Laden vorbeikommt (meistens gegen halb elf), und grinst sie freundlich an. Es fällt ihr schwer, sein Alter zu schätzen. Ob er überhaupt schon dreißig ist? Im Spätsommer trug er kurze schwarze Hosen und orangefarbene Flipflops. Seine Waden zieren Halbmonde und Sterne. Jetzt, da es kälter ist, trägt er Jeans und kurze Fellstiefel, aber dank der kurzen Ärmel sieht sie immer noch eine Ansammlung komplizierter Symbole in schwarzer Tinte auf seinen Unterarmen. Eric hat einen kurzen Bart und unordentliches blondes Haar. Daher hat Jo ihm den Spitznamen Eric der Wikinger gegeben. Als er anfing, bei der Kälte Fellstiefel zu tragen, war Jo zufrieden, dass er seinem Spitznamen gerecht wurde. Sie haben bisher noch nicht miteinander geredet, aber er wirkt sehr nett.

Es wundert Jo, wie wenig Kontakt sie zueinander haben, obwohl alle drei doch so nah beieinander arbeiten. Vielleicht liegt es daran, dass alle drei durch ihre Schaufenster auf die Backsteinwand gegenüber blicken und sie so ihren Arbeitsalltag im wahrsten Sinne nebeneinanderher leben, völlig losgelöst voneinander. Außerdem vermutet sie, dass Lando und Eric der Wikinger sehr viel mehr zu tun haben als sie. Wenn man bedenkt, wie viele Leute an ihrem Fenster vorbeigehen, um zu deren Läden zu kommen, haben die beiden vermutlich wenig Zeit, um mit anderen ein Schwätzchen zu halten.

Ihr wird auch bewusst, dass es einem oft am schwersten fällt, neue Bekanntschaften zu machen, wenn man neue Freunde am dringendsten nötig hat. Die Ironie dabei ist ihr bewusst, aber die Erkenntnis bringt sie auch nicht dazu, ihre Nachbarn einfach mal zu besuchen. Sie muss an die Artikel denken, die sie irgendwann einmal gelesen hat, in denen es darum ging, wie man ein neues Leben / neue Freunde / neue Interessen findet. Immer noch lösen sie in ihr ein Gefühl der Unzulänglichkeit aus, obwohl sie jetzt erkennt, wie naiv diese Texte sind.

Ihre Überlegungen werden von einem Rumpeln an der Fensterscheibe unterbrochen. Eine junge Frau hat gerade ihren Kinderwagen gegen den niedrigen Fensterrahmen manövriert. Sie hebt entschuldigend die Hände und ruft »Verzeihung!« durchs Fenster.

Jo eilt nach draußen, um der jungen Frau zu versichern, dass nichts passiert ist. Der Kinderwagen ist nur leicht an den Fensterrahmen gestoßen.

»Verzeihung!«, wiederholt die junge Frau und stellt die Räder des Kinderwagens gerade, damit sie nicht noch einmal gegen das Schaufenster stößt. »Ich habe noch nicht viel Erfahrung«, erklärt sie lachend. »Leider bekommt man keine Fahrstunden, wenn man so ein Teil kauft.«

Jo sieht in den Kinderwagen zu dem Baby. Ein kleines, schlafendes Bündel, dem die Fahrkünste seiner Mutter völlig gleichgültig sind. Jo möchte sagen, wie reizend das Baby aussieht, aber das tut es nicht wirklich. Es ist klein und zerknautscht und rot im Gesicht. Trotzdem breitet sich in Jo ein Gefühl aus, das sie als Neid erkennt. Sie bemerkt den Gesichtsausdruck der jungen Mutter, als sie in den Kinderwagen sieht, und der Knoten in Jos Hals droht ihr den Atem zu rauben.

Die junge Frau scheint Jos Schweigen nicht zu bemerken und fährt gut gelaunt fort. »Das letzte Mal, als ich einen Kinderwagen geschoben habe, lag eine Puppe darin, und ich war etwa sechs Jahre alt.« Sie sieht an Jo vorbei ins Innere des Ladens und sagt: »Oh, Sie verkaufen Schreibwaren. Haben Sie Taufeinladungen? Guy denkt zwar, wir sollten eher ein Namensfest feiern, als in die Kirche zu gehen. Da hat er vermutlich recht. Bei der Hochzeit hatten wir schon genügend Ärger. Seine Familie ist katholisch, und meiner Mutter ist das alles egal. Seinen Eltern vermutlich auch, aber seine Großmutter nimmt das alles sehr ernst. Zumindest hat sie das bei unserer Hochzeit ...«

Zwei Dinge fallen Jo zur exakt gleichen Zeit ein. Eine doppelte Ablenkung von dem schmerzenden Knoten im Hals. Erstens klingt diese junge Frau genau wie einige ihrer Freunde, die frisch Eltern geworden waren und zu viel Zeit allein ohne jemanden zum Reden verbracht hatten. Zweitens, und das ist noch viel wichtiger, weiß sie auf einmal ganz genau, wer es war, die bei ihr im Laden über Gott gesprochen hat.

»Es tut mir leid«, sagt Jo, »solche Karten haben wir nicht.«

Beinahe möchte sie auch den nächsten Satz laut aussprechen, reißt sich aber gerade noch zusammen.

Sie glauben nicht, wem ich gerade ein paar Briefumschläge verkauft habe.

Die junge Frau lächelt und macht sich wieder auf den Weg die Gasse entlang. Jo geht zurück in den Laden.

Sie ist sich sicher.

Der Kommentar über Gott.

Ein schwarz-weißes Foto. Aber darauf trug sie keinen

langen Regenmantel, sondern einen Talar. Jetzt ist Jo vollkommen überzeugt. Das lag an der Erwähnung von Hochzeiten und Taufen.

Jo holt sofort ihr Telefon aus der Tasche und fängt an zu suchen.

Der Spitzname »Die flüchtige Vikarin« war der Aufreißer eines Artikels gewesen, der über das Verschwinden einer Pfarrerin berichtet hatte. Jo erinnert sich daran, dass sie die Geschichte beim Durchblättern der Zeitung in einem Café gelesen hatte.

Die Vikarin war wie die Besatzung des Geisterschiffs *Mary Celeste* einfach verschwunden. Der Küchenstuhl zurückgeschoben, ein Sandwich halb gegessen. Ein Gemeindevorsteher hatte sie als vermisst gemeldet. Es gab kein Anzeichen für Gewalteinwirkung, die Hintertür stand einfach offen. Das Auto befand sich immer noch in der Einfahrt. Die Gemeindemitglieder waren völlig »entgeistert«. Jo hatte sich damals gefragt, ob heute noch jemand dieses Wort benutzte. Sie erinnert sich daran, wie jemand die Vikarin beschrieben hatte. »Man kann nichts Schlechtes über sie sagen.« Aber das sagte ihr herzlich wenig über die Frau. Die gleiche Frau, von der sie nun überzeugt ist, sie im Laden bedient zu haben.

Wahrscheinlich hätte sich Jo nicht an den ersten Artikel erinnert, wenn die Schlagzeile der »flüchtigen Vikarin« nicht am nächsten Tag auch in ihrer Nachrichtenapp erschienen wäre. Aber selbst da ist es nur eine Randnotiz im Gewimmel all der anderen Nachrichten gewesen. Wäre ihr die Schlagzeile überhaupt aufgefallen, wenn sie nicht eine heimliche Solidarität mit den anderen Flüchtigen verspürt hätte? Jetzt fragt sie sich, ob die Kinderwagenfahranfängerin überhaupt gewusst hätte, wovon sie spricht, hätte sie etwas zu ihr gesagt.

Jo stellen sich die folgenden Fragen: Sollte sie etwas unternehmen? Jemandem davon erzählen? Weiß jemand, dass die Vikarin nicht in Gefahr ist?

Sie starrt aus dem Fenster auf die Backsteinwand gegenüber. Geht sie das überhaupt etwas an? Die flüchtige Vikarin war hier im Laden und hat Umschläge gekauft, sie stand nicht gefährlich nahe am Abgrund auf einer Brücke.

Jo wendet sich wieder ihrem Telefon zu und liest weitere Artikel. Die flüchtige Vikarin (von der sie nun weiß, dass sie Ruth Hamilton heißt) hat sich nicht bei ihrer Familie gemeldet. Die scheint in Glasgow zu leben. Ein längerer Artikel aus einer Zeitung aus Warwickshire hat mehr Hintergrundinformationen zu Ruth. Sie ist siebenundfünfzig Jahre alt, geschieden, und ihre Gemeinde umfasste einen größeren Ort und ein paar kleinere Dörfer in der Nähe der Stadt Rugby. Der Artikel zeigt auch ein paar Fotos von Ruth. Auf einem steht sie auf einem Dorffest neben einem Kuchenstand. Eines zeigt Ruth vor einer Kirche, umgeben von ein paar Kindern und Tieren. Auf den Fotos lächelt sie.

Jo vergrößert die Bilder auf ihrem Handybildschirm. Es handelt sich eindeutig um die Frau, die im Laden war. Sie fragt sich, wie alt die Bilder sind. Die Frau, die bei ihr Umschläge gekauft hat, sah älter aus, etwas mitgenommener. Oder bildet sie sich das nur ein, da sie jetzt weiß, dass es sich bei ihr um die flüchtige Vikarin handelt? Auf der Suche nach einem Hinweis darauf, warum die Frau aus einer so idyllisch scheinenden Gemeinde verschwunden sein könnte, sucht sie erneut den Bildschirm ab. Das

Gesicht der Frau wirkt nett, mit dichten Augenbrauen und einem freundlichen Ausdruck. Sie ist die Art Vikarin, von der sie James und sich gerne hätte trauen lassen.

Und da ist er wieder. Der Stolperstein, der sie zum Straucheln bringt. Gerade hat sie zu ihrer Freude eine Stunde oder so nicht an James gedacht. Aber wenn der Gedanke sich einmal festgesetzt hat, kann sie ihn mit logischen Argumenten nicht mehr loswerden, er krallt sich nur noch fester.

Mit großer Anstrengung versucht Jo, sich wieder auf die flüchtige Vikarin zu konzentrieren. Noch einmal studiert sie ihre Gesichtszüge, sucht nach Hinweisen. Sie fragt sich, ob sie die Vikarin je wieder zu Gesicht bekommen wird. Und wenn ja, ob sie dann etwas zu Reverend Ruth Hamilton sagen wird.

4

Ein Mann namens Malcolm

Noch immer kreisen ihre Gedanken gelegentlich um die flüchtige Vikarin, als Jo eine Stunde später mit ihrer täglichen Inventur beginnt. Wie das Beobachten ihres Streifens Himmel beruhigt sie auch dieses profane Ritual. Es ist zu einem wichtigen, wenn auch unnötigen Teil ihres Tagesablaufs geworden.

Das Geschäft läuft nicht besonders gut, manchmal kommen kaum mehr als ein Dutzend Kunden in den Laden. Also gibt es nicht wirklich einen Grund, den Bestand so regelmäßig zu kontrollieren. Außerdem könnte sie ihn jederzeit mithilfe der modernen Kasse berechnen, in die ihr Onkel Wilbur investiert hat. Sie vermutet, dass er mit diesem Zugeständnis an die neue Zeit irgendwie gehofft hatte, die Einnahmen zu verbessern. Der Plan war nicht aufgegangen. Allerdings hatte ein gigantischer Baumarkt nur eine halbe Meile entfernt eröffnet. Seit über fünfzig Jahren hatte das Geschäftsmodell ihres Onkels darauf basiert, eine Kombination aus Schreibwaren und Haushaltswaren zu verkaufen. Seit der Baumarkt eröffnet hat, ist der Anteil der Schreibwaren (vor allem nützliche Dinge, die den praktischen Geist ihres Onkels ansprechen) immer größer geworden.

Jo fängt damit an, die Regale, die für die Haushaltswaren bestimmt sind, zu kontrollieren. Dazu reicht ein kurzer Blick auf die halbherzige Ansammlung von Schrauben, Haken, Steckern und Verlängerungskabeln. Alles ist sorgsam aufgereiht, aber das kann nicht davon ablenken, dass es sich um eine zusammengewürfelte Auswahl handelt.

Dann wendet sie sich dem Regal mit dem Briefpapier zu. Hier liegen schlichte Blöcke mit weißem und hellblauem Papier und die dazu passenden Briefumschläge. Das Briefpapier ist so altmodisch, dass es schon zu den Zeiten, als ihr Onkel den Laden eröffnet hat, nicht weiter aufgefallen wäre. Sie blättert durch einen der Blöcke und fährt mit dem Finger über die Richtlinie und das einzelne Blatt Löschpapier. Ihr fallen die Worte der »Zahnärztin« wieder ein.

»Heute schreibt doch niemand mehr mit einem Füller.«

»Und Briefe schreibt ohnehin heute *niemand* mehr.«

Ihr Blick bleibt an einem Stapel Briefumschläge hängen, ähnlich denen, die die flüchtige Vikarin gekauft hat. Immerhin schreibt die Vikarin offensichtlich noch jemandem Briefe …

Jo geht von den Blöcken weiter zu den Notizbüchern und verdrängt diese Gedanken, während sie sich lieber auf die einfache Freude konzentriert, die die gebundenen Seiten von reinem, weißem Papier bei ihr auslösen. Es gibt große Notizbücher, die in kräftigem, braunem Papier eingebunden sind, kleinere Ringbücher, eine Auswahl an Übungsheften in bunten Farben und die Quittungsblöcke mit dem jungfräulichen, blauen Durchschlagpapier, die sie besonders mag. Als Nächstes kommen die Stempelkissen und die Stempel.

Eine plötzliche Erinnerung lässt sie auflachen. Ihr fällt

ihr liebstes Weihnachtsgeschenk aller Zeiten ein, die Ohrringe, die James ihr an ihrem letzten gemeinsamen Weihnachten geschenkt hat, eingeschlossen. Als sie zehn war, hat sie von ihrem Onkel Wilbur einen Stempel geschenkt bekommen. Damit konnte man die Worte »Bezahlt« und »Fällig« sowie das Datum, das sich einstellen ließ, stempeln. Wenn sie das richtige Datum eingestellt hatte, drückte sie den Stempel zufrieden in das rote Stempelkissen. Dann folgte das befriedigende »Fump«, mit dem sie den Stempel auf den Quittungsblock presste.

Jo verweilt bei den Bleistiften und dreht einen 2B-Bleistift wie eine Zigarre zwischen Daumen und Zeigefinger, als die Ladentür geöffnet wird.

»Malcolm!« Freudig wendet sie sich der Gestalt zu, die sich ihr nähert.

Malcom war der erste Kunde, den Jo im Laden ihres Onkels bedient hatte. Er hatte sich höflich und freundlich vorgestellt. Er hatte sich gefreut, sie kennenzulernen, ihr gesagt, dass sein Name Malcolm Buswell sei und er nur wenige Gehminuten entfernt wohnte. Ihre Unterhaltungen sind spärlich, trotzdem ertappt sie sich häufig dabei, dass sie von ihrem Platz am Fenster nach seiner langgliedrigen Gestalt Ausschau hält. Sie muss immer lächeln, wenn sie ihn mit schwingenden Armen und langen Beinen die Gasse hinunterschlendern sieht. Als sie Malcom zum ersten Mal gesehen hat, musste sie an die Figur von Roald Dahl denken, an den großen freundlichen Riesen. Malcolms Ohren stehen zwar nicht so ab, aber dafür hat er eine Hakennase und dieselbe freundliche Ausstrahlung.

»Ah, guten Tag«, begrüßt sie Malcolm, als er sich, wie

erwartet, den Notizbüchern zuwendet. Fast jede Woche kauft Malcolm ein neues. Er schreibt ein Buch. Bisher hat er ihr aber noch nicht verraten, worum es in seinem Buch geht. Er hat offensichtlich keine Lust, ihr davon zu erzählen. Jo hat höflich versucht nachzufragen und Malcolm auch in Gespräche über Bücher, die sie beide lesen, verwickelt, aber seine Antworten bleiben immer vage und unverbindlich. Also hat sie aufgehört, weiter nachzufragen.

Nach und nach hat Jo herausgefunden, dass Malcolm, schon seit er ein junger Mann war, in der Nähe von Hampstead Heath lebt und dass er pensionierter Steuerberater ist. (Das überraschte sie nicht. Malcolm ist immer förmlich in Grau gekleidet, selbst seine lässigsten Klamotten sehen eher wie Anzüge aus.) Er war auf Testamente und Nachlässe spezialisiert. Er interessiert sich für lokale Geschichte. Und für Literatur. Seit seine Mutter gestorben ist, wohnt er allein in dem kleinen Haus, das sie zuvor gemeinsam bewohnt haben. Jede dieser Informationen wird ihr mit förmlicher Zurückhaltung dargeboten, meist nachdem der Kaufvorgang des neusten Notizbuchs abgeschlossen ist.

Jo bietet ihm im Gegenzug auch ein paar Informationen an. Das findet sie nur höflich, und Malcolm ist immer höflich. Er hält anderen Kunden die Tür auf, nickt ihnen mit seinem langen, schmalen Kopf freundlich zu, wenn sie den Laden betreten oder verlassen. Jo hat ihm erzählt, dass alle in ihrer Familie Landwirte sind. Die Familie ihrer Mutter kommt aus dem Lake District und die ihres Vaters aus North Yorkshire. Sie hat ihm erzählt, dass sie in Bath studiert hat, aber nach einigen Jahren auf Reisen zum Arbeiten wieder in den Norden gezogen ist. Sie hat in Newcastle gearbeitet, aber in einem Dorf in Northumberland gewohnt. Sie war bei einer Bank angestellt und hat in deren Hauptsitz gearbeitet, bis sie vor neun Monaten gekündigt hat.

Sie erklärt Malcolm nicht, warum sie gegangen ist. Und das hat sie auch nicht vor. Manchmal drängen sich ihr die Worte, die sie sagen könnte, auf, aber sie kommen ihr nie über die Lippen.

Weißt du, ich war nicht gut genug, Malcolm.

Letztendlich war ich, egal, was ich gemacht, und egal, wie sehr ich es versucht habe (vielleicht sogar zu sehr!), nicht das, was er wollte.

Und das war es dann, er hat mich verlassen und ist jetzt mit einer jüngeren, viel schöneren Frau zusammen.

Nickyyy.

Sicher machen ihm seine Freunde keine Vorwürfe.

Und meine Freunde? Meine Freunde waren nie wirklich seine Freunde.

Lucy, meine beste Freundin, konnte ihn nicht ausstehen.

Anfangs habe ich das nicht mitbekommen. Sie und ihr Mann Sanjeev sind für ein paar Jahre wegen Sanjeevs Arbeit weggezogen, aber als sie zurückkamen, oh, da konnte ich es ihnen ansehen.

Ich habe mir große Mühe gegeben, es allen recht zu machen … das habe ich wirklich …

Und so weiter und so fort.

Heute, bevor sie ihren inneren Monolog beginnen kann, füllt sie die Stille mit einer Frage.

»Kann ich dir irgendwie helfen, Malcolm?«

»Wie bitte, Joanne? Hast du etwas gesagt?«

Malcolm benutzt immer ihren ganzen Namen.

»Kann ich dir helfen?«

»Nein, das hier ist ein schlichter Prozess. Eine neue Woche. Ein neues Notizbuch.«

Vielleicht schreibt Malcolm ein Tagebuch und keinen Roman? Seine Reserviertheit macht es ihr unmöglich nachzufragen.

»Ah, das hier wird das Richtige sein. A5, blau, Ringbindung. Absolut ausreichend.« Er bringt das Notizbuch an den Verkaufstresen und hält ihr seine Geldkarte entgegen.

Jo erinnert sich plötzlich an etwas, das sie Malcolm fragen wollte.

»Malcolm, weil du so oft fragst, wie es meinem Onkel Wilbur geht, wollte ich wissen, ob ihr befreundet seid.« Sie schätzt, dass Wilbur mit seinen achtzig Jahren etwas älter ist als Malcolm, aber nicht viel.

»Ich würde nicht befreundet sagen, Joanne, aber manchmal haben wir hier zusammengesessen und eine Tasse Tee getrunken.«

Jo fällt auf, dass sie nie auf die Idee gekommen ist, Malcolm einen Tee oder einen Platz anzubieten.

»Worüber habt ihr geredet?«, will Jo wissen.

»Oh, über die Gegend. Wie sehr sie sich verändert hat. Und Wilbur hat sich sehr für Schach interessiert. Darüber haben wir uns manchmal unterhalten und über seinen Schachklub.«

»Bist du auch im Schachklub?«

»Nein, nein. Das ist nichts für mich, Klubs und Vereine.«

Jo will gerade fragen, warum nicht, aber Malcolm kommt ihr zuvor.

»Ich weiß auch nicht genau, warum. Nur hat es sich nie ergeben.« Er fährt fort. »Dein Onkel ist ein guter Mann, Joanne. Richte ihm meine besten Wünsche aus.« Dann sagt er noch etwas wehmütig: »Aber, nein, ich würde nicht behaupten, dass wir Freunde sind.«

Bevor er die Tür erreicht, dreht er sich noch einmal zu Jo um. »Ich glaube, ich wäre gerne sein Freund gewesen.« Er zögert und fährt langsamer und nachdenklicher fort. »Es gab Zeiten, in denen er für Wochen die einzige Person war, mit der ich gesprochen habe.«

Sie sehen sich direkt in die Augen, und eine Art stilles Verständnis stellt sich zwischen ihnen ein.

Jo weiß, dass Malcolm ihr Mitleid nicht braucht. Genauso wenig wie sie seins. Aber sie möchte diesem sanften Mann etwas geben.

»Ach, ich bin mir sicher, dass Onkel Wilbur dich als Freund betrachtet hat«, sagt sie also.

Malcolm akzeptiert die Worte mit einem langsamen Nicken.

Als er sich abwendet, bemerkt Jo, dass sein Gesichtsausdruck zwar immer noch nachdenklich ist, sich aber etwas Hoffnungsvolles mit hineingeschlichen hat.

5

Ein Wikinger namens Eric

Es ist eine Woche her, dass die flüchtige Vikarin im Laden war. Seitdem hat sie sich nicht mehr blicken lassen (Jo hat durchaus Ausschau nach ihr gehalten), aber jetzt hat Jo einen anderen unerwarteten Besucher.

»Ich brauche so ein Ordnerding. Du weißt schon, Kladden … oder Ordner oder so … aber nicht so groß … A4 … aus Plastik.« Eric der Wikinger fuchtelt mit den Armen.

Als Jo nicht antwortet, malt er ein Rechteck in die Luft, als würden die beiden Scharade spielen. Sie weiß genau, wovon er redet, und sie hat das auch im Laden, trotzdem antwortet sie nicht. Sie ist einfach zu überrascht davon, dass Eric der Wikinger aus Birmingham kommt.

Er trägt seine Fellstiefel, die Tätowierungen auf seinen Armen sehen aus wie nordische Runen und Symbole. Sein Haar ist so blond, es ist fast weiß. Er hat den passenden Bart und hellblaue Augen.

Aber sein Akzent klingt nasal, und er kommt eindeutig irgendwo aus den Midlands.

Sie möchte sagen, *aber ich dachte, du wärst ein Wikinger*. Stattdessen sagt sie: »Ich weiß genau, was du meinst.« Dann kommt sie hinter dem Tresen vor. Sie muss sich an ihm vorbeidrängen und holt, was er sucht. Er ist sogar gebaut wie ein Wikinger.

»Bitte schön«, sagt sie und legt einen Stapel Sammelmappen auf die Theke. »Für deine Motive?«

Er sieht sie verwirrt an, während er durch die Mappen blättert.

»Damit die Leute sich ein Motiv aussuchen können?«, wiederholt sie.

»Wie bitte?«, fragt er verdutzt und sieht auf. Aber bevor sie antworten kann, fährt er fort. »Perfekt, aber hast du die vielleicht noch in anderen Farben?«

»Nein, leider nicht.«

»Macht nichts. Ich kann einfach ein paar Aufkleber vorne draufmachen. So was hast du aber wahrscheinlich nicht, oder?«, erkundigt er sich und sieht sich im Laden um.

»Was für Aufkleber?« Jo weiß nicht, warum sie überhaupt nachfragt. Sie hat nur ein paar bunte Punkte und Adressfelder als Aufkleber.

»Etwas für Kinder. Ich will, dass Kinder sich das gern ansehen.«

»Aber du kannst doch keine Kinder tätowieren!«, sprudelt es aus ihr heraus, und weil sie nicht zurückkann, fügt sie schwach hinzu: »Das ist doch verboten.« Eric der Wikinger muss doch wissen, dass man volljährig sein muss, um sich tätowieren zu lassen.

Eric der Wikinger fängt an zu lachen, und sie muss zugeben, das steht ihm. Sein Lachen ist tief und grollend.

»Was glaubst du denn, was ich mache?«

»Bist du nicht Eric der Wikinger, vom Tattoo Studio?«

Wieder lacht er laut auf. So muss ein Walross klingen, wenn es jemandem so Bescheuerten wie ihr begegnet. Warum zum Teufel hat sie seinen Spitznamen laut vor ihm ausgesprochen? Er lehnt sich über die Theke, greift nach ihrer Hand und schüttelt sie. Währenddessen grinst er sie amüsiert an. »Wieso bin ich nicht schon früher vorbeigekommen? Das ist ja großartig. Sag mir, wie heißt du, Schreibwaren-Girl?« Er lässt ihre Hand los und macht einen Schritt zurück, um sie genauer zu betrachten.

Ihr stellen sich alle Nackenhaare auf. »Ich heiße Jo Sorsby«, erwidert sie so würdevoll wie möglich. »Der Laden gehört meinem Onkel. Ich kümmere mich nur darum, solange …« Sie hat keine Lust, Eric vom Zustand ihres Onkels zu erzählen.

»Ach, ja«, sagt er und sieht auf einmal ernsthafter aus. »Das tut mir leid. Einer seiner Freunde aus der Legion hält mich über seinen Zustand auf dem Laufenden.« Das Bild eines alten Soldaten mit den Armen voller Tätowierungen drängt sich Jo auf.

Eric lächelt sie wieder an. Er sieht sie an, als hätte sie ihm irgendwann einmal den besten Witz der Welt erzählt und er sei ihm gerade wieder eingefallen. Sie weiß nicht einmal, was er überhaupt so lustig findet. Ihre innere Stimme beantwortet ihr diese Frage: *Du hast ihn einen Wikinger genannt, du Idiot.*

»Ich hätte schon früher vorbeikommen und Hallo sagen sollen.« Es klingt, als würde er mit sich selbst reden. Sich selbst schelten. »Das ist unverzeihlich.« Er lehnt sich wieder vor, schnappt sich ihre Hand erneut und schüttelt sie.

»Eric Sv…«

Sie hat keine Ahnung, wie sein Nachname lautet. Er scheint mit einem S zu beginnen, da ist irgendwo ein V und vermutlich ein J.

»… freut mich, dich kennenzulernen, Jo Sorsby«, fügt er hinzu.

»Wie schreibt man das?«, fragt Jo irritiert.

»Das wird dir nicht im Geringsten helfen«, wieder lacht er. »Der Name ist isländisch, aber ich komme aus …«

»Birmingham?«, schlägt sie vor.

»Nein, Brighton.«

»Verstehe …«, sagt sie, versteht aber eigentlich gar nichts.

Er schüttelt den Kopf und lacht noch einmal. »Oh, das war viel zu einfach. Stimmt, ich bin in Birmingham groß geworden. Bis ich achtzehn war, habe ich dort gelebt. Aber du hast recht – Gott, hätte mein Vater seine Freude an dir –, wir stammen von Wikingern ab. Das ist das Lieblingsthema meines Vaters, wenn er ein paar getrunken hat.«

»Ich dachte, Wikinger kommen aus Skandinavien.«

»Oje, und bis hierher hättest du so einen Stein im Brett gehabt bei meinem Vater, Jo.« Er sieht sie gespielt enttäuscht an und lässt den Kopf hängen.

Sie hat immer noch Schwierigkeiten damit, den Akzent mit dem großen Typen vor sich in Einklang zu bringen.

»Mum und ich versuchen immer wieder, ihm zu erklären, dass Island von Wikingern besiedelt wurde, aber davon will er nichts wissen. Er behauptet felsenfest, dass die Wikinger aus Island kommen.« Wieder schüttelt er den Kopf. »Und jetzt muss ich leider los. Ich habe einen Termin. Was schulde ich dir hierfür?«, fragt er und deutet auf die schwarze Mappe.

Sie sagt es ihm, und er zahlt. Dann steckt er den Beleg in die Tasche seiner Jeans. Als er den Ordner nimmt, fällt sein Blick auf die Vitrine im Tresen, und er entdeckt die Füller. »Ah, Füllfederhalter! Die musst du da aber rausholen, Jo. Da drinnen haben die doch nichts verloren. Füller muss man benutzen. Jeden Tag. Sonst werden sie einsam, denken, dass niemand sie liebt …« Er macht eine lange Pause, und sie hat das ungute Gefühl, dass ihm auffällt, dass sie genauso ungeliebt ist. Und noch etwas anderes Beunruhigendes mischt sich dazu, aber sie weiß nicht genau, was.

Sie hat den Eindruck, als wolle er noch etwas sagen, sie etwas fragen, aber stattdessen greift er in seine Hosentasche und holt einen Füller heraus. Er ist zinnfarben, hat einen kurzen, breiten Korpus und eine silberne Klemme. Verdutzt sieht sie zu ihm auf. Dann fragt sie sich, warum sie das überraschen sollte. Immerhin arbeitet Eric der Wikinger (sie hat beschlossen, er hat sich den Spitznamen verdient) auch mit Tinte.

Gerade will sie etwas sagen, aber Eric sieht sie nicht mehr an. Er kritzelt etwas auf einen Block, den er ebenfalls aus seiner Hosentasche hervorgeholt hat. Als er wieder aufsieht, lächelt er. »Lando ist der Tintenkünstler. Und ein sehr begabter noch dazu«, erklärt er und betrachtet seine Unterarme.

»Und du bist …«

Er reißt das oberste Blatt von seinem Block ab und reicht es ihr.

»Eric der Optiker.« Er macht sich auf den Weg zur Tür, aber bevor er sie öffnet, dreht er sich noch einmal grinsend zu ihr um. »Aber du kannst mich auf jeden Fall Eric der Wikinger nennen.«

Sie sieht auf das Blatt Papier in ihrer Hand. Darauf hat

er einen Wikinger gezeichnet, der eine übergroße Brille trägt. Sie muss lachen, dann sieht sie durch ihr Schaufenster.

Aber Eric der Optiker ist weg.

Sie muss immer noch lächeln, als sie die Zeichnung neben den einsamen Kalender an die Pinnwand heftet. Jos Gesicht fühlt sich komisch an, irgendwie gedehnt und schmerzhaft. Und sie fragt sich, wann sie eigentlich zum letzten Mal gelacht hat.

6

Mr James Beckford & Ms Jo Sorsby

Aufgekratzt von all dem Lachen, hat Jo am Abend Lucy eine Nachricht geschrieben. Nichts Besonderes, sie hat ihr nur von Eric dem Wikinger erzählt. Lucy hat sofort mit einer Reihe von lachenden Emojis geantwortet. Das hat sich sehr vertraut angefühlt, wieder mehr wie früher.

Aber an diesem Morgen ist Jo nicht zum Lachen. Der Briefträger war gerade da.

Er hat ihr eine Rechnung gebracht, sonst nichts. Eine Nebensächlichkeit. Es ist eine alte Wasserkostenabrechnung, die bezahlt werden muss. James hat ihr aufgeschrieben, was sie ihm schuldet. Sonst nichts.

Trotzdem löst die Vertrautheit seiner Handschrift etwas in ihr aus. Sie bemüht sich, dagegen anzukämpfen, sich zu sammeln. Als sie den Brief an die Pinnwand heftet (darum kümmert sie sich später), fällt ihr auf, dass die Adresse auf dem Umschlag verschmiert ist, und erst dann merkt sie, dass sie weint.

Das ist das Problem mit Tränen. Sie überrumpeln einen einfach.

~

Hätte sie nicht geweint, hätte Jo vielleicht ihren Job in der Bank nicht kündigen müssen.

Sie hatte sich im Kopierraum in der Arbeit auf den Boden gehockt und geschluchzt. Ihre Tränen hatten das Briefpapier aufgeweicht, das keiner mehr benutzte. Vermutlich hatte es eine seltsame ironische Symmetrie, dass sie jetzt in London in einem Schreibwarenladen saß. Ein Laden, der kaum größer war als jener Raum.

Aber sie hat nicht erst dort angefangen zu weinen. Damit wäre sie vielleicht durchgekommen. Sie hatte im Besprechungsraum angefangen. Das war im April, und ihre Mutter hatte sie gerade angerufen, um ihr zu sagen, dass sie sich um Onkel Wilbur Sorgen machte. Er hatte sich ausgesperrt und war überzeugt davon, dass seine Schlüssel irgendwo im Lake District seien, und das ergab überhaupt keinen Sinn. Jo war abgelenkt gewesen, aber sie hatte bei der Besprechung dabei sein müssen, und eigentlich hätte das auch kein Problem darstellen sollen. Sie war nur dabei, um ein paar Fragen über die Datenbank der Bank zu klären, das war ihr Spezialgebiet. Andere kümmerten sich um den Großteil der Präsentation.

Einer dieser Leute, der sprach, war ihr Freund, mit dem sie seit sechs Jahren zusammen war. Während er den Anwesenden die Prognose des kommenden Jahres vorstellte, saß sie da, einen Arm auf den Tisch gelehnt, den anderen auf die Armlehne gestützt. Mit Daumen und Zeigefinger berührte sie sanft den Ohrring in ihrem rechten Ohrläppchen. James hatte ihr die Ohrringe zu Weihnachten geschenkt, und sie trug sie fast jeden Tag. Sie erinnert sich, dass sie dachte, wie gut er aussah: groß und sportlich, mit seinem schicken weißen Hemd und dem dunkelgrauen Jackett. James ist ein selbstbewusster Redner. Und er hat jedes Recht dazu. Er macht einen guten Job. Alle im Raum hören ihm aufmerksam zu, nicht weil er laut oder lustig ist, sondern weil er vernünftig klingt. Alle mögen James. Jo liebte ihn.

Aber liebte er sie auch?

Sie hat keine Ahnung, woher der Gedanke plötzlich kam. Fester drückte sie mit dem Daumen gegen den Stab des Ohrrings, als wollte sie es sich damit bestätigen. Natürlich liebte er sie.

Aber das versetzte sie nur wieder zurück zum letzten Weihnachtsfest und zu ihrer fürchterlichen Enttäuschung, als sie die kleine Schatulle öffnete und darin keinen Verlobungsring, sondern ein paar kleine Diamantohrstecker fand. Damals hatte sie James nicht einmal ansehen können, den Kopf gesenkt und geflüstert: »Oh, die sind aber schön.« Aber innerlich hatte sie geschrien: *Wie kannst du mir das antun? Wie kannst du nur? Vor meiner Familie!* Erst eine Stunde später brachte sie es wieder übers Herz, ihre Mutter anzuschauen, aber auch dann vermied sie Blickkontakt.

Im Besprechungsraum hatte sie immer fester gegen den Ohrstecker gedrückt, bis ihre Gefühle sich alle schmerzhaft an einem Punkt an ihrem rechten Daumen konzentrierten. *James liebt mich, und eines Tages werden wir heiraten.* Sie hatte das alles schon seit Jahren geplant. Nicht auf eine so kitschige Weise, dass sie ein Album angelegt hätte, aber immer mal wieder stellte sie es sich vor. Den Blumenstrauß, den sie tragen würde, wo sie heiraten würden, wohin ihre Hochzeitsreise gehen würde. Und so war es weitergegangen, bis sie eine ganze Reihe von Ideen gesammelt hatte, wie Schnappschüsse ihres gemeinsamen Lebens.

Sie saß im Besprechungsraum und stellte sich vor, was ihre Kollegen wohl sagen würden, wenn sie sie darum bäte, den Tisch von den Kaffeetassen und Wasserflaschen freizumachen, damit sie all diese imaginären Bilder darauf ausbreiten könnte. Hätten sie zuversichtlich genickt und gesagt, *ja, Jo, sicher. Wir wussten immer, dass ihr beiden einmal heiraten werdet?*

Dann sah sie zu James, da konnte sie seine Stimme schon kaum noch hören, und sie wusste, dass es eine Sache gab, die sie ihm mehr als alles andere hatte sagen wollen.

Da trafen sich ihre Blicke. Seine Stimme zitterte für einen ganz kurzen Augenblick, und in diesem Moment wusste sie es. *Er wird mich niemals fragen. Er liebt mich nicht mehr.* Und als die Tränen anfingen, ihr über die Wangen zu laufen, wusste sie, dass sie ihm diese eine Sache niemals würde sagen können.

Ich wünsche mir so sehr ein Baby, James.

Ihr war die seltsame Stille im Raum nicht aufgefallen, bis jemand sie am Arm berührt und auf die Beine gezogen hatte. Da fiel ihr die Person auf, die sich zwischen Jo und ihre Kollegen, die wie versteinert waren, gestellt hatte. Sie erinnert sich, gedacht zu haben, *das hätte ich von Jemima nicht erwartet.* Jemima, die so eiskalt sein konnte. Jemima, die, ausgehend von den Fotos in ihrem Büro, Hunde wohl lieber mochte als Menschen.

Sie ließ Jemima an der Tür zum Besprechungsraum stehen, ging direkt in den Kopierraum und warf die Tür hinter sich zu.

»Joanne? … Joanne?«

Es dauert einen Moment, bis Jo auffällt, dass Malcolm vor ihr an der Theke steht. Sie hat dem Verkaufsraum den Rücken zugewandt und starrt auf den Brief an der Pinnwand.

»Entschuldige, Malcolm«, sagt sie und dreht sich zu ihm um.

»Joanne …« Jetzt klingt Malcolm besorgt und ein wenig schockiert.

Ihr war nicht klar, dass ihr Gesichtsausdruck sie so verraten würde.

»Doch keine schlechten Nachrichten, hoffe ich? Alles in Ordnung mit deinem Onkel Wilbur?«

Nicht wirklich, Malcom. Oft kann er sich nicht mehr daran erinnern, was vor fünf Minuten vorgefallen ist. Aber das erzählt Jo ihm nicht. Stattdessen sagt sie, dass es Wilbur gut gehe, und bietet Malcom eine Tasse Tee an.

Der Gesichtsausdruck des alten Manns verdunkelt sich. »Das wäre mir eine große Freude, Joanne, aber ich habe einen Termin bei der Bank … wegen meiner Rente und derlei«, erklärt er und sieht immer noch besorgt aus.

»Ein andermal«, erwidert Jo und zwingt sich zu einem Lächeln.

Malcolm sieht zur Pinnwand. »Kann ich irgendetwas tun? *Irgendwas?*«

Sie will sagen: *Kannst du bitte dafür sorgen, dass James mich liebt und er einsieht, dass er einen großen Fehler gemacht hat?*

Das sagt sie sich oft genug im Stillen oder wenn sie allein in der Wohnung ist. Manchmal glaubt sie sogar, dass es möglich wäre.

Sie will, dass Malcolm ihr erklärt, warum es nach sechs Monaten immer noch so verdammt wehtut. Sie versucht, sich einzureden, dass es viel mit Stolz zu tun hat, aber das erklärt den körperlichen Schmerz nicht, der ihr den Atem zu rauben droht, wenn sie nachts allein im Bett liegt.

Plötzlich fällt Jo auf, dass sie nichts darauf erwidert hat, und sie glaubt, Malcolm eine Erklärung für seine Sorge zu schulden. Also sagt sie: »Das ist ein Brief oder vielmehr eine Rechnung von meinem Ex-Freund. Wir haben vier Jahre zusammengelebt und uns getrennt, bevor ich nach London gekommen bin. Der Brief hat nur alles wieder hochgeholt.«

Malcolm nickt, als ob das alles Sinn ergäbe.

»Wir waren zwei Jahre zusammen, bevor wir zusammengezogen sind.« Jo fragt sich, warum sie den Eindruck hat, das erwähnen zu müssen. Vielleicht um zu unterstreichen, wie *ernst* ihre Beziehung gewesen ist? Dass sie etwas *bedeutet* hat?

»Ich glaube, das war für uns beide hart«, wobei sie das bezweifelt. Obwohl es unwichtig ist, fügt sie noch etwas hinzu, damit Malcolm nicht schlecht von James denkt. »Alle mochten James.«

Außer Lucy. Und nun fällt ihr ein, auch Jemima. Jemima, die sie in dieser Besprechung gerettet hat. Nein, Jo würde wetten, dass Jemima James noch nie leiden konnte. Sich nie von seinem Charme hatte beeindrucken lassen.

Ihre Überlegungen werden unterbrochen.

»Verstehe, verstehe«, sagt Malcolm und nickt wieder. »Und deshalb bist du nach London gekommen?«

»Ja«, gibt Jo zu. »Ich habe herausgefunden, dass er eine

neue Freundin hat. Eine Kollegin von mir.« Sie versucht zu lächeln. »Also bin ich davongelaufen.«

»Nein, nein!«, ruft Malcolm aus, und Jo fragt sich, ob die Wiederholungen als doppelte Dosis der Bestätigung fungieren sollen. »Nicht im Geringsten, nicht im Geringsten. Du bist hierhergekommen, um deinem lieben Onkel unter die Arme zu greifen. Ich bin mir sicher, deine Familie und deine Freunde denken nicht, dass du davongelaufen bist. Ich bin überzeugt, sie vermissen dich alle sehr.«

»Oh, Malcolm.« Mehr bringt Jo nicht raus.

Wo soll sie nur anfangen?

7
Durchschnitts-Jo

Später am Abend sitzt Jo am Gasofen im Sessel ihres Onkels (der erstaunlich gemütlich ist) und denkt über das Gespräch mit Malcolm nach. Sie weiß, dass ihre Familie sie vermisst (nun ja, ihre Brüder vielleicht nicht, aber ihre Eltern doch sicher). Doch wenn sie an ihre Freunde denkt, überkommt sie ein enormes Unwohlsein.

Es hatte sich so eingeschlichen. Es war ihr gar nicht wirklich aufgefallen. Aber irgendwie haben sie immer nur gemacht, worauf James Lust hatte. Gingen aus, wohin James gehen wollte. Aber seine Vorschläge waren auch immer gut. Bei einem so vernünftigen Mann wäre es ihr kleinlich vorgekommen, einen Streit anzufangen, nur weil sie lieber etwas anderes gemacht hätte. Außerdem gab es ja auch noch andere Leute zu bedenken. James hatte einen Freundeskreis, der sie oft begleitete. Zum ersten Mal in ihrem Leben hatte sie den Eindruck, zu den »coolen Kids« zu gehören, auch wenn man sie nur duldete, weil sie James' Freundin war. Das war neu und fühlte sich gut an. Außerdem war sie einsam gewesen, als sie sich kennenlernten. Lucy und Sanjeev waren gerade für seine Arbeit nach Amsterdam gezogen, eigentlich wollten sie nur zwei Jahre bleiben, aber daraus sind schließlich vier geworden. Mit Freude hatte sie sich in ihr Leben mit James gestürzt.

Sie hat ein schlechtes Gewissen, wenn sie daran denkt, dass sie daher ein paar alte Freundschaften hatte schleifen lassen. Jo hatte sich davon mitreißen lassen, jetzt hier dazuzugehören. Die Bank zahlte ihr ein gutes Gehalt. James war der Meinung, wer hart arbeitete, verdiente es auch, hart zu feiern. Das war einer seiner liebsten Sprüche. Also machten sie Wochenendausflüge, gingen Ski fahren, oder zu teuren Abendessen mit den »Freunden«, von denen sie inzwischen nichts mehr hörte.

Ihr fehlen diese Leute nicht, selbst damals hat sie gemerkt, dass einiges völlig übertrieben war. Aber James war immer ganz anders, wenn sie nur zu zweit waren. Besonders nachdem sein Vater an einem Herzinfarkt gestorben war und ihn dieser plötzliche Verlust hart traf. Sie hatte ihm Halt gegeben, die Führung übernommen. Sich auch um seine Mutter gekümmert.

Während all dieser Zeit hatte sie versucht, Lucy die Treue zu halten, sie zu besuchen, anzurufen, sich Zeit für sie zu nehmen, besonders in den letzten zwei Jahren, als sie wieder zurück in England war. Egal, wie James das fand. Das hatte sie doch, oder? Sie hatte sich doch so bemüht, ihre Freundschaft wiederaufleben zu lassen. Nie hatte sie Lucy vorgeworfen, dass sie schließlich umgezogen war.

Warum also trägt der Gedanke an ihre Freundschaft mit Lucy so zu ihrem Unbehagen bei?

Jos Telefon klingelt, und sie hebt erleichtert ab. Es ist ihre Mutter. Jo klemmt sich das Handy unters Ohr und fängt an zu sprechen, bevor sie kapiert, dass es ein Videoanruf ist. Das ist untypisch für ihre Mutter.

Als Jo auf den Bildschirm sieht, kann sie die obere

Hälfte des Kopfs ihrer Mutter mit den dunklen, leicht ergrauten Locken erkennen. Sonst sieht sie nur die Decke. Sie ist anscheinend nicht bei sich zu Hause. Sie sieht Deckenstuck und ein grünes Notausgang-Schild über einer Tür.

»Hi, Mum, wo bist du?«

»Jo, ich hab's gleich. Elaine, eine der Pflegerinnen, hat mir gezeigt, wie man bei WhatsApp auf Video umschaltet. Kannst du mich sehen?«

»Ja.« Jo muss lachen. »Zumindest einen Teil von dir.«

»Oh, da bist du ja. Ah, wie schön, dich zu sehen. Du siehst müde aus. Alles in Ordnung? Dir wird doch nicht alles zu viel werden da unten?«

Jo bekommt Schuldgefühle. Sie ruft ihre Mutter zwar gelegentlich an, ist aber, seit sie hier ist, nicht zu Besuch nach Hause gefahren. »Es geht mir gut, Mum.«

»Ich bin hier bei Wilbur.« Der Kopf ihrer Mutter verschwindet vom Bildschirm. »Ich hab sie hier, Wilbur. Ich zeig sie dir.« Dann wackelt der Bildschirm, und auf einmal sieht Jo ihren Onkel. Er sitzt in einem dunkelroten Ohrensessel. Er trägt beige Hosen und einen blauen Pullover, aber die Klamotten hängen lose an ihm, als ob sie eine Nummer zu groß sind. Jo schmerzt dieser Anblick. Ihr Onkel war nie besonders groß, aber immer kräftig gebaut. Dieser Mann scheint nun dahinzuschwinden. Er sieht nicht auf den Bildschirm, sondern an einen Punkt in der Ferne. Zu ihrer Mutter?

Sie kann die Stimme ihrer Mutter hören. »Kannst du ihn sehen, Jo?« Dann fährt sie leiser fort. »Sie haben mir gesagt, es könnte ihm guttun, vertraute Gesichter zu sehen.« Wieder lauter. »Wilbur, das ist Jo.«

»Jo?« Er klingt zögerlich, aber als er ihren Namen wiederholt, wird seine Stimme fester. »Unsere Jo?«

Jo atmet auf. Ihr Onkel ist immer noch der Alte.

»Gib mir das Telefon, du weißt doch überhaupt nicht, wie das geht«, und dann greift Onkel Wilbur nach dem Handy, und Jo muss lachen. Und wie das der alte Onkel Wilbur ist. Nun sieht sie das Gesicht ihres Onkels. »Hallo, Jo, wo bist du? Bist du immer noch mit diesem Idioten James zusammen?« Jo stockt der Atem. »Was für ein Depp dieser Kerl ist, Jo. Wie läuft die Uni? Wo bist du noch mal?«

»Bath«, antwortet Jo abwesend und fragt sich: *Du auch?* War sie wirklich die Einzige, die James mochte?

Jo hört ihre Mutter im Hintergrund. »Wilbur, du weißt doch, dass Jo schon lange nicht mehr an der Uni ist. Sie ist in London und kümmert sich um deinen Laden. Das weißt du doch.«

Jo fragt sich, wen ihre Mutter da überzeugen möchte.

»Du bist im Laden? Wieso? Spielst du wieder Postamt?« Ihr Onkel grinst sie an.

»Na sicher, Onkel Wilbur«, erwidert Jo.

»Geht es dir gut, Kleine? Machst du auch keinen Blödsinn?«

»Mir geht es bestens«, versichert sie ihm. Dann fragt sie: »Onkel Wilbur, erinnerst du dich an Malcolm aus dem Laden? Ein großer Mann, der immer Notizbücher kauft.«

»Malcolm ...« Ihr Onkel klingt verunsichert, und Jo ist ein wenig enttäuscht. »Sollte ich das?«, fragt er und klingt noch verlorener. Jo bemerkt, wie besorgt er nun dreinblickt, also wechselt sie das Thema. »Mir ist vor ein paar

Tagen die flüchtige Vikarin im Laden begegnet«, erzählt sie ihm.

»Ach, was?« Onkel Wilbur klingt neugierig. »Wovor ist sie denn geflohen? Aber du weißt, was die Lösung dafür ist, oder?«

»Nein?«

»Ein Platz für alles, und alles an seinem Platz. Deine flüchtige Vikarin muss nur ihren Platz finden.« Wilbur scheint sich zu wundern. »Eine Vikarin also, was du nicht sagst.«

Jos Mutter versucht, ihr Telefon wieder zurückzuerobern, aber Wilbur lässt ihr das nicht durchgehen. Er dreht sich weg, wirbelt das Handy herum und zeigt Jo den Rest des Raums. »Ganz schön schick hier, Kleine, schau dir das an. Die haben mich in ein Hotel gesteckt. Aber kein Meer in Sicht. Etwas enttäuschend.«

Das Zimmer sieht ziemlich kitschig aus, wirkt aber gemütlich. Es könnte fast ein Hotelzimmer sein, wären da nicht die Handläufe an den Wänden, die Onkel Wilbur wohl davon abhalten sollen zu stürzen.

Jo lächelt. »Sieht entzückend aus, Onkel Wilbur. Und bei all den Stangen könntest du gut etwas Ballett machen.«

Das Gesicht ihres Onkels erscheint wieder auf dem Bildschirm. »Mach dich nicht lächerlich! Ich kann doch kein Ballett«, poltert er.

Jo hört ihre Mutter beruhigend auf ihn einreden und nimmt das Telefon wieder an sich. Aber bevor ihr Onkel aus dem Bild verschwindet, sieht sie seinen verwirrten Gesichtsausdruck.

»Oder kann ich das doch?«, fragt er sie.

Jos Mutter lacht, als ob Wilbur einen Scherz gemacht hätte. Aber Jo weiß, dass ihr Onkel das völlig ernst meint.

Nachdem sie aufgelegt hat, denkt Jo eine Weile über Wilbur und ihre Mutter nach. Dass ihr Onkel so schnell abbaut, macht sie sehr traurig. Tränen steigen ihr in die Augen und erinnern sie daran, dass sie gar nicht in London wäre, hätte ihre Mutter nicht geweint. Wieder waren Tränen schuld an so vielem gewesen.

Es war fast vier Monate nachdem sie mit James schlussgemacht hatte passiert. Sie hatte gekündigt und war aus dem Cottage ausgezogen, das sie gemeinsam gemietet hatten. Das gemeinsam angesparte Geld für ein eigenes Haus hatte James aufgeteilt. Sie bekam etwas weniger als die Hälfte. Er hatte das damit erklärt, dass er anfangs schließlich auch etwas mehr beigesteuert habe. Erst später erinnerte sie sich daran, dass sie das nach einer Bonusauszahlung ausgeglichen hatte. Darauf angesprochen, hatte James etwas von Zinsen und solchen Dingen geredet, und schließlich klang alles ganz vernünftig. James klang immer äußerst vernünftig.

Während dieser Zeit hatte Jo ihre Mutter jede Woche besucht und sich von ihrem präsenten, genügsamen Wesen trösten lassen. Ihre Mutter war eine unkomplizierte Person. Sie liebte ihre Tochter und wollte, dass es ihr gut ging. Sie wusste nicht genau, womit Jo ihr Geld verdiente, und stellte nicht allzu vertrauliche Fragen über ihre Beziehung. Dafür war Jo dankbar, und die schlichten Phrasen ihrer Mutter gaben ihr Kraft.

Ihre Eltern lebten noch immer auf einem Hof in der Nähe von Northallerton, der seit Generationen von der

Familie ihres Vaters bewirtschaftet wurde. Nach und nach ging immer mehr der Verantwortung für den Hof an ihren ältesten Bruder Chris über, der mit seiner Familie in einem der Nebenhäuser auf dem Grundstück lebte. Eines Tages würden Chris und ihre Eltern vermutlich tauschen. Sie mag ihren Bruder, auf eine unkonkrete Art, ist sich aber unsicher, wie sie sich dabei dann fühlen wird.

Ihr anderer Bruder Ben führt den lokalen Viehmarkt, ist aber immer noch sehr am Hof interessiert, was Chris ziemlich auf die Nerven geht. Chris und Ben könnten nicht unterschiedlicher sein. Chris ist so robust wie ein Ballen Stroh, rund und gedrungen. Ben ist groß und schlank wie eine Vogelscheuche. Jos Mutter wundert sich oft über ihre beiden Jungs, die keine einfache Beziehung zueinander haben. Ihre Brüder wiederum interessieren sich wenig für Jo. So sehr sind sie mit ihrer Rivalität beschäftigt. Wenn sie zu Hause ist, nehmen sie Jo immer nur auf den Arm, nennen sie »Durchschnitts-Jo«. Sie ist weder groß wie Ben noch robust wie Chris, und sie halten ganz offensichtlich beide nicht viel von ihr. Dann nimmt ihre Mutter sie in den Arm und sagt: »Zum Glück habe ich meine Durchschnitts-Jo.«

Und sie ist durchschnittlich. Weder groß noch klein, weder dick noch dünn. Ihre Haare ein klassisches Dunkelblond. Sie war einigermaßen gut in der Schule, aber weder überragend noch hatte sie je Schwierigkeiten. Die Universität hat sie mit einer 2,2 in Humangeografie abgeschlossen. Noch nie hatte sie Ärger mit der Polizei oder große abenteuerliche Pläne geschmiedet. Nach der Uni war sie eine Weile herumgereist, nichts Aufregendes, dann hatte sie die Stelle in der Bank angenommen und sich um deren Datenbanken gekümmert. Sie hatte damit gerechnet, ihren langjährigen Freund zu heiraten und eine durchschnittliche Anzahl an Kindern zu bekommen.

Sie beneidet die Frauen, die einen Plan haben, ihr Leben in die Hand nehmen. Aber sie muss zugeben, dass sie auch Lucy beneidet, die absolut keinen Plan hat, in Klamotten aus alten Zeiten durch ihr Leben stolpert und immer vollkommen im Hier und Jetzt ist.

Über all das dachte sie nach und überlegte gleichzeitig, ob sie Lucy anrufen sollte, um ihr von etwas zu erzählen, das sie auf Instagram gesehen hatte, als sie zu ihrem allwöchentlichen Besuch auf den Hof ihrer Eltern eintraf. Da hatte sie ihre Mutter weinend in der Küche auf dem Boden sitzend vorgefunden. Der Hund hatte neben ihr gesessen und die Nase in ihre Armbeuge gesteckt.

Jo hatte ihre Mutter auf die Beine gehievt und sie auf einen Stuhl am Ofen gesetzt. Instinktiv hatte sie zum Wasserkocher gegriffen. Besorgt fragte sie: »Mum, was ist passiert?«

Jo hatte ihre Mutter bisher nur zweimal weinen sehen. Einmal auf der Beerdigung ihrer Großmutter und einmal, als sie versucht hatte, den Schafpferch umzusetzen und sich dabei den Knöchel gebrochen hatte. Da war ihr Vater (der so kurz war wie Chris und so schlank wie Ben) über das Feld auf sie zugerannt, hatte sie hochgehoben (und ihre Mutter ist keine zierliche Frau, von ihr haben die Brüder die Robustheit und die Größe). Er hatte sie zurück zum Haus getragen, als ob sie federleicht sei. Jo ist immer noch der Meinung, das war das Romantischste, was sie je gesehen hat.

Aber als ihre Mutter leise in der Küche weinte, war

diese Erinnerung weit in die Ferne gerückt. Sofort dachte sie an Krebs (ihre Mutter oder ihr Vater?) oder ob Onkel Wilbur gestorben war.

Es stellte sich heraus, dass Onkel Wilbur tatsächlich der Grund für die Tränen war.

Er schaffte es nicht mehr, sich um den Laden zu kümmern.

Er war schwer gestürzt.

Er brauchte professionelle Pflege, bis er wieder auf die Beine kam.

Und dann war sie über den Hund gestolpert.

Verdammter Hund.

Nein, das meinte sie nicht so, Winston.

Aber so besorgt war sie gewesen.

Wilbur wollte nicht zu ihnen ins Haus ziehen (es gibt keinen stureren Hammel als Wilbur), aber sie hofften, er bekäme einen Platz in einem Pflegeheim in der Nähe. Vielleicht könnte man ihn davon überzeugen, für eine Weile wieder in den Norden zu ziehen. Aber was sollte aus dem Laden und der Wohnung werden? Er wollte sie auf keinen Fall unbeaufsichtigt lassen.

Ob die Möglichkeit bestände …?

Jo sagte sofort Ja.

Es gab keine andere Antwort für diese Frau, die sie so sehr liebte und die so wenig verlangte.

Im Nachhinein hat Jo gedacht, dass sie zwar immer Ja zu ihrer Mutter gesagt hätte, aber womöglich war ihr die Entscheidung leicht gemacht worden, weil sie kurz zuvor James und Nickyyy gemeinsam auf Instagram gesehen hatte. Immerhin bestand in London keine Gefahr, dem frischen, glücklich strahlenden Paar zufällig zu begegnen.

8
Liebe Gianna

Der Wikinger ist zurück. Diesmal malt er keine Rechtecke in die Luft, sondern legt Daumen und Finger immer wieder aufeinander wie hungrige Münder.

»Du weißt schon, so ein großes Ding, das … Sachen zusammenhält. So eine Klammer … du weißt schon.«

Jo weiß ganz genau, wovon er spricht, und sie hat eine ganze Auswahl an Manuskriptklammern, aber das hier ist zu lustig. Sie runzelt die Stirn. »Nein … nicht wirklich …«

Die »Münder« gehen nun frenetisch auf und zu.

»Klammer. Aber keine Büroklammer.« Eric der Wikinger sieht sich nervös im Laden um, als könnte er, wonach er sucht, an den Wänden oder in der Luft finden.

Auch Jo sieht sich um, als ob sie ihm helfen wollte.

»Größer als eine Büroklammer. Aus Metall.« Mittlerweile sieht es eher so aus, als würde er Kastagnetten spielen.

Jo erbarmt sich seiner und holt einen Stapel Papier unter der Theke hervor, der mit einer gelben Manuskriptklammer zusammengehalten wird. »So was in der Art?«, fragt sie nur.

Eric der Wikinger sieht sie misstrauisch an. »Ja«, erwidert er. »*Genau* so was.«

»Nur eine?«, fragt Jo unschuldig.

Eric beobachtet sie immer noch ganz genau. »Nur eine«, antwortet er langsam.

Jo reicht ihm die Klammer. »Geht aufs Haus.« Sie muss lachen. »Die hast du dir verdient.«

»Hmmm«, macht Eric der Wikinger und grinst sie an, bevor er den Laden verlässt.

Jo fegt den Boden weiter, denn damit war sie beschäftigt, bevor Eric in den Laden gekommen ist. Und damit, sich Sorgen um Onkel Wilbur zu machen (sie hat sich so gefreut, ihn gestern zu sehen). Außerdem versucht sie, ihre Gedanken über James zu ordnen.

Jo sieht auf, als die Glocke über der Tür eine kurze Begrüßung läutet, und sieht eine kleine Gestalt einen der Gänge hinuntereilen. Sie erkennt den Regenmantel sofort. Kein Zweifel, die flüchtige Vikarin ist zurück. Es ist zwei Wochen her, dass sie im Laden Briefumschläge gekauft und über Gott gesprochen hat. Jo hat immer wieder Ausschau nach ihr gehalten, sie aber bis heute nicht wiedergesehen. Malcolm war ein paarmal im Laden, und plötzlich fällt ihr auf, dass seine Besuche häufiger geworden sind. Macht er sich seit ihrem Gespräch über James und Freundschaft Sorgen um sie?

Neugierig betrachtet sie die Silhouette von Reverend Ruth Hamilton, die nun zur Hälfte vom Regal mit den wattierten Umschlägen verborgen ist. Irgendetwas scheint mit dem Haar der Vikarin nicht zu stimmen. Ein längerer, brauner Bob, der von ihrem Kopf absteht. Überrascht stellt Jo fest, dass die Vikarin eine Perücke trägt.

Gerade will sie fragen, ob sie ihr helfen kann, da geht die Ladentür auf, und eine Frau um die dreißig in einem grellgelben Mantel kommt rein.

»Was für ein schöner Tag«, sagt die Frau gut gelaunt

und sieht rauf zu Jos Streifen Himmel, der strahlend blau ist. »Ich liebe den Herbst«, fügt sie hinzu.

Jo sieht kurz zum Himmel rauf und widmet sich dann wieder der Kundin. »Herbst ist meine Lieblingsjahreszeit«, erzählt Jo der Frau, und da kommen Erinnerungen an Federmäppchen, Buntstifte und Schulhefte hoch.

Die junge Frau an der Tür schüttelt jetzt den Kopf, um ein paar lockige Strähnen zu befreien, die sich in ihrem Schal verheddert haben. Ihr langes Haar hat die Farbe von Karamellkonfekt. Sie tritt an die Theke.

»Oh, sind das echte Füller?«, will sie wissen, als sie die Füllfederhalter entdeckt.

Jo freut sich zugleich über ihr Interesse und ist nervös, dass die flüchtige Vikarin gehen könnte, bevor sie … ja, was eigentlich? Da war sie sich auch nicht sicher.

»Wow! Ich habe schon seit Jahren nicht mehr mit einem Füller geschrieben.«

»Möchtest du gerne einen ausprobieren?«

»Darf ich?«.

Die junge Frau sieht sie an, als hätte Jo ihr ein ganz besonderes Geschenk gemacht. Sie strahlt eine solch offene Freundlichkeit aus, dass Jos Grübelei über die flüchtige Vikarin davongespült wird. Plötzlich hat sie Angst, dass eine derartig offene Wärme in ihr etwas zum Zerreißen bringen könnte. Bis gerade eben ist ihr nicht bewusst gewesen, wie einsam sie ist. Und ihr wird klar, dass sie gerne mit dieser freundlichen Frau mit den Sommersprossen befreundet wäre.

Mit einem Mal fehlt ihr Lucy ganz besonders.

Um sich abzulenken, richtet sie unnötigerweise den Block auf dem Tresen gerade, damit die Frau einen der

Füller ausprobieren kann. Seitdem Eric der Wikinger gemeint hat, dass Füller benutzt werden wollen, hat Jo eine Auswahl an Stiften ausgelegt, damit ihre Kunden sie testen können.

»Such dir einen aus«, fordert sie die Frau auf. Erleichtert stellt sie fest, dass ihre Stimme normal klingt, und ist froh, dass sie den Anflug von Sehnsucht überwunden hat.

Die Frau mit den Karamellkonfekthaaren lehnt sich noch näher über den Tresen. »Die machen alle einen sehr erwachsenen Eindruck.« Sie neigt den Kopf. »Der hier vielleicht.« Sie hat sich einen einfachen grünen Füller ausgesucht, der in der Mitte ein silbernes Band hat.

Jo findet, die junge Frau hat recht. Die Füller sehen alle sehr ernst zu nehmend aus. Diese hier hat ihr Onkel ausgesucht. Vielleicht gibt es da ja noch Alternativen, buntere, modernere Füllfederhalter, die sie verkaufen könnte. Sie fragt sich, ob es derartige überhaupt gibt. Außerdem wundert sie sich, dass sie das nicht längst weiß. Jo unterhält sich oft mit Leuten online, die wie sie eine Schwäche für Schreibwaren haben. Aber nicht einmal bei *denen* sind Füller besonders beliebt. Und James hatte über ihre »Schreibwarensucht« immer gelacht. Während sie mit ihm zusammenlebte, hat sie sich damit zurückgehalten, weil ihr bewusst war, wie kindisch er ihre Leidenschaft fand.

»Warum hab ich das gemacht?«

»Wie bitte?«, fragt Karamellkonfekt verwundert.

Jo war nicht aufgefallen, dass sie die Worte laut ausgesprochen hat. »Verzeihung. Nein, nichts.«

»Was soll ich schreiben?«, überlegt die Frau laut.

»Was immer dir einfällt.«

Während die junge Frau nachdenklich vor sich hin starrt, wandert Jos Blick wieder zur flüchtigen Vikarin, die immer noch im hinteren Teil des Ladens stöbert.

Die junge Frau neigt ihren Lockenkopf über den Tresen, ihre fingerlosen Handschuhe hat sie neben der Auswahl an Füllern abgelegt. »Oh, das erinnert mich an früher«, murmelt sie über das Papier gebeugt. Als sie sich wieder aufrichtet, kann Jo die Worte lesen, *Liebe Gianna,* und darunter zwei Zeilen in einer anderen Sprache. Die Handschrift der Frau hat Kringel und Wellen, beinahe so wie ihr Haar.

»Bist du Italienerin?«, traut Jo sich zu fragen.

»Nein, aber ich hatte eine italienische Brieffreundin, und wir haben uns jahrelang geschrieben. Ich bewahre immer noch alle ihre Briefe in einer Kiste unter dem Bett auf.« Sie streicht mit dem Finger über den Namen ihrer Brieffreundin.

»Oh nein, jetzt hab ich alles verschmiert!« Sie klingt erschüttert, wie ein enttäuschtes Kind.

Jo will sie trösten.

»Schreibt ihr euch noch?«, fragt sie.

»Nein«, antwortet die junge Frau und sieht auf die verschmierte Tinte. »Manchmal schicken wir uns Textnachrichten.« Dann flüstert sie. »Ich habe es geliebt, Post von Gianna zu bekommen.«

»Du solltest ihr mal wieder schreiben.«

Das sagt nicht Jo. Es kommt von der kleinen helläugigen Frau mit Perücke, die sich neben die junge Frau am Tresen gestellt hat. Kurz kommt es Jo so vor, als wäre eine Amsel auf ihrer Theke gelandet.

Die Frau im gelben Mantel dreht sich zu ihr um und lächelt. »Ja, das könnte ich.«

»Ich finde es ist immer schön, unseren Freunden zu sagen, dass wir sie schätzen«, sagt die flüchtige Vikarin und streicht zärtlich über das Papier oberhalb der verschmierten Worte *Liebe Gianna*. Jo fällt auf, wie schmal und elegant ihre Hände sind. »Das ist doch einer der schönsten Aspekte an Briefen. Wann sonst sprechen wir unsere Freunde mit ›Liebe‹ an.« Sie sieht zu Jo. »Darf ich?«, fragt sie und deutet auf den Füller, der jetzt wieder auf der Theke liegt. Erst da bemerkt Jo, dass sie einen leichten schottischen Akzent hat, als hätte sie vor langer Zeit einmal dort gelebt.

»Sicher«, antwortet Jo, und die Vikarin sieht sie eindringlich an. Ihre Augen sind schokoladenfarben mit goldenen Ringen. Jo hat den Eindruck, als wolle die Frau ihr mit diesem Blick etwas sagen.

Aber dann neigt sich die braunhaarige Perücke über das Papier. Die flüchtige Vikarin muss nicht darüber nachdenken, was sie schreiben will.

»Oh, das ist aber schön«, sagt die junge Frau, die die Zeilen zuerst liest. Dann dreht sie den Block um, damit Jo sie auch lesen kann.

Die Handschrift ist gleichmäßig und ordentlich. Nur das S dreht und wendet sich, als ob es der Regelmäßigkeit der anderen Buchstaben entfliehen wollte.

Ich habe die Stille der Sterne und der See gekannt.
Und die Stille der Stadt, wenn sie innehält.

Jo sagt nichts. Wird ihr hier etwas mitgeteilt? Soll sie still bleiben? Nichts sagen?

Karamellkonfekt fragt: »Ist das aus einem Gedicht?«

»Ja, ich habe zwar vergessen, von wem es ist, aber es schien mir passend. Es kommt mir so vor, als ob hier im Laden die Stadt innehält. Das Leben innehält.«

Jo weiß nicht, was sie sagen soll. Die Frau scheint erkannt zu haben, dass sie hier in einer Zeitschleife steckt. In der Schwebe hängt. »Schreiben Sie mit dem Füller?«, fragt sie, weil ihr nichts anderes einfällt.

»Das tue ich. Ich habe früher Dokumente unterschrieben, die Hunderte von Jahren halten müssen. Wir haben spezielle Tinte verwendet, die im Laufe der Zeit nachdunkelt. Die Vorstellung hat mir immer gefallen. Die Namen verblassen nicht mit der Zeit, sondern werden kräftiger. Leben fort.«

»Waren das Rechtsurkunden?«, will Karamellkonfekt wissen.

Ehezertifikate, unterzeichnet von einer Vikarin, denkt sich Jo, sagt aber nichts.

»Ja.« Sie dreht sich zu der jungen Frau neben ihr um. »Sie sollten den Füllfederhalter kaufen.« Dann fügt sie weniger selbstsicher und etwas schüchterner fort. »Tut mir leid, das klang sehr rechthaberisch. Ich denke nur, dass Gianna sich sicher über einen Brief von Ihnen freuen würde.«

»Keine Sorge, Sie haben recht.« Lächelnd nimmt sie den Füller in die Hand. »Eigentlich wollte ich nur Haftnotizen kaufen. Nie hätte ich damit gerechnet, dass ich einen Federhalter kaufen würde.«

Geduldig sieht die Vikarin dabei zu, wie Karamellkonfekt sich zwischen zwei Füllern entscheidet und noch ein paar Tintenpatronen aussucht. Jo schenkt ihr den Block Haftnotizen.

Beim Verlassen des Ladens ruft sie ihr noch einen freudigen Abschiedsgruß zu, dann wird es wieder still im Laden. *Die Stille der Stadt, wenn sie innehält*, denkt Jo.

Die flüchtige Vikarin hält den Kopf gesenkt und sieht sie nicht an. Sie kramt in ihrer Tasche, um das kleine Notizbuch zu bezahlen, das sie sich ausgesucht hat. Jo überlegt, ob sie etwas zu ihr sagen sollte. Aber was?

Schließlich hält die Vikarin ihre Geldkarte an das Gerät.

Dann sehen die beiden einander an.

»Danke«, sagt Jo, »... Ruth.«

»Aah.« Ruth seufzt leise. Kurz fasst sie sich an den Hals, wo vermutlich früher einmal ihr Kollar war. Dann lächelt sie Jo an. Es erinnert sie an das Lächeln auf den Bildern in der Zeitung. Es scheint, als ob Ruth noch etwas sagen möchte, aber plötzlich klopft es an das Schaufenster.

Vor dem Laden geht Eric der Wikinger auf und ab, als ob es nichts Selbstverständlicheres gäbe. Er sieht nicht zu ihnen rein, aber Jo weiß, dass er sie aus dem Augenwinkel beobachtet. Abgesehen vom leichten Zucken seiner Mundwinkel, behält er einen ernsten Gesichtsausdruck.

Jo macht einen Schritt zurück, um ihn in seiner ganzen Pracht betrachten zu können. Auf dem Kopf trägt er einen Helm (oder wohl eher einen Aluhut) mit großen Hörnern. Um die Schultern hat er sich ein Schaffell gehängt. So eines liegt bei ihrer Mutter im Gästezimmer. Das Fell wird vor seiner Brust mit einer gelben Manuskriptklammer zusammengehalten. Als der Wikinger am Rand des Schaufensters angekommen ist, dreht er sich mit ungerührter Miene zu ihnen um. Kurz hebt er zum Gruß den Arm. »Schönen Nachmittag«, ruft er und ist verschwunden.

Reverend Ruth bricht in schallendes Gelächter aus, sodass ihre Perücke wackelt. »Und wer war das gerade?«, fragt sie zwischen Lachanfällen.

Jo grinst breit. »Das war Eric der Wikinger.«

»Alles klar«, sagt Ruth und macht sich immer noch kichernd auf den Weg zur Tür. Ausnahmsweise läutet die alte Glocke über der Tür nicht zum Abschied.

Als Jo das Blatt, auf dem *Liebe Gianna* und ein paar Zeilen auf Italienisch stehen, an die Pinnwand hängt, muss sie immer noch grinsen.

Und dann weiß sie auf einmal, was sie tun sollte.

Sie würde Lucy einen Brief schreiben.

9
Liebe Lucy

Am nächsten Morgen, als Jo aufwacht, braucht sie einen Moment, bis sie wieder weiß, wo sie ist. Ein paar Wochen nachdem sie nach London gekommen ist, hat sie beschlossen, vom kleinen Gästezimmer in das Schlafzimmer ihres Onkels Wilbur umzuziehen. Das schmale Bett war ihr zu klein geworden. Sie hat neue Bettwäsche für das Doppelbett ihres Onkels gekauft und eine Tagesdecke mit Tulpen darauf. Nie hätte ihr Onkel ein solches Design ausgewählt, und sie hofft, den karg eingerichteten Raum so ein wenig mehr zu ihrem zu machen.

Trotzdem wacht sie immer noch manchmal verwirrt auf und rechnet damit, dass ihr Onkel gleich hinter ihr steht. Ganz egal, was sie mit dem Raum anstellt, ob sie lange lüftet oder Duftkerzen aufstellt, das Schlafzimmer riecht immer noch nach altem Mann. Der Geruch ist weder schlecht noch stark, aber nicht zu vertreiben.

Seit ein paar Wochen wünscht sie ihrem Onkel jeden Abend, bevor sie das Licht ausschaltet, »gute Nacht«, und seither schläft sie besser. Nach ihrem letzten Videoanruf hat sie mit Wilburs Pflegerin Elaine gesprochen und auf deren Vorschlag hin ihren Briefen Fotos beigefügt. Außerdem hat sie ihm ein paar Muscheln und etwas Sand (den sie vom Spielplatz geklaut hat) mitgeschickt, weil ihr Onkel sich beschwert hatte, dass er nicht in der Nähe vom Meer untergebracht ist. Bei ihrem letzten Telefonat hat ihre Mutter ihr erzählt, wie sehr sich Wilbur über das Päckchen gefreut hatte. Aber sie konnte ihrer Mutter die Sorgen um ihren Bruder anhören.

An diesem Morgen wünscht Jo ihrem Onkel auch einen guten Morgen, denn etwas beschäftigt sie. Obwohl ihr dabei auffällt, dass es gar nichts mit ihrem Onkel zu tun hat. Das Gefühl nagt schon eine ganze Weile an ihr. Diesmal liegt es auch nicht an James. Und nicht daran, dass sie so weit weg von zu Hause ist. Es liegt nicht daran, dass sie sich in der Schwebe fühlt und nicht weiß, was sie mit ihrem Leben anstellen soll. Auch die Sehnsucht nach einem Baby ist es nicht, das ist eher ein sie ständig begleitender Schmerz.

Der Grund ist Lucy.

Wenn sie nach der Ursache dieses Gefühls sucht, stößt sie immer wieder auf Lucy. Jo kommt es vor, als hätte sie einen Virus, den sie nicht loswird. Nie fühlt sie sich richtig gut, immer etwas nervös, unruhig. Kann man von einer freundschaftlichen Schieflage krank werden? Es sieht fast so aus.

Jo liegt da und starrt an die Decke. Was soll sie Lucy nur schreiben?

Statt sich dieser Frage zu widmen, muss sie plötzlich wieder an den Moment denken, als James ihr verkündet hatte, dass er ausziehen würde. Das war am selben Tag wie der Tränenausbruch im Kopierraum.

»Musstest du wirklich vor allen anfangen zu weinen?«, fragte er.

Und später dann.

»Es liegt nicht an mir, sondern an dir.«

Schnell hatte er sich verbessert. »Entschuldige, ich meinte, es liegt nicht an dir, sondern an *mir.*«

Trotz ihrer Verzweiflung (und einem Gefühl, das dem von Panik sehr nah kam) hatte sie sich gedacht: *Im Ernst? Du nutzt wirklich dieses abgedroschene Klischee. Und meintest du es nicht so, wie du es zuerst gesagt hast?*

Als Nächstes kam: »Es gibt keine andere.«

Danach hatte sie gar nicht gefragt.

Dann dachte sie: *Warum sollte es die Sache besser machen, wenn du niemand Neues hast? Du sagst mir doch einfach, dass ich nicht gut genug bin.*

Im Laufe der Zeit hat sie sich eingeredet, dass es gut ist, dass James sie nicht betrogen hat. Sie kann sich an dem festhalten, was sie miteinander hatten. Sich an die guten Zeiten erinnern.

Das war ihr bisher leichtgefallen. Aber in letzter Zeit?

Er war ziemlich schnell über sie hinweggekommen, oder? Hatte mit Nickyyy aus der Arbeit angebandelt. Einer Frau, die zehn Jahre jünger war als Jo, eine ihrer Auszubildenden. Aber schließlich war auch James fünf Jahre jünger als Jo. Der Gedanke daran lässt sie immer noch zusammenzucken, als würde jemand mit den Fingernägeln über eine Tafel kratzen. Anfangs schien der Altersunterschied James Freude zu bereiten. Eine ältere, sexy Frau zu haben. Als sie sich kennenlernten, war er achtundzwanzig und sie dreiunddreißig. Aber dann …

Jo möchte nicht weiter darüber nachdenken, also konzentriert sie sich wieder auf Lucy.

Lucy war nach der Trennung für sie da gewesen. Jo hatte sich stark auf ihre Freundschaft verlassen, und das konnte sie auch, trotz ihrer … konnte sie es überhaupt

Differenzen nennen? Lucy und Sanjeev waren seit achtzehn Monaten zurück aus Amsterdam, und Jo hatte den Eindruck, in der Zeit hatten sie und Lucy wieder zu ihrer Vertrautheit zurückgefunden. Aber stimmte das auch? James hatte so viel Zeit in Anspruch genommen, besonders nach dem Tod seines Vaters.

Dennoch hatte sich Lucy nach der Trennung um sie gekümmert. Tagelang war Jo bei ihnen geblieben, war förmlich bei Lucy und Sanjeev eingezogen. Lucy hatte sie getröstet, sie im Arm gehalten, eine Flasche Wein aufgemacht, und Jo versichert, dass sie allein umgeben von Katzen sterben würde. Lucy hatte sie schon immer zum Lachen bringen können.

Erst später, als Jo ihr schluchzend gestanden hatte, wie sehr sie sich nach einer Familie sehnte, hatte Lucy Jo gefragt, ob sie und James denn nie über die Zukunft gesprochen hätten. All die großen Lebensfragen? Da wurde Jo noch etwas klar.

Sie war davon ausgegangen, dass ihre Beziehung gleichberechtigt war. James war kein Mann, der ihr Worte in den Mund gelegt hätte. Aber nun fiel ihr auf, dass sie ihm in allen Gesprächen immer gefolgt war und er es immer vermieden hatte, über die Zukunft zu reden.

Rückblickend hatte sie vielleicht darauf gewartet, dass er aufholen würde. Mit achtundzwanzig, als sie sich kennenlernten, wusste sie, dass er noch kein Interesse daran hatte, sich niederzulassen. Aber dann war die Zeit fortgeschritten, James' Haltung aber nicht.

Während sie immer mehr Zeit mit Lucy verbrachte, war deren Meinung von James immer deutlicher geworden. *Idiot*, *Egoist* und *Penner* lautete ihr Urteil nun immer öfter. Aber die lauteste Tirade hatte sie sich für den Abend, bevor Jo nach London aufgebrochen war, aufgehoben. Jo erinnert sich besonders daran, dass Lucy erklärt hatte: »Ich war immer überzeugt, dass du zu gut bist für diesen manipulativen Arsch. Verdammt noch mal, wer schenkt seiner Freundin zu Weihnachten eine Ringschatulle mit Ohrringen darin?«

Jo verkniff sich einen bissigen Kommentar, um James zu verteidigen. Ihr war wieder aufgefallen, wie sehr sie zwischen den beiden stand. Das war das Letzte, was sie an ihrem letzten Abend zusammen brauchen konnte, und es war nicht fair. Was hätte sie denn machen sollen, nachdem die beiden nach Amsterdam gegangen waren? Jo hatte keine Wahl gehabt, außer mit ihrem Leben weiterzumachen. Und wenn Lucy wirklich der Meinung war, sie hatte sich von James manipulieren lassen, was sagte das dann über ihr Bild von Jo aus? Hielt Lucy sie für dämlich? Leicht zu beeinflussen? Sicher kein gutes Zeichen.

Da war Jo aufgefallen, dass Lucy nur *ein* Glas Wein eingeschenkt hatte. Als sie das kommentierte, gestand ihr Lucy etwas verunsichert, dass sie und Sanjeev ein Baby erwarteten. Da fühlte sich Jo, als würde alle Trauer, die sie belastete, einfach von ihr abfallen. Sie sprang auf und umarmte Lucy, als würde ihr Herz vor Freude platzen (und das stimmte auch). Sie vergrub ihr Unglück so tief, dass nicht einmal Lucy es bemerkte. Aber mit ihrem Unglück vergrub sie noch etwas, das sie ihrer Freundin nie würde sagen können. Sie dachte, Lucy könnte sie alles erzählen. Aber das stimmte wohl nicht.

Und jetzt will sie Lucy einen Brief schreiben. Was zum Teufel soll sie ihr schreiben, um all das zu entwirren?

Jo sitzt im Laden und starrt auf ein weißes Blatt Papier. Sie hat angefangen, Lucy zu schreiben, aber die Versuche liegen zerknüllt im und um den Papierkorb herum. Ihre Gedanken landen immer wieder bei diesem letzten gemeinsamen Abend, und einen davon kann sie nicht abschütteln. Lucy war verständlicherweise sauer auf James, aber da war auch so etwas wie unterdrückte Wut gewesen. Das beunruhigt Jo, denn sie kommt nicht umhin, diese Wut auf sich zu beziehen.

Die kaputte Glocke über der Tür klingelt, und Eric der Wikinger (heute ohne Aluhut) kommt in den Laden. »Guten Morgen! Ich brauche mehr Tinte.« Er nickt anerkennend zu ihrer Auslage von Testfüllern. »Ich hab doch gesagt, die müssen benutzt werden.«

Jo holt die Patronen raus, von denen sie weiß, dass sie in seinen Füller passen. »Blau oder Schwarz?« Bevor er antworten kann, fügt sie hinzu: »Wir haben aber auch noch viele andere Farben.«

»Nein, danke, Schwarz ist gut«, sagt er.

»Ja, man sollte Grün wohl besser vermeiden. Heute Morgen war ein Politiker im Laden, der meinte, die unfreundlichsten Beschwerden sind immer in Grün geschrieben. Dann hat er mir ohne Vorwarnung von den Liebesbriefen erzählt, die er seiner Frau früher geschrieben hat, und wie sehr er sie liebt.« Jo nickt. »Ich bin froh, dass ich die Füller rausgeholt habe …«

»Alles dank Eric dem Wikinger«, murmelt er.

Jo lächelt und sagt: »Es ist erstaunlich, was einem die Leute alles erzählen, während sie schreiben.«

»Was haben sie dir denn sonst noch erzählt?«, will Eric wissen und nimmt die Patronen entgegen.

»Also, der Politiker hat mir noch erzählt, dass Admiräle immer mit grüner Tinte schreiben.«

»Ob das wohl wahr ist?«, wundert er sich und sieht sie interessiert an.

»Keine Ahnung. Aber eine alte Dame war da und hat mir von einem Schreibschriftwettbewerb erzählt, den sie gewonnen hat, als sie neun war. Oh, und dass der Kaplan ihres Vaters ihr in ihren Zwanzigern Briefe geschrieben und ihr von einer Reise nach Südfrankreich Mimosenparfüm mitgebracht hat. Ihr Vater hat einer Heirat nicht zugestimmt, aber noch sechzig Jahre später kauft sie sich manchmal selbst Mimosenparfüm ...«

Eric der Wikinger lauscht gespannt, beugt sich runter und hebt eines der zerknüllten Blätter neben dem Papierkorb auf. Gedankenverloren glättet er das Papier auf dem Tresen.

Jo beobachtet seine Hände. Die Finger sind breit, aber schön geformt und die Nägel gut gepflegt. Wenn sie nach seiner Hand greifen würde, könnte sie die warme Haut spüren, könnte ihre Finger mit seinen verschränken und dort selig verweilen lassen. Sie stellt sich vor, wie er mit dem Daumen die Außenseite ihres kleinen Fingers streichelt.

Erschrocken sieht sie zu ihm auf.

Er hat den Kopf immer noch gesenkt.

Trotzdem fühlt sie sich ertappt. Ihr Herz rast.

»Tut mir leid«, sagt er und reicht ihr das Blatt Papier. »Das ist ja ein Brief. Ich wollte nicht neugierig sein.«

Jo sieht auf die Worte, die dort auf dem Blatt stehen: Liebe Lucy.

»Da gibt es ja nicht viel zu sehen«, gibt sie immer noch

nervös zu. »Ich versuche, meiner besten Freundin zu schreiben.«

»Ein schwieriger Brief?«, fragt er.

»Das ist es eben«, erwidert sie und versucht, sich zu sammeln, »eigentlich sollte es das nicht sein. Wir sind schon seit der Grundschule befreundet, aber im Augenblick sind wir weit voneinander entfernt.« Sie lächelt. »Buchstäblich.« Jo seufzt. »Aber das ist nicht alles. Zum ersten Mal weiß ich nicht, was ich ihr sagen soll.« War ihr das schon so gegangen, als Lucy in Amsterdam war? Nicht wirklich. Sie hatten sich regelmäßig Nachrichten geschrieben, und Jo hatte sie alle paar Monate besucht. Meistens ohne James. Ihre Rückkehr war, wie Jo vermutete, für beide nicht so gelaufen wie erwartet. James war ab da immer dabei gewesen.

»›Liebe‹ ist ein guter Anfang«, unterbricht Eric der Wikinger ihre Grübelei. Er betrachtet die Worte und Jo muss an die flüchtige Vikarin denken, die gesagt hatte, wie wichtig es ist, unseren Freunden zu sagen, dass wir sie schätzen.

»Erzähl ihr doch hiervon«, schlägt Eric der Wikinger vor.

Für einen kurzen Moment fragt sich Jo, wovon er redet. War ihm aufgefallen, dass sie ihm auf die Hände gestarrt hatte? Sie wird rot. Es gibt kein *hiervon*. Oder doch? Jetzt werden auch ihre Ohren rosa. Da bemerkt sie, dass Eric der Wikinger sich umsieht.

»Vom Laden?«, fragt Jo nach und merkt, wie erleichtert sie klingt.

Eric dem Wikinger muss es auch aufgefallen sein, denn er sagt: »Ja, was hast du denn gedacht?« Sein Lächeln hilft ihr überhaupt nicht dabei, wieder eine normale Gesichtsfarbe zu bekommen. »Nun ja, vielleicht keine Beschreibung des Ladens selbst«, fährt Eric schnell fort, und Jo fällt auf, dass er auch rot wird. »Das würde nicht lange dauern«, er grinst und sieht einen der schmalen Gänge hinunter, »aber über die Leute, die reinkommen. Was du mir eben erzählt hast.«

»Ja, das könnte ich machen«, stimmt Jo zu und ist erleichtert, dass sie wieder auf festem Boden steht. Das wäre ein guter Startpunkt, und ist es nicht genau das, was sie braucht, einen frischen Start mit Lucy?

Ein Platz für alles, und alles an seinem Platz.

Liebe Lucy,
du fehlst mir und ich weiß, dass Textnachrichten da nicht immer helfen. Daher habe ich mir gedacht, ich schreibe dir einen Brief und erzähle dir etwas von den Leuten, die in den Laden kommen. Das war die Idee von Eric dem Wikinger. Wenn dich das also langweilt, kannst du ihm die Schuld daran geben. Einer meiner liebsten Kunden ist ein riesiger Polizist (er sieht so unglaublich jung aus, dass ich mich ihm gegenüber immer fürchterlich alt fühle). Er hat sich die Füller lange angesehen, sich aber nicht getraut, einen anzufassen. Ich habe ihm gesagt, er kann sie gerne ausprobieren, ohne einen kaufen zu müssen, aber er hat sich trotzdem nicht getraut, obwohl ich gesehen habe, wie sehr es ihn gereizt hat. Schließlich gestand er mir, dass er sich für seine Handschrift schämt. Ich habe ihm gesagt, dass das nichts ausmacht, aber da hat er noch trauriger geschaut,

weil er glaubt, die Handschrift lässt auf den Charakter einer Person schließen.
Das fand ich sehr spannend. Ein andermal werde ich dir von der flüchtigen Vikarin erzählen und dass einige ihrer Buchstaben so aussehen, als wollten sie sich auf und davon machen. Ein bisschen wie die Vikarin selbst!
Nun ja, ich habe dem Polizisten gesagt, dass ich ein paar Bücher über Handschrift aus der Bücherei ausleihen würde, und wenn er wiederkommt, kann ich ihm ein paar Ratschläge geben.
Deshalb übe ich jetzt abends immer meine eigene Handschrift. Onkel Wilbur hat ein paar altmodische Übungshefte im Regal. Erinnerst du dich an die aus der Schule? Die haben diese Linien, damit man weiß, wohin der Buchstabe gehen soll. Ich kann dir gar nicht sagen, wie viel Freude es mir bereitet hat, die erste Seite eines dieser Hefte aufzuschlagen, den Umschlag glattzustreichen und meinen Namen in die erste Zeile zu schreiben. Seither lese ich viel über Handschrift und schaue auch YouTube-Videos. Besonders die von einer strengen Amerikanerin. Es gibt eigentlich nur ein paar einfache Regeln, und ich glaube, ich schreibe dem Polizisten eine Liste (in meiner schönsten Handschrift).
Ich halte dich auf dem Laufenden.
Sei umarmt und grüße mir Sanjeev und den Krümel.
In Liebe
Jo

10

Eine Liste guter Vorsätze

Jo holt sich ein Glas Wein und ein paar Nüsse und setzt sich in Onkel Wilburs Sessel. Es war ein langer Tag. Im Zimmer ist es still und Jo hat das Gefühl, ganz allein in der Stadt zu sein. Sie fragt sich, wo die flüchtige Vikarin wohl heute Abend ist. Ob sie auch irgendwo mit einem Wein und Snacks gemütlich herumsitzt? Ist sie allein so wie Jo? Oder ist sie mit jemandem davongelaufen? Sie fragt sich auch, ob Malcom allein ist. Davon geht sie irgendwie aus.

Ihr Blick fällt auf die Postkarte, die auf dem Sims über dem Gasofen steht. Darauf ist eine junge Frau mit einem großen Blumenstrauß in der Hand zu sehen. Die Karte ist von ihrer Mutter. Ab und zu schickt sie Jo eine Karte, nur um ihr viele Grüße und alles Liebe zu schreiben.

Sie fragt sich, wann ihrer Mutter wohl klar werden wird, dass Onkel Wilbur nicht wieder nach Hause kommen wird. Aber betrachtete er das hier überhaupt als sein Zuhause? War nicht auch Onkel Wilbur davongelaufen? Es war vom Land in die Stadt geflohen.

Doch so einfach war es nicht gewesen. Seit er ins Pflegeheim gekommen ist, hat ihre Mutter ihr viel mehr von ihrem Bruder erzählt. Onkel Wilbur hatte die Farm seiner Eltern im Lake District verlassen, um zum Militär zu gehen. Danach war er nach London gezogen. Er hatte als

Vertreter und – nachdem ihm aufgefallen war, dass er vollkommen ungeeignet war, einem jungen Paar eine Versicherung anzudrehen, die sie weder brauchten noch sich leisten konnten – dann als Handwerker gearbeitet. Als Junge auf dem Bauernhof hatte er viele praktische Fähigkeiten erworben, aber keine besondere Hingabe zur Landwirtschaft oder dem Hof. Ihre Mutter hatte ihr anvertraut, dass sie der Meinung war, Wilbur sei gegangen, weil er den enttäuschten Blick der Eltern nicht ertragen habe.

Jo hebt das Glas Wein und starrt in die rote Flüssigkeit. Ist sie wie ihr Onkel? Davongelaufen? Ja, das ist sie. Sie muss an James denken. Seit Eric der Wikinger heute Morgen im Laden war, hat sie versucht, sich auf James zu konzentrieren und sich an die guten Zeiten zu erinnern. Sie will die schmale Hoffnung schüren, dass sie doch wieder zusammenkommen könnten, sich überzeugen, dass er und Nickyyy nicht von Dauer sein würden.

Aber das gelingt ihr nicht. Anstatt an James zu denken, kommt ihr immer wieder das Bild in den Kopf, wie Eric der Wikinger liebevoll mit der Hand über das Blatt Papier streicht. Das beunruhigt sie.

Plötzlich kommt ihr noch ein Gedanke. Was wäre passiert, wenn James' Vater nicht gestorben wäre? (Da hatte er sie plötzlich gebraucht, und wie.) Ihr verräterisches Gehirn fügt hinzu: *Oder wenn du schwanger geworden wärst?* Und da schleicht sich ein Gedanke ein, den sie so weit wie möglich von sich stoßen möchte. *Läufst du vielleicht vor Lucys Baby davon?*

Nein, bitte nicht. Nicht das.

Sie erinnert sich selbst daran, wie sehr sie sich darauf freut, das Baby ihrer besten Freundin kennenzulernen.

Dann schämt sie sich, weil sie sich daran erst selbst erinnern muss.

Jo rutscht auf dem Sessel ihres Onkels hin und her. Wieso kommt es ihr jetzt, wenn sie an James denkt, so vor, als würde sich eine dicke Schicht der Verwirrung wie Staub über ihre Vergangenheit legen? War James wirklich ein »manipulativer Arsch«? Sie sieht auf einmal Lucy, Jemima und Onkel Wilbur vor sich, mit verschränkten Armen, wie sie einander und ihr zunicken. Sie weiß nicht, ob sie lachen oder weinen soll.

Dann erstirbt jeder Gedanke an Lachen. Wenn sie recht haben, was hat sie dann die letzten sechs Jahre nur gemacht? Sie will nicht sechs wertvolle Jahre ihres Lebens verschwendet haben. Sie kann nicht damit umgehen, sich so dämlich zu fühlen.

Sie steht auf und geht in die Küche, um sich etwas zu essen zu machen. Im Kühlschrank ist nicht viel zu holen, also beschließt sie, sich der kalten Pizza von gestern anzunehmen. Sie schiebt sie zum Aufwärmen in den Ofen, dann stellt sie sich ans Fenster und sieht hinunter auf die schmale Gasse. Niemand ist zu sehen. Ihre Perspektive von hier oben weit über dem Gehsteig unterstreicht ihr Gefühl der Einsamkeit.

Sie hängt in der Schwebe, aus der sie gerne weiterziehen würde. Nur wohin?

Nach ihrem spärlichen Abendessen setzt sich Jo mit einem Kaffee wieder in den Sessel ihres Onkels. Da fällt ihr Blick auf eine Postkarte, die sie ihrem Onkel Wilbur schicken wollte. Sie zeigt ein altes Foto der Gasse und des Ladens aus den Sechzigerjahren. Jo hat sie in einem Trödelladen entdeckt. Man sieht darauf eine verschwommene Gestalt im Laden stehen, und Jo meint, es könnte ihr Onkel sein. Sie wünscht sich, das Bild wäre deutlicher und dass sie die Vorstellung abschütteln könnte, ihr Onkel würde wie dieses Foto verblassen.

Neben der Postkarte steht der Brief an Lucy. Ihr ist bewusst, dass dieser Brief eine Art Wiedergutmachung ist, für etwas, wovon Lucy gar nichts weiß. Eine weitere Sache, die sie ihrer besten Freundin nicht sagen kann. Oder weiß Lucy etwa davon? Jo starrt den Brief an, als könnte er ihr eine Antwort auf diese Frage geben. Weiß Lucy von Finn? Ist sie deshalb so wütend auf sie? Aber Jo traut sich nicht zu fragen.

Der Brief bleibt stumm, aber je länger sie ihn anstarrt, desto mehr stört sie das Briefpapier. Sie hat das Briefpapier aus dem Laden verwendet. Es scheint ihr nicht groß und bunt genug für eine Frau, die mit so viel Kühnheit und Leichtigkeit durchs Leben geht.

Jo hält in ihren Überlegungen inne und stöhnt innerlich auf. Sie betreibt einen Schreibwarenladen, der nicht die richtigen Schreibwaren im Angebot hat. Sie muss an die Kinderwagenfahranfängerin denken und ihre Frage nach Taufkarten. Die Antwort ist verstörend simpel: Sie kann einfach neue Schreibwaren bestellen. Sie kann Schreibwaren bestellen, die ihr gefallen. Das muss Onkel Wilbur auch gar nichts kosten. Sie kann Geld, das sie sich zurückgelegt hat, verwenden. Sie kann nicht glauben, dass sie darauf nicht schon früher gekommen ist.

Schnell steht Jo auf. Endlich etwas, das sie lösen kann (und vielleicht muss sie dann nicht mehr konstant an Lucy denken). Sie stellt den Kaffee ab und holt ihren Laptop und ein Notizbuch. Sie lächelt und schüttelt den Kopf, ihre Stimmung ist sofort besser.

Sie fühlt sich wie ein Kind, dem gerade aufgefallen ist, dass es die Schlüssel zum Süßwarenladen die ganze Zeit in der Tasche hatte.

Der nächste Tag ist ein Samstag, und es ist nicht viel los im Laden. Das gibt Jo Gelegenheit, ihr Sortiment noch zu erweitern. Sie schreibt sogar anderen Schreibwarenliebhabern und bittet sie um Vorschläge.

Das hat sie bisher bestellt: Grußkarten, Einladungen, Karteikarten, ein paar neue Notizbücher und einige Füller einer moderneren Marke. Das ergänzt die klassischen Federhalter, die Onkel Wilbur bevorzugt.

Bald erreichen sie viele Nachrichten online, und die Vorschläge, die ihr gefallen, fügt sie einer Liste an der Pinnwand hinzu. Eine Schreibwarenliebhaberin schlägt ihr ein Tagebuch mit dem Titel *Briefe an mich selbst* vor. Jo denkt nach.

Was würde sie sich selbst schreiben?

Dass sie keine Zeit damit verschwenden soll, von einer Hochzeit mit James zu träumen? Jo atmet langsam aus. Sie gibt sich so viel Mühe loszulassen. Bisher hat sie es geschafft, ihm nicht zu schreiben. Nur manchmal geht sie auf sein Instagram-Profil. Aber immer, wenn ihr Handy klingelt, hofft sie, es wäre James, der ihr sagen möchte, dass er einen fürchterlichen Fehler gemacht hat und nicht aufhören kann, an sie zu denken.

Doch etwas *hat* sich geändert. Es tut nicht mehr ganz so weh. Vielleicht geht es gar nicht so sehr um James als um den Wunsch, gemeinsam alt zu werden, der ihr nachts manchmal den Atem raubt. Vielleicht vermisst sie gar nicht James, sondern die Vorstellung von ihnen als Familie? Diese Vorstellung einer weiteren Person, die am Rande ihres Bewusstseins hockt und die sie sehen könnte, wenn sie sich nur schnell genug umdrehen würde.

Sie geht auf die vierzig zu, und das spürt sie am ganzen Leib wie einen Sog. Sie kämpft dagegen an, sagt sich, dass viele Frauen keine Kinder bekommen können oder sich gegen Kinder entscheiden. Sie weiß, sie sollte sich von diesem biologischen Umstand nicht einschränken lassen. Bei Tageslicht schafft sie es meistens, diese düsteren Gedanken zu unterdrücken, aber nicht, wenn sie mitten in der Nacht aufwacht. Dann bricht die Panik über sie herein, weil ihr die Zeit davonläuft. Hat James sie nicht oft genug daran erinnert, dass sie alt wird?

Jo unterbricht ihren Gedankenstrudel. Sie hat überhaupt keine Lust, den ganzen Schmerz wieder hochzuholen und erneut zu durchlaufen. Also konzentriert sie sich stattdessen darauf, was die flüchtige Vikarin und Eric der Wikinger gesagt haben. Dass wir unsere Freunde schätzen sollten. An sich selbst würde sie schreiben, dass sie sich mit ihren Freunden mehr Mühe geben sollte (egal, was James davon halten würde).

Plötzlich klopft jemand an das Schaufenster, und erschrocken stellt sie fest, dass sie hofft, es ist Eric der Wikinger. Es ist Malcolm. Er trägt einen grauen Hut, an den er sich zum Gruß tippt, dann geht er weiter die Gasse entlang. Sie winkt ihm hinterher, dann sagt sie sich, dass sie weniger darüber nachdenken sollte, was James denkt, dreht das Radio laut und fängt an, den Laden aufzuräumen und zu putzen.

Erst am späten Nachmittag ist sie fertig, aber sie ist sehr zufrieden mit dem Ergebnis. Die Regale sind besser sortiert, und sie hat Platz für die neue Ware gemacht. (*Ein Platz für alles, und alles an seinem Platz.*) Außerdem riecht der ganze Laden frisch nach Reinigungsmittel.

Dann will Jo sich an den Eichentresen machen, der im Schaufenster steht. Sie fragt sich, was sie mit der bunten Mischung an Eisen- und Haushaltswaren machen soll, die sie darauf versammelt hat. Schließlich schnappt sie sich vier große Plastikwaschschüsseln, füllt sie mit all dem Zeug und trägt sie vor die Tür. Sie lehnt alles an die Wand neben der Tür und malt ein Schild, auf dem »In gute Hände abzugeben« steht.

Beim Gedanken an Onkel Wilbur zögert sie kurz. Ob er etwas dagegen hätte, was sie hier tut? Dann muss sie an den Mann denken, der ihr Mangelware in braunen Papiertüten geschenkt hat und glaubt, er hätte Verständnis und würde ihr sicher verzeihen.

Als Nächstes macht sie sich daran, dem alten Verkaufstresen zu neuem Glanz zu verhelfen.

Früh am Abend ist sie mit allem fast fertig und gerade dabei, den Boden zu fegen, als ihr etwas auffällt, das halb unter dem Tresen versteckt am Boden liegt. Sie zieht es hervor und runzelt die Stirn. Es handelt sich um eines der Notizbücher, die sie verkauft, aber das hier ist benutzt, und dem Deckblatt fehlt eine Ecke. Kurz muss sie an Onkel Wilburs Mangelware denken.

Dann wird ihr klar, was sie da in der Hand hält. Das muss eines von Malcolms Notizbüchern sein. Hatte sie ihn nicht damit gesehen, als er gestern da war? Er muss es fallen gelassen haben. Sie öffnet das Notizbuch, auch wenn sie weiß, dass sie es ihm zurückgeben muss. Aber es überkommt sie auch eine kindische Freude, endlich herauszufinden, worüber Malcolm schreibt. Auf der Innenseite des Deckblatts steht *Malcolm Buswell.* Die erste Seite ist in gestochener Handschrift beschrieben, und ganz oben steht unterstrichen: *William Foyle*. Der Name sagt Jo nichts.

Wieder klopft es an die Fensterscheibe, und Jo zuckt zusammen. Fast hatte sie mit Malcolm gerechnet und sich dabei ertappt gefühlt, wie sie in seinem Notizbuch liest. Aber statt ihm streckt Eric der Wikinger den Kopf zur Tür rein.

»Sorry, Jo, wollte dich nicht erschrecken.«

Eric trägt einen weiten Strickpullover (sehr nordisch) und hat einen Bohrmaschinenkoffer in der Hand.

»Bist du am Handwerken?«, fragt Jo und wünscht sich sofort, nicht so was Offensichtliches gesagt zu haben.

»Jap, ich bin gerade in eine neue Wohnung gezogen und hatte die Bohrmaschine im Laden vergessen.«

Ich, denkt Jo, nicht *wir*.

Bevor sie sich bremsen kann, sind die nächsten Worte schon raus.

»Eric, wie alt bist du?«

»Dreiunddreißig«, antwortet er sichtlich verwirrt. Als Jo nichts darauf sagt, redet er kopfschüttelnd weiter. »Ich weiß, ich weiß, du denkst, ich hätte schon vor Jahren aufhören sollen, wie ein Student zu leben, und mir eine eigene Wohnung suchen müssen.«

Das denkt sie ganz und gar nicht. Sie denkt nur, sechs Jahre. Sie ist sechs Jahre älter als dieser Mann. Sie war fünf Jahre älter als James, und sie möchte gar nicht darüber nachdenken, wozu das geführt hat.

Sie sagt sich, dass das völlig egal ist, weil Eric und sie nur *Freunde* sind und dass sie ihn kaum kennt. Auf einmal kommt es ihr vollkommen irre vor, darüber nachzudenken.

Sie stehen schweigend und unbeholfen da, im Hintergrund nur die Straßengeräusche. Eric spricht zuerst.

»Nun ja, ich freu mich, dass ich dich noch erwische. Ich wollte fragen, ob du irgendwann mal essen gehen willst …« Schnell spricht er weiter, und Jo sieht, dass er rot wird. »… Also, Lando und ich wollten dich einladen. Als Entschuldigung, zum Essen …« Nun klingt er völlig beschämt. »Du weißt schon, weil wir so unbrauchbare Nachbarn sind.«

Als Jo nicht gleich antwortet, fügt er hinzu: »Was hältst du davon?«

Jo muss an den Brief denken, den sie in Gedanken an sich selbst geschrieben hat. Genau das hatte sie doch gemeint, nicht wahr? Sie wollte eine bessere Freundin sein, neue Freunde finden. Warum ist sie also jetzt so nervös, dass sie den Kiefer nicht auseinanderbekommt? Sie weiß, sie sollte einfach nur Ja sagen und mit den beiden essen gehen. Aber alles, woran sie denken kann, ist: *Das schaffe ich nicht.* Fast fühlt sie sich körperlich wieder in die andere Jo zurückgezogen, die hier auf dem Hocker saß und um James geweint hat. Dort war es elend, aber auch sicher.

Eric scheint ihr Unbehagen zu bemerken (wenn auch nicht den Grund dafür) und nimmt die Bohrmaschine von der einen Hand in die andere. »Es wird sicher lustig, ganz ungezwungen. Und schließlich musst du ohnehin essen«, sagt er aufmunternd und lächelt sie an.

»Ja, da hast du recht«, erwidert sie bemüht fröhlich und versucht, in das Spiel einzusteigen.

»Wo würdest du gerne hingehen?«

»Ich kenne mich hier nicht so gut aus«, gibt sie zu und denkt, sie könnte genauso gut sagen *ich kenne mich hier überhaupt nicht aus.*

»Also«, sagt Eric gut gelaunt, »da können Lando und ich dir aushelfen. Was isst du denn gerne?«

Jo muss an die neusten und trendigsten, preisgekrönten Restaurants denken, in die sie mit James immer gegangen war. Sie will nicht, dass Eric merkt, wie verletzlich sie ist, und sie will ihm zeigen, dass sie sich mit gutem Essen auskennt. Also sagt sie mit so viel Überzeugung, wie sie zusammenkratzen kann: »In Newcastle, wo ich vorher gearbeitet habe, gab es ein paar tolle Restaurants, die neue Kochtechniken mit ökologischerem Ansatz und frischen Zutaten aus der Umgebung kombiniert haben.« Sie weiß, dass sie sich lächerlich anhören muss. Sie fragt sich, warum auf einmal der James in ihrem Kopf das Wort für sie übernimmt und wie ein prätentiöser Kritiker klingt.

Wieder lacht Eric wie ein Walross. »Hey, Jo, ich weiß, ich sehe aus wie ein Wikinger, aber müssen wir wirklich in der Heide nach unserem Essen suchen gehen?«

»Ich esse sehr gerne Italienisch«, sagt sie schließlich, und das stimmt auch.

Eric hebt triumphierend einen Finger. »Alles klar! Das kriegen wir hin. Es gibt einen tollen Italiener in der Nähe meiner neuen Wohnung. Wie sieht es Donnerstag bei dir aus?«

Jo nickt. Sie traut sich nicht, den Mund noch einmal aufzumachen.

11

Für den Notfall

»Das ist aber hübsch. Ist das italienisches Papier?«

Überrascht sieht Jo auf. Vor ihr steht die flüchtige Vikarin, diesmal ohne Perücke. Ihr mausgraues Haar wirkt frisch gewaschen und lockt sich in einem kurzen Bob um ihre Ohren. Heute trägt sie den übergroßen Regenmantel nicht, und sie erinnert Jo aufs Neue an einen kleinen Vogel.

»Ruth«, sagt sie zu sich selbst mehr als zu der Kundin. Sie will von dieser Frau nicht mehr in erster Linie als Schlagzeile in der Klatschpresse denken.

»Ja, stimmt«, erwidert Ruth amüsiert, als erwarte sie, da komme noch etwas.

Jo streckt ihr die Hand entgegen. »Ich heiße Jo.«

Für einen Augenblick zögert Ruth, dann nimmt sie Jos in ihre schmale Hand und schüttelt sie.

Der körperliche Kontakt erschreckt Jo. Ruth hatte bisher hauptsächlich in ihrer Vorstellung existiert. Sie hat sich über die Frau informiert, sich Gedanken gemacht, warum sie wohl davongelaufen ist. Sich ein paar Szenarien überlegt, die dazu geführt haben könnten. Die Hand, die sie nun schüttelt, ist zierlich und warm, aber ihr Griff fest. Mit einem Mal wird ihr ihre ganze substanzielle Menschlichkeit bewusst.

»Freut mich, dich kennenzulernen, Jo«, sagt Ruth und

lässt ihre Hand los. »Italienisches Papier?«, wiederholt sie und deutet auf die Schachteln, die Jo gerade am Tresen auspackt.

»Nein, ich glaube, die Firma ist amerikanisch, aber ich verstehe, was du meinst. Das hier erinnert mich auch an einen Papierladen, in dem ich in Florenz einmal war.« Sie hält Ruth eine der Schachteln mit durchsichtigem Deckel entgegen, damit sie den Inhalt genauer betrachten kann. Es befinden sich Grußkarten darin. Sie sind cremefarben und haben rote und lila Zeichnungen von Muscheln darauf sowie einen Goldrand.

Überfordert von der Realität ihrer Berührung, redet Jo weiter und holt noch mehr Schachteln aus dem Paket. »Ich habe mir gedacht, ich erweitere das Sortiment ein wenig, versuche was Neues. Mein Onkel …«

Plötzlich zögert Jo bei dem Gedanken daran, über das Privatleben ihres Onkels zu reden, aber dann fällt ihr wieder ein, dass vor ihr eine Vikarin steht. Wie Treibgut kommen auf einmal Erinnerungen an die Sonntagsschule an die Oberfläche. *Zu einem Vikar muss man immer ehrlich sein*. Also antwortet sie wahrheitsgemäß. »Das hier ist der Laden meines Onkels Wilbur. Er ist in letzter Zeit immer öfter gestolpert und gefallen, und anfangs dachten wir, er müsse sich davon nur erholen. Aber dann hat sich herausgestellt, dass doch etwas nicht stimmt. Er hat wohl Alzheimer.«

Ruth nickt. »Meiner Mutter ist es auch so ergangen. Es ist schwer zu ertragen. Was passiert nun also mit dem Laden?«, will Ruth wissen.

Und Jo ist erleichtert, dass sie nicht so tut, als würde alles wieder gut werden.

Anstatt ihr zu antworten, stellt Jo eine Gegenfrage. »Musste deine Mutter in eine Pflegeeinrichtung?«

»Ja, am Ende schon«, antwortet Ruth. Sie nimmt eine weitere Schachtel vorsichtig in die Hand. Die Grußkarten sind hellblau wie Enteneier, sie zeigen ein paar Honigbienen und darunter drei pastellgelbe Bienenstöcke. »So hübsch«, flüstert sie.

»Onkel Wilbur ist in einem Pflegeheim in der Nähe meiner Eltern im Norden von Yorkshire. Aber irgendwann werden wir uns etwas mit dem Laden einfallen lassen müssen. Nur im Augenblick kann meine Mum nicht ...«

Ruth sieht auf. »Sie will es noch nicht wahrhaben?«

Jos Gesichtsausdruck reicht als Antwort, und Ruth nickt verständnisvoll. Da fällt Jo auf, dass sie seit Monaten mit niemandem mehr so gesprochen hat. Wirklich darüber geredet hat, was in ihrem Leben vor sich geht.

»Dein Onkel hat den Laden schon lange, oder?«, stellt Ruth fest und sieht sich um

»Über fünfzig Jahre. Ich war schon als Kind oft zu Besuch.«

»Wohnt er über dem Laden?«, fragt Ruth mit Blick zur Decke.

»Ja, da wohne ich gerade.«

»Da habt ihr sicher viel zu klären«, sagt Ruth. »Ob der Laden sich wohl noch so anfühlen wird, wenn er jemand anderem gehört. Oder hast du vor zu bleiben?«

»Nein, nein. Ich möchte wieder zurück in den Norden.«

»Ah, also wird er verkauft.«

»Davon gehe ich aus. Wolltest du jemals zurück nach Schottland? Du kommst doch aus Schottland, oder?«

»Ja, aus Glasgow. Und nein. Niemals«, sagt Ruth so nachdrücklich, dass Jo sich fragt, wie ihre Kindheit dort wohl war.

Ruth stöbert durch die Regale. »Man merkt, dass dieser Laden eine Geschichte hat.« Sie lächelt Jo an. »Ich hoffe, es geht nicht zu weit, wenn ich sage, dass der Laden irgendwie zu dir passt.«

»Mein Vater meint immer, ich habe eine alte Seele«, sagt Jo und lächelt zurück.

»Vielleicht finde ich es deshalb hier so …« Ruth beendet den Satz nicht. »Ich hoffe, es macht dir nichts aus, dass ich herkomme«, fügt sie ein und sieht Jo direkt in die Augen. »Aber es hilft mir …«

Plötzlich wird die Ladentür aufgestoßen und kracht mit der Klinke gegen die Wand. Jo rechnet damit, dass gleich die Scheibe zerspringt. Aber obwohl sie unheilvoll zittert, zerbricht sie nicht.

Malcolm stolpert herein, er blutet am rechten Auge. Er blinzelt, aber scheint den Blick nicht scharf zu bekommen. Mit einer Hand hält er sich am Türrahmen fest, die andere hängt schlaff an der Seite.

Ruth schießt wie ein Windhund aus den Startlöchern, und bevor Jo sich überhaupt rühren kann, hat Ruth sich mit ihrer kleinen vogelhaften Gestalt schon unter Malcolm geklemmt und ihm einen Arm um die Hüfte gelegt. Es sieht aus, als hätte er sie unter seine Fittiche genommen. Ruth positioniert sich unter Malcom und hebt ihn an, als dieser gerade droht zusammenzubrechen. Mit einem Stöhnen richtet sie ihn wieder auf.

Jo schnappt sich den Hocker, der hinter dem Tresen steht, und kommt endlich in Bewegung. Sie eilt um die

Theke herum, um den beiden zu helfen. Gemeinsam schleifen und heben sie Malcolms große Statur auf den Hocker.

Als er sich setzt, greift er mit beiden Händen nach der Theke, um sich festzuhalten. Jo sperrt die Ladentür ab und dreht das Schild um, sodass vorne nun »Geschlossen« steht. Dann kehrt sie zu der zusammengesackten Gestalt vor dem Tresen zurück.

»Malcolm?! Was ist passiert?«

»Es tut mir leid. Es tut mir so leid, Joanne ... mir war so schwindelig, und dann habe ich auf einmal nur noch deinen Laden gesehen.«

Im Sitzen scheint Malcolms Orientierung zurückzukommen, obwohl das Blut, das ihm das Gesicht heruntergelaufen ist, jetzt auf die Theke und die neuen Karten tropft. Ruth schnappt sie sich und räumt sie in ein Regal hinter sich.

»Ich habe deinen Laden gesehen und bin darauf zugelaufen wie auf einen Leuchtturm im Sturm.«

Jo ist erleichtert, dass Malcolms Stimme wieder etwas von ihrem lyrischen Rhythmus zurückgewonnen hat.

»Na, dann wollen wir uns das mal ansehen«, sagt Ruth und tritt näher an Malcolm heran, ohne ihn anzufassen. »Darf ich mir die Wunde anschauen?«

»Sind Sie etwa Ärztin, Madam?« Malcolm sieht Ruth an, als wäre sie ihm erst jetzt aufgefallen.

»Nein, ich bin Priesterin.«

»Ist es denn so schlimm?«, fragt Malcolm und sieht sie mit einem verzagten Kopfschütteln an.

Das Lächeln, das Ruth ihm schenkt, bringt den ganzen Laden zum Leuchten. »Jo, kannst du mir eine Schüssel mit warmem Wasser, ein Handtuch und, falls du das hast, Tupfer, Mullbinde, Pflaster und eine Schere holen?«, fragt Ruth ruhig.

Ein Platz für alles, und alles an seinem Platz. Jo weiß sofort, wo ihr Onkel Wilbur einen Verbandskasten aufbewahren würde. Sie läuft in den hinteren Teil des Ladens und kommt nach ein paar Augenblicken mit allem zurück, wonach Ruth gefragt hat.

»… Sie sind also auch gerne hier im Laden?«, hört sie Malcolm sagen. Er hält den Kopf hoch, während Ruth mit einem weißen Taschentuch, das vermutlich Malcolm gehört, vorsichtig das Blut wegtupft.

»Mhm«, macht Ruth. Dann taucht sie das Taschentuch in die Schüssel mit warmem Wasser, die Jo ihr gebracht hat, und setzt ihre Arbeit fort. Jo hat den Eindruck, in so sicheren Händen zu sein, dass sie es nicht mehr für nötig hält, den Notarzt zu rufen.

»Sie machen das offensichtlich nicht zum ersten Mal, Madam«, bemerkt Malcolm und neigt den Kopf, damit Ruth besser drankommt.

»Oh, das gehört einfach dazu. Blut, Kacke und Erbrochenes gehören zum Leben einer Vikarin.«

»Aber hoffentlich nicht alles gleichzeitig. Eine sehr unheilige Dreifaltigkeit«, kommentiert Malcolm. Ruth sieht nicht auf, lacht aber leise.

»Du musst uns einander vorstellen, Joanne. Ich kann diese gute Frau schließlich nicht weiter ›Madam‹ nennen.«

»Das ist Ruth«, sagt Jo und wiederholt in Gedanken den Namen, damit sie nicht sagt, die flüchtige Vikarin. Dann fällt ihr der Zeitungsartikel wieder ein. »Ruth

Hamilton«, fügt sie hinzu. »Ruth kommt ursprünglich aus Glasgow.« Dann wird ihr klar, dass sie vielleicht nicht ihren ganzen Namen hätte preisgeben sollen.

Ruths Gesichtsausdruck bleibt aber unverändert, während sie weiter Malcolms Stirn säubert.

Malcolm stellt sich förmlich vor. »Ich heiße Malcolm Buswell. Es freut mich sehr, Sie kennenzulernen, Reverend Hamilton.«

»Bitte, einfach nur Ruth.« Sie sieht zu Jo und redet weiter. »Du musst nicht so besorgt dreinschauen, Jo. Es ist nicht so schlimm, wie es aussieht. Es blutet schon nicht mehr so stark, und ich glaube, wenn wir das gut verarzten, wird alles in Ordnung kommen, Malcolm.«

»Auf der Straße haben sie mir angeboten, einen Notarzt zu rufen«, erklärt Malcolm, »aber ich dachte mir, dass es nur ein Kratzer ist. Erst als ich losgegangen bin, hat es angefangen, so stark zu bluten.«

Zum zweiten Mal fragt Jo: »Was ist passiert, Malcolm?«

Malcolm starrt weiter an einen Punkt irgendwo hinter Ruth, als ob er in Gedanken meilenweit weg wäre.

Ruth hebt den Blick, als wollte sie seinen Gesichtsausdruck lesen. Dann sagt sie: »Die Wunde ist an einer blöden Stelle, Malcolm. Ich werde den Verband um das Kinn binden müssen.« Sie lächelt ihn an. »Es tut mir leid, das wird zwar nicht sehr schön aussehen, aber gut halten.«

»Oh, keine Sorge, Reverend Ruth. Mir hat noch nie jemand vorgeworfen, schön zu sein.«

»Alle Geschöpfe Gottes sind schön, Malcolm.« Jo erschrickt über die Aufrichtigkeit von Ruths Worten und ihr eigenes Unbehagen. Sie kann sich nicht vorstellen, dass irgendjemand anderes so etwas sagt. Dann erinnert sie sich an ihre erste Begegnung und ihre Worte: *Niemand glaubt mehr an Gott.*

»Und das glauben Sie wirklich?«, fragt Malcolm. Er klingt völlig verwirrt.

Ruth zögert einen Moment. »Das tue ich«, sagt sie, dann grinst sie. »Das hat man von dem Beruf.« Während sie nach einem Pflaster sucht, fügt sie leise hinzu: »Und die unheilige Dreifaltigkeit von Blut, Kacke und Erbrochenem.«

Malcolm lächelt.

Jo sieht Ruth fasziniert dabei zu, wie sie umsichtig den Verband festmacht. »Du machst das auf keinen Fall zum ersten Mal«, stellt sie fest.

»Oh, nein. Ich bin voll ausgebildete Ersthelferin.«

Malcolm hält sich inzwischen nicht mehr an der Theke fest und tut so, als würde er mit beiden Händen einen Defibrillator benutzen. »Ach, was? Auch das mit den Stromstößen?«, dröhnt er.

Jo und Ruth müssen lachen. »Oh, ja. Das habe ich mal bei einer Kuh gemacht.«

Jo schnaubt und ist von der Vorstellung vollkommen überwältigt. »Aber wie?«, ruft sie aus.

»So schwer war das nicht«, erwidert Ruth.

»Aber wohin mit den Beinen und Hufen? Waren die nicht im Weg?«

Ruth und Malcolm sehen einander fragend an. Dann erfüllt ihr Gelächter den kleinen Laden. Zwischen Lachanfällen sagt Ruth: »Ich habe gesagt, das habe ich mal bei einem *Kurs* gemacht.«

Jo muss so heftig über das Missverständnis lachen, dass sie fast keine Luft mehr bekommt.

Als sie sich alle wieder beruhigt haben, hat sich etwas verändert. Im Laden ist es still, aber er scheint erfüllt von etwas. Jo würde fast so weit gehen, es Verheißung zu nennen.

»Jetzt brauchen wir einen Tee!«, erklärt sie entschieden. Als sie in die kleine Teeküche hinten im Laden geht, kann sie die ins Gespräch vertieften Stimmen von Ruth und Malcolm hören. Es überkommt sie ein Gefühl der Erleichterung.

Nur weiß sie nicht genau, warum.

~

Erst als sie den Laden absperrt, fällt ihr auf, dass sie das Schild nicht wieder umgedreht hatte. Das erklärt auch, warum am Nachmittag niemand mehr in den Laden gekommen ist. Es macht ihr aber nichts aus, so hatten sie zu dritt ein paar Stunden Zeit, um sich zu unterhalten und Tee zu trinken. Das Gefühl der Erleichterung, das sie überkommen hat, als sie Ruth und Malcolm im Gespräch an der alten Verkaufstheke gesehen hatte, hält an. Es hat sich um sie gelegt und sie vor Gedanken an James, Lucy oder Eric den Wikinger bewahrt. Und ein weiterer Name fällt ihr ein: Finn. Nein, an keinen von ihnen hatte sie denken müssen.

Nach einer Zeit hatte sie den Verbandskasten wieder weggeräumt, die blutigen Tücher entsorgt, und Malcolm hatte sich auf den Heimweg gemacht. Ruth bestand nicht darauf, ihn nach Hause zu begleiten, sondern machte nur vage Angaben, dass sie ohnehin in seine Richtung gehen müsse, obwohl Jo sich sicher war, dass Ruth nicht wusste, wo Malcolm wohnte. Das wiederum wirft die Frage auf, wo Ruth eigentlich wohnt. Wohin oder zu wem ist sie weggelaufen?

Allein im Laden, denkt Jo über diese beiden Menschen nach, die gerade in ihr Leben gekommen sind. Sie weiß nicht genau, worüber sie sich unterhalten haben, während sie Tee tranken, Kekse aßen und auf Stühlen saßen, die sie aus der Wohnung geholt hatte. Über Hampstead Heath? Den Laden? Die sich wandelnden Jahreszeiten?

Bevor Malcolm ging, hat Jo ihm das Notizbuch zurückgegeben, das unter den Tresen gerutscht war. Gerade wollte sie ihm gestehen, dass sie seine Einträge über William Foyle, der die Buchhandelskette Foyles gegründet hatte, gelesen hat, und wollte (noch einmal) fragen, worum es in Malcolms Buch ging, aber Malcolm wechselte schnell das Thema. Er war wohl immer noch nicht bereit, über sein Projekt zu sprechen. Und genauso wenig – davon war Jo überzeugt – hatte Ruth Lust gehabt, Malcolm auf seine Fragen nach ihrer Gemeinde zu antworten.

Aber beim Tee hat Malcolm ihnen verraten, wie er zu seiner Verletzung gekommen ist. (Kein Sturz, das versicherte er Reverend Ruth, die andeutete, ihn wegen einer möglichen Gehirnerschütterung doch lieber ins Krankenhaus bringen zu wollen.) Nur ein Kratzer. Er war auf dem Gehsteig ausgerutscht und fast unter einen Bus geraten. Ein Fahrradkurier hatte ihn gerettet. Der hatte angehalten und ihn schnell von der Straße gezogen. Dabei war seine Tasche an Malcolms Kopf gestoßen und hatte so die Wunde verursacht.

Erst als Jo die Broschüre aus dem Verbandskasten (»Für den Notfall«) an die Pinnwand hängt, fallen ihr die letzten

Worte von Malcolm wieder ein, und sie fragt sich, was sie wohl zu bedeuten haben. »Und ich war ihm sehr dankbar, denn ich wollte nicht sterben.«

Eine Weile betrachtet sie die Pinnwand. Den Kalender, die Zettel und nun die Broschüre bedecken sie etwa zu einem Viertel. Sie denkt immer noch über Malcolms Worte nach: »Ich wollte nicht sterben.«

Es war die Art, wie er es gesagt hatte, weniger die Worte selbst. Malcolm klang … nun ja … er klang überrascht.

Sie kommt nicht umhin, sich eine Frage zu stellen. Hatte es womöglich eine Zeit gegeben, in der Malcolm hatte sterben *wollen*? Sie muss an Reverend Ruth denken und das leichte Zucken ihrer Augenbrauen, als Malcolm das gesagt hatte. Sie fragt sich, ob die flüchtige Vikarin auch noch über seine Worte nachdachte.

12

La Biblioteca

Auch Tage später muss Jo noch immer an Malcolms Worte denken, als sie sich bereit macht, mit Lando und Eric dem Wikinger auszugehen. Sie ist sich bewusst, dass sie sich die letzten Tage in etwas zurückgezogen hat, das ihr jetzt wie selbstmitleidige Sehnsucht nach James vorkommt.

Vielleicht ist sie es auch einfach leid, sich zu bemitleiden (und ihr wird klar, wie anstrengend das ist), aber ihr Puls beschleunigt, als sie nach dem waldgrünen Wickelkleid greift, und die Vorfreude steigt. Vielleicht liegt es daran, eine Gelegenheit zu haben, etwas anderes als die Latzhose zu tragen. Und James mochte dieses Kleid nie. Trotzig legt sie noch pinken Lippenstift auf. Auch das hat er nie gemocht.

Das italienische Restaurant, das Lando und Eric ausgesucht haben, ist zu Fuß zu erreichen und doch in einem Teil von London, in dem sie noch nie war. Während sie unterwegs sind, fällt Jo auf, wie wenig sie bisher von London gesehen hat.

An einem ihrer ersten Sonntage in der Stadt ist sie mit dem Bus ins Zentrum gefahren. Nach der ersten Welle der Begeisterung darüber, aus dem oberen Deck die Straßen zu beobachten, war ihr mehr und mehr aufgefallen, wie einsam und ziellos sie sich unter all den Londonern und eifrigen Touristen fühlte. Auf dem Rückweg hatte sie

Schwierigkeiten, den richtigen Bus zu finden, und es mit der U-Bahn versucht, aber sie hatte sich verirrt und wusste nicht, welchen Zweig der Northern Line sie nehmen musste. Sie stand auf dem Bahngleis und starrte auf Pläne, die keinen Sinn ergeben wollten. Sie musste gegen die aufsteigende Panik ankämpfen und hatte sich dabei so dämlich gefühlt, dass ihr die Kraft gefehlt hatte, jemanden zu fragen.

Diese Erinnerung trübt ihre Vorfreude, die das grüne Kleid ausgelöst hat, und auch die Lust an der Unterhaltung, also geht sie schweigend neben den beiden Männern her. Lando schreitet elegant und gediegen. Eric schiebt sich die Straße entlang wie ein Schiff mit geblähten Segeln. Als ihr Handy eine Nachricht ankündigt, freut sie sich über die Gelegenheit, sich etwas Zeit zu verschaffen. Die Nachricht ist von Lucy.

Ich mag die Vorstellung, dass du der Polizei das Schreiben beibringst. Erzähl mir mehr von diesen Leuten. Kuss, L

Der Brief ist also gut angekommen. Das beruhigt sie ein wenig.

Jo muss an Lucys Talent denken, mit jedem ins Gespräch kommen zu können. Sie kann mit jedem reden, dem sie begegnet, sogar Fremden Fragen stellen. Jo weiß, dass sie sich diesen Charakterzug von ihrer Freundin schon öfter geliehen hat (so wie ihre Latzhose), besonders wenn sie in unangenehmen Situationen gelandet war. Wenn sie sich gefragt hat: Was würde Lucy jetzt sagen?

Es ist Guy Fawkes Night, und als in der Nähe ein Feuerwerk gezündet wird, wirft sie eine Frage in die kalte Novembernacht.

»Welche drei Dinge haltet ihr für völlig überbewertet?«

Die Männer stürzen sich auf die Frage, und als sie am Restaurant ankommen, unterhalten sie sich munter, und die Frage ist gründlich ausgeschlachtet.

Landos Antwort: Feuerwerk, Frühstück im Bett (Eric ist anderer Meinung) und Gott.

Jo meint, Reverend Ruth hätte sicher etwas dazu zu sagen, Malcolm wiederum würde ihm dafür vermutlich auf die Schulter klopfen (wenn Malcolm sich zu so einer Geste hinreißen ließe).

Die Antwort von Eric dem Wikinger: Kaviar, Shopping und Emojis.

Bevor sie sich bremsen kann, denkt Jo: *Damit kann ich leben*.

Ihre Antwort: Macarons (Lando sieht das anders), Truthahn (das sieht Eric anders) und Fußball (beide sehen das anders).

Als sie das Restaurant betreten, wird klar, dass es sich hierbei tatsächlich einmal um eine Bibliothek gehandelt hat. An den Wänden stehen Regale voller Bücher. Jo denkt sich, der Name, La Biblioteca, hätte ein Hinweis sein können. Sie setzen sich an einen Tisch, und plötzlich bedauert Jo, dass diese Bibliothek voll mit Büchern ist, die niemand mehr lesen wird. Aber das Gefühl hält nicht lange an. Man kann gar keine schlechte Laune haben, wenn man zwischen Lando und Eric sitzt.

Die beiden kennen einander offensichtlich sehr gut, und es herrscht ein Hin und Her aus Beleidigungen und Lob. Lando erzählt von seinen Reisen, auf denen er auch seine bulgarische Frau Sacha kennengelernt und seinen Stil als Tattoo-Künstler entwickelt hat. Daraufhin besteht Eric darauf, dass Lando Jo einige Fotos seiner Werke auf dem Handy zeigt.

Und sie sind wirklich künstlerisch.

Eric fährt fort und erklärt, dass die besten Künstler irgendwann für ihren eigenen Stil bekannt werden. Manche arbeiten in Farbe, andere im Stil des Realismus oder lassen sich von einem anderen Thema inspirieren. Alles von japanischen Mangas oder Maori-Symbolik bis hin zu Piraten und Disney. Lando arbeitet vor allem mit schwarzer Tinte mit dem gelegentlichen Farbklecks.

»Das erinnert mich an Banksy«, sagt Jo.

Eric grölt beinahe: »Siehst du, Lando«, und haut ihm auf die Schulter.

Dann übernimmt Lando, beschwert sich über alles an Eric, angefangen bei seiner Größe bis hin zu seinem Kleidungsstil und seiner Unfähigkeit, den Laden pünktlich zu öffnen. Im nächsten Atemzug erzählt er Jo, dass Eric der Erste wäre, den er in Not anrufen würde, und dass Eric an Heiligabend immer für einen gemeinnützigen Verein kostenlose Sehtests für Obdachlose anbietet.

Da unterbricht Eric ihn und beleidigt seinen Ziegenbart mit den Worten, er solle sich endlich einen echten Bart wachsen lassen.

Jetzt nach ein paar Gläsern Wein fällt Jo ihm ins Wort. »Aber ich habe dich doch gesehen!«, ruft sie.

Beide sehen sie verwirrt an.

»Ich habe dich gesehen«, wiederholt sie und schaut Lando an, »im Brillenladen. *Deshalb* habe ich gedacht, du wärst der Optiker.«

»Der arme Kerl braucht mich. Er ist blind wie ein Maulwurf«, erklärt Eric und schüttelt traurig den Kopf.

»Nicht so sehr, wie du einen guten Friseur bräuchtest«, erwidert Lando, bevor er fortfährt. »Und Eric hier trägt Kontaktlinsen. Immerhin bin ich nicht zu eitel, um zuzugeben, dass ich für meine Arbeit eine Sehhilfe brauche.«

»Bei all dem Sport, den ich treibe, muss ich Kontaktlinsen tragen«, kontert Eric ernsthaft.

»Wirklich? Was machst du denn alles?«, will Jo wissen.

Die beiden brechen in schallendes Gelächter aus, und sie fühlt sich vorgeführt und dämlich.

Lando neigt sich vor. »Und er besteht auf gefärbte Linsen. Oder glaubst du etwa, dass seine Augen wirklich so blau sind?«

Jo lässt sich nicht ein zweites Mal auf den Arm nehmen, aber als sie in die strahlend blauen Augen von Eric dem Wikinger sieht, wird sie so rot, als hätte es wieder geklappt.

Als sie das Restaurant verlassen, geht Jo kurz am Tresen vorbei und schnappt sich eine Visitenkarte vom La Biblioteca.

»Für deine Pinnwand?«, fragt Eric, als Jo mit der Karte in der Hand wieder zu ihnen stößt.

Sie nickt und ist überrascht, dass ihm aufgefallen ist, dass sie … ja, was? Sich dort ein neues Leben zusammenstellt? Die Karte in der Hand fragt sie sich, ob sie mit Malcolm und Ruth einmal hierhergehen sollte.

»Du bist eine Elster«, witzelt Eric.

Sie glaubt, da könnte er recht haben. Die Dinge, die sie sammelt, sind ihr wichtig. Besonders die Worte, die die Kunden schreiben, wenn sie die Füller ausprobieren. Vielleicht hat sie auch damit angefangen, neue Freunde zu sammeln? Mit Eric dem Wikinger ist es besser gelaufen als gedacht. Sie hat sich immer wieder gesagt, wir sind *nur* Freunde, Nachbarn, und das hat funktioniert. Solange sie nicht auf seine Hände sieht.

»Meine Frau Sacha ist auch eine Elster«, verkündet Lando.

»Wirklich?« Jo lässt sich gerne ablenken.

»Vielleicht nicht so, wie ihr denkt«, antwortet er und öffnet Jo die Tür. »Sacha sammelt Dinge, die ihr Leute erzählen. Die Frau ist eine Quelle an unnützem Wissen …«, er hält inne, »… und manchmal auch wirklich sinnvollen Informationen. Ich weiß nicht, wie sie sich das alles merken kann. Aber sie kann einfach mit jedem reden.«

Wie Lucy.

Und als ob ihre beste Freundin gewusst hätte, dass sie an sie denkt, pingt Jos Handy. So war es früher immer. Sie dachten gleichzeitig aneinander, und plötzlich klingelte das Telefon.

Als Jo auf ihr Handy sieht, wünscht sie sich, es nicht getan zu haben. In der Nachricht steht:

Finn kommt nach London. Ich habe ihm deine Adresse gegeben. Vielleicht kommt er bei dir vorbei. Kuss, L

Es gibt keinen Grund, warum Finn ihre Adresse nicht haben sollte.

Sie fragt sich, ob Lucy sich wundert, warum Finn nicht gleich Jo geschrieben hat. Aber eigentlich stehen sie sich gar nicht so nahe.

Oder doch?

13
Was die Elster sammelt

Der Zeitpunkt ist nicht der richtige für eine Liste. Sosehr Jo die beruhigende Wirkung zu schätzen weiß, die entsteht, wenn sie spätnachts eine Liste schreibt, Aufgaben und Gedanken auf dem Papier ordnet, jetzt ist nicht der richtige Zeitpunkt dafür.

Zum einen liegt sie zwischen Kissen und ihrer Decke im Bett. Zum anderen ist sie etwas betrunken. Außerdem hat sie keine Lust, all die Gedanken, die ihr durch den Kopf gehen, festzuhalten. Es ist deutlich schwerer, mitternächtliche Ideen wieder zu verwerfen, wenn diese Gedanken mithilfe von Tinte in dauerhafte Konzepte gegossen worden sind.

Eigentlich möchte sie nur schlafen, aber ihr ist klar, dass einzuschlafen ihr gerade unmöglich ist. Also versucht sie, sich auf eine Sache zu konzentrieren. Sie denkt an Landos Kommentar über seine Frau Sacha, »die Elster«. Ist sie etwa genauso? Sammelt auch sie Dinge von Freunden? Leiht sie sich nicht viel von Lucy? Nicht nur Klamotten, sondern auch Charakterzüge, wenn sie sich unsicher fühlt? Sie weiß, dass sie das tut.

Jo muss an Malcolms Notizbuch über William Foyle denken. Das hatte sie sich auch ausgeliehen. Die Geschichte eines Manns aus dem East End, der Beamter werden wollte, aber die Prüfungen nicht bestand, und dann eine Reihe an Lehrbüchern übrig hatte. Nur hat William erkannt, dass viele Leute Interesse an gebrauchten Büchern zu allen möglichen Themen haben. Also hatte er seinen Misserfolg in ein florierendes Buchgeschäft verwandelt. Jo starrt irritiert in die Dunkelheit. Kann sie das wirklich Ausleihen nennen? Schließlich hat sie Malcolms Notizen unerlaubt gelesen.

Aber sind Elstern nicht vor allem dafür bekannt, dass sie stehlen?

Schnell schiebt sie den Gedanken beiseite. Sie hat noch andere Erinnerungen an Dinge, die ihr Freunde erzählt haben und die bei ihr geblieben sind. Die *sind* wertvoll und stehen für die Freunde, die sie mit ihr geteilt haben. Liebevolle Geschenke, auch wenn manches davon seltsam oder irrelevant ist.

Cézanne hatte großen Einfluss auf andere Künstler, und sein Werk begründete den Kubismus. (Von ihrer Cousine Alice, die jetzt in New York arbeitet)

Die Farbe Shocking Pink *wurde in den Dreißigern von der italienischen Designerin Elsa Schiaparelli berühmt gemacht.* (Lucy)

Am besten erntet man Bohnen an Tagen, an denen es nicht zu trocken ist, sonst springen sie überallhin. (Eine Bauernweisheit)

Die Pollen von Lilien sind für Katzen giftig. (Georgia aus der Uni, die ihr Mathestudium abgebrochen hat, um Floristin zu werden. Eine weitere Freundin, die sie aus den Augen verloren hat)

Der Festive 500 *ist eine traditionelle Fünfhundert-Kilometer-Radsport-Challenge, die man zwischen Weihnachten und Silvester absolviert.* (Finn)

Und da ist sie wieder bei Finn.

Sie versucht, die Erinnerung abzuschütteln, aber das führt nur zu einem Sturm anderer Gedanken, die sich ihr ungewünscht aufdrängen:

Eric der Wikinger ist etwas seltsam.

Und unordentlich.

Aber er macht keine lauten Essgeräusche, das ist sehr gut.

Er schnarcht bestimmt. Das würde zu ihm passen.

Er hat beeindruckende Augen.

Und einen genauso beeindruckenden Körper.

Es stört mich nicht, dass er mich ständig auf den Arm nimmt.

Es stört mich schon. *Ich habe mich dumm gefühlt.*

Lando mag ihn.

Ich mag Lando.

Was würde Mum von den Tätowierungen halten?

Lucy würden sie gefallen ... und sie würde ihn mögen.

Diese Hände.

Vergiss es.

Er ist viel zu jung.

Dann schleichen sich noch gefährlichere Gedanken ein:

Ich will nicht in London leben.

Er ist Optiker, das kann man überall machen.

Werden wir unseren Kindern mal von heute Abend erzählen?

Sie wehrt sich gegen all diese Gedanken. Sie geben ihr das Gefühl, verzweifelt zu sein und die Kontrolle zu verlieren. Als ob ihre Sehnsucht nach einer Familie die Oberhand gewinnt.

Und doch, hier in der Dunkelheit, trotz all der Angst

und Unsicherheit, gibt es einen Hoffnungsschimmer. Ein Leuchten.

Jo schließt die Augen und versucht, danach zu greifen.

Dann wird ihr klar, was es ist.

Sie kann sich fast vorstellen, James zu hassen.

Es war nicht richtig, was er ihr angetan hat. Und zwar schon lange vor seinem »Es liegt nicht an mir, sondern an dir«. Sie war nicht irrational. Es war ein Fehler, dass sie sich eingeredet hat, es seien nur Kleinigkeiten, über die man sich nicht aufregen sollte.

Jo flucht laut in die Stille des dunklen Raums.

Erst als sie doch langsam einschläft, nachdem sie Onkel Wilbur Gute Nacht gesagt hat (und sich für ihr Fluchen entschuldigt hat), schleicht sich noch ein Gedanke in ihren müden Verstand. Läuft sie nicht auch vor Finn davon?

Finn, Lucys jüngstem Bruder.

14

Finn kommt zu Besuch

Liebe Lucy,
nachdem dir die Geschichte vom Polizisten gefallen hat, möchte ich dir heute von einem anderen meiner Kunden erzählen. Es handelt sich um einen etwa dreizehnjährigen Jungen, der manchmal auf dem Weg von der Schule nach Hause bei mir im Laden vorbeikommt. Er ist immer allein unterwegs und war anfangs zu schüchtern, um mir seine Leidenschaft für Füller zu gestehen. Aber nach ein paar Besuchen hat er angefangen, etwas mehr zu reden. Er hat mir erzählt, dass er stolze vierzehn Füller besitzt.
Als zwei von Onkel Wilburs Freunden aus dem Schachklub zufällig im Laden waren, hatten wir einen kleinen Durchbruch. Einer der beiden hat einen beiläufigen Kommentar gemacht, und dabei ist herausgekommen, dass Ranbir Schach fast genauso mag wie Füller. Aber er hat nicht viele Freunde, mit denen er spielen könnte. Anscheinend hat er generell nicht so viele Freunde.
Die beiden alten Männer und Ranbir haben sich dann über die Sizilianische Verteidigung und die Eröffnung von Ruy Lopéz unterhalten. Und dann haben sie Ranbir für ihren Schachklub am Donnerstag rekrutiert.

Das ist eine Woche her. Ranbir war gerade da, um mir davon zu erzählen, und hat seine Sammlung von Füllern mitgebracht, um sie mir zu zeigen. Er bewahrt sie in einem wunderschönen Seidenetui auf, das seine Mutter für ihn genäht hat. Er sah so viel fröhlicher aus, ich hätte weinen können.
In Liebe
Jo

Außer Lucy zu schreiben, weiß Jo nicht, was sie machen soll. Seit der Nachricht über Finn hat sie den Eindruck, dass ihr Schuldgefühl wie ein hoher Berg zwischen ihnen steht. Nicht zum ersten Mal kommt ihr das Briefschreiben wie eine stille Form der Buße vor. Und wieder fällt ihr auf, dass die Liste der Dinge, die sie Lucy nicht erzählt hat, immer länger wird.

Ihr Abendessen mit Lando und Eric dem Wikinger ist drei Tage her, und Jo sitzt wieder an ihrem üblichen Platz im Laden. Die Frau vor ihr redet seit fünf Minuten ununterbrochen.

»... und da habe ich herausgefunden, dass er dreihundert Pfund für eine Stripperin auf Madeira ausgegeben hat.«

Jo ist weniger überrascht davon, dass die Frau ihr so intime Details aus ihrem Liebesleben erzählt, als über die Tatsache, dass es auf Madeira Stripper gibt. Sie hat die Insel immer eher mit ihren ältlichen Paten in Verbindung gebracht, die jeden Frühling dorthin in den Urlaub fahren.

»Wir hatten so eine On-off-Beziehung, Sie wissen ja,

wie das ist«, fährt die Frau eindringlich fort, als wollte sie Jos Verständnis.

Bevor Jo antworten kann, redet die Frau weiter. »Und das Witzigste an der Geschichte ist, dass ich beschlossen hatte, das ist das letzte Mal, ich habe ihn nicht mehr angerufen. Jetzt ist ihm wohl aufgefallen, was wir hatten, und er schreibt mir permanent. Vielleicht sollte ich ihm noch eine Chance geben. Er hat am Freitag Geburtstag. Glauben Sie, er würde sich über einen Federhalter freuen? So etwas könnte ihm gefallen.«

Was soll Jo dazu nur sagen? Sie stellt sich vor, wie sie über die Theke greift, der Frau den Stift aus der Hand nimmt und schreibt: *Wieso willst du diesem Idioten ein Geschenk kaufen?*

»Sie wissen ja, wie das ist«, wiederholt die Frau und sieht Jo hoffnungsvoll an.

Die Glocke über der Tür klingelt leise, und als Jo aufsieht, ist sie erleichtert, dass Finn den Laden betritt. Die Erleichterung hält nicht lange an. Scham und Verwirrung folgen ihr sofort. Er hebt die linke Hand zum Gruß, in der anderen trägt er eine große Reisetasche. O Gott, hat er etwa vor, bei ihr zu übernachten? Er nickt leicht in Richtung der Kundin, die sie immer noch erwartungsvoll ansieht.

Ausnahmsweise hat Jo keine Lust, einen Füller zu verkaufen. Der On-off-Typ dieser Frau hat eindeutig keinen verdient.

»Wissen Sie was? Wenn er es sich leisten kann, so viel Geld auszugeben …« Vor Finn möchte Jo nicht sagen: für eine Stripperin. Das geht ihn nichts an. Sie eigentlich auch nicht, aber ihr ist aufgefallen, dass die Leute anfangen, ihr alles Mögliche zu erzählen, wenn sie ihre Federhalter ausprobieren. »Wenn er es sich leisten kann, so viel Geld auszugeben … für Madeira«, fügt sie hinzu, »kann er sich auch seinen eigenen verdammten Füller kaufen.«

Die Frau kichert überrascht, und Jo grinst sie entschuldigend an. Sie hatte nicht fluchen wollen.

Und dann würde ich seine Nummer blockieren. Das spricht Jo aber nicht laut aus.

»Sie meinen also nicht, dass ich ihm einen kaufen sollte?«

Und mit einem mulmigen Gefühl wird Jo klar, dass diese Frau ihr gegenüber sich immer von demjenigen beeinflussen lassen wird, der vor ihr steht. Sie bezweifelt nicht, dass der On-off-Typ sich auf einen Geburtstagsdrink und vielleicht noch mehr freuen kann. Immerhin wird er nicht in den Genuss einer ihrer Füller kommen.

»Danke. Vielen Dank«, sagt die Frau und fuchtelt mit dem Stift in der Hand herum, als wüsste sie nicht, was sie damit anstellen soll.

Jo nimmt ihn ihr ab, und Finn tritt zur Seite, damit sie zur Tür kommt.

»Richtig, richtig, ich sollte gehen«, sagt die Frau und greift nach ihrer Handtasche. Finn hält ihr die Tür auf. Jo bemerkt, dass die Frau Finn einen neugierigen Blick zuwirft. Sie macht ihr keinen Vorwurf. Auch Jo ist aufgefallen, wie gut Finn aussieht, als er reingekommen ist: unordentliches erdbeerblondes Haar, frisch rasiert, strahlende Augen. Geschmeidig, sportlich. Und groß. Ganze ein Meter neunzig. Er sieht aus wie ein Mann, der, wenn er nicht an der Tour de France teilnimmt, sie zumindest moderieren sollte.

Finn schließt die Tür und sieht zu Jo.

Die Sekunden vergehen, und Jo stellt fest, dass sie die Luft anhält.

Langsam schleicht sich ein Lächeln auf sein Gesicht.

Jo erwidert das Lächeln zögerlich.

Finn grinst.

Jetzt grinst auch Jo.

Dann muss Finn lachen.

Jo spürt, wie auch in ihr ein Lachen aufsteigt, und es erfüllt den Laden wie eine große Welle der Erleichterung.

»Komm her, Sorsby«, verkündet Finn.

Jo tritt hinter dem Tresen vor und direkt in eine herzliche Umarmung.

Arm in Arm stehen sie da, schaukeln ein wenig und lachen.

»O Finn«, sagt Jo und drückt ihn ein letztes Mal an sich, bevor sie ihn loslässt. Es tut so gut, ihn zu spüren, überhaupt jemanden zu umarmen. Plötzlich fragt sie sich, wie lange es wohl her ist, dass jemand Malcolm in den Arm genommen hat.

»Alles gut zwischen uns?«, fragt Finn, lässt sie los und sieht zu ihr runter.

»Ja«, sagt sie überzeugt. »Kaffee?«

»Jap«, antwortet Finn, schleift seine Tasche zum Verkaufstresen und setzt sich auf einen der Hocker.

Als Jo mit zwei Tassen zurückkommt, kritzelt er mit einem ihrer Füller herum. »Du hast mich ignoriert«, wirft er ihr vor, aber sein Tonfall ist immer noch voller Lachen.

»Na ja, du hast dich auch nicht gerade oft gemeldet«, antwortet sie schnippisch und sieht auf das Fahrrad, das

Finn gezeichnet hat. »Hast du Lucy davon erzählt?«, will sie wissen.

Schnell sieht er zu ihr auf. »Machst du Witze? Du weißt doch, wie Lucy ist. Sie verhält sich mehr wie meine Mutter als meine Schwester.«

Jo weiß, dass das stimmt. Die Mutter der beiden war ein eher unberechenbarer Einfluss in ihrem Leben, sie kam und ging, je nachdem wie viel sie gerade trank. Ihr Leben spiegelte sich in den rührseligen und tragischen Countrysongs wider, die sie gerne sang. Lucy kam ihrem Vater zu Hilfe, sprang für ihre Mutter ein und half ihm dabei, ihre Brüder großzuziehen, die nicht viel von ihrer Mutter geerbt hatten, außer ihrem erdbeerblonden Haar. Auf jeden Fall kann keiner von ihnen singen. Dieses Talent hat nur Lucy von ihrer Mutter geerbt.

Finn, der Jüngste unter ihnen, wird immer noch so behandelt, als ob er gerade mal ein Teenager wäre. Aber wie alt ist er mittlerweile? Zweiunddreißig? Noch dazu ein anerkannter Umweltgutachter. Er kleidet sich immer noch wie ein Surfer, interessiert sich für Fahrräder und radelt fast täglich mehrere Meilen. Trotzdem bleibt er immer Lucys kleiner Bruder.

Zugriff verboten.

»Was bedeutet das also für diese Nacht? War das, als ob du mit einer Freundin deiner Mutter geschlafen hättest?«

»Ach komm schon, Jo. Es war doch schön.« Er sieht zu ihr auf und lächelt sanft. »Das musste doch irgendwann passieren, spätestens seit dem Reading Festival.«

»Ja, wahrscheinlich«, stimmt sie zu.

Sie hatte immer gewusst, dass Finn auf sie stand. Als er

dreizehn und sie neunzehn war, war das so offensichtlich wie die Pickel in seinem Gesicht. Von denen ist jetzt nichts mehr zu sehen, denkt Jo mit einem Lächeln. Ach, da ist immer etwas zwischen ihnen gewesen. Nie wurde das angesprochen, und Jo hatte sich immer wie eine große Schwester verhalten. Bis zu diesem einen Mal auf dem Reading Festival. Sie war siebenundzwanzig, Finn gerade einundzwanzig geworden. Dieser Kuss. Jo muss bei der Erinnerung grinsen. Es war schön. So lange hatten sie darauf gewartet. Aber sie wusste, dass es falsch war. Hatte alles Weitere unterbunden.

Es sollte eine schöne Erinnerung bleiben. Nicht mehr.

Bis zu jener Nacht in Newcastle. Das war zwei Wochen bevor sie nach London aufgebrochen ist. Sie war mit ein paar Arbeitskollegen aus, um sich von ihnen zu verabschieden. Den Datenbanknerds. Im Büro hatten sie sich immer gut verstanden. Hatten Insider-Witze und Scherze geteilt. Aber in der schwach beleuchteten Bar kamen ihr alle plötzlich fremd vor, und ein Gespräch wollte nicht recht gelingen.

Ein Platz für alles, und alles an seinem Platz, fiel ihr da ein.

Dann tauchte Finn auf einmal auf, ihre Arbeitskollegen gingen, und … sie tranken zu viel. Redeten über alte Zeiten. Erinnerten sich an das Reading Festival.

Sie weiß immer noch nicht, wer von beiden verwunderter war, als sie am nächsten Morgen nebeneinander aufwachten.

»Musste eben aus dem System«, sagt er und blinzelt ihr zu.

Musste mir etwas beweisen, denkt Jo. Sie hatte James

vermisst und gerade erfahren, dass er nun mit Nickyyy zusammen war. Aber sie stimmt Finn trotzdem zu, dass sie das auch einfach einmal erleben mussten. »Du schläfst also nicht mehr mit jeder Freundin deiner Mum?«, neckt sie ihn.

Er sieht sie leicht erschrocken an, aber sie will ihn nicht weiter auf den Arm nehmen. »Keine Sorge, alles gut«, versichert sie ihm. Und so ist es auch. Sie hatte nicht mehr gewollt, aber war besorgt gewesen, dass er sich vielleicht mehr erhofft hatte. (Ein weiterer Grund, um zu gehen.) Außerdem hatte sie gegenüber Lucy ein schlechtes Gewissen. Lucy, die wie eine Mutter für Finn ist. Und noch dazu eine beschützerische Löwenmutter.

»Lucy weiß also nichts davon?«, hakt Jo nach.

»Natürlich nicht! Und ich habe nicht vor, ihr davon zu erzählen. Sie würde mich fertigmachen.« Finn ahmt die Stimme seiner Schwester nach. »... *Du nutzt sie aus ... sie hat genug durchgemacht ...*« Er sieht von seiner Kaffeetasse auf. »Und du plauderst das besser auch nicht aus. Du musst ihr schließlich nicht alles erzählen.«

Gerade will Jo sagen *aber sie ist meine beste Freundin*, da fällt ihr die andere Sache ein, von der Jo Lucy nie erzählt hat. »Glaub mir, das habe ich nicht vor.«

»Außerdem ist das auch meine Privatsache.«

Da hat er recht: Hierbei handelt es sich nicht nur um ihr Geheimnis.

Aber wenn Finn nicht der Grund für Lucys Wut ist, was dann? Schließlich hat sie deswegen aufgehört, Lucy direkt danach zu fragen. Die Furcht, dass sie von ihr und Finn wusste und ihr vorwerfen würde, sie habe *ihn* ausgenutzt. Die ganzen zweiunddreißigjährigen ein Meter neunzig. Jo wünscht sich, sie könnte grinsen, ist aber zu nervös.

»Wie geht es ihr?«, fragt sie.

Zum ersten Mal runzelt Finn die Stirn. »Ach, du weißt schon. Etwas mürrisch wegen der Schwangerschaft. Erinnerst du dich noch an den Jazzklub, in dem sie manchmal gesungen hat? Die haben ihr gekündigt. Anscheinend haben sie ein Problem damit, eine Sängerin mit Babybauch auf die Bühne zu lassen. Stell dir das vor. Sie war stinksauer.« Finn macht eine Pause. »Ist zwischen euch beiden alles in Ordnung?«, fragt er beiläufig.

Jo zuckt zusammen. »Hat sie etwas gesagt?«

Finn schüttelt den Kopf. »Nicht wirklich. Du weißt doch, dass Lucy und ich über so was nicht wirklich reden ...«

Er hört mitten im Satz auf und beobachtet eine Frau in einem gelben Regenmantel, die am Schaufenster vorbeigeht.

Jo folgt seinem Blick. Es ist Karamellkonfekt.

»Süß«, sagt er anerkennend.

»Genug davon.« Jo stupst ihm an den Arm und fühlt sich nun auch mehr wie seine Mutter. Aber sie kann ihm auch keinen Vorwurf machen: Karamellkonfekt sieht süß aus. Hatte sie sich nicht vorstellen können, mit dieser Frau befreundet zu sein?

Finn sieht wieder zu Jo. »Ach, ich weiß auch nicht. Lucy ist nur etwas seltsam, wenn es um dich geht. Habt ihr euch gestritten?«

Jo hat keine Ahnung, was sie darauf antworten soll, also fragt sie: »Mochtest du James?«

Finn rutscht auf dem Hocker hin und her, und es dauert

einen Moment, bis er fragt: »Willst du die Wahrheit wissen?«

»Natürlich.«

»Ich fand, er war ein ziemlicher Penner.«

»Oje, Finn, nicht du auch.« Sie lehnt sich an seine Schulter, und er legt tröstend einen Arm um sie. Sie sieht Lucy, Jemima, Wilbur und nun auch Finn vor sich aufgereiht, mit verschränkten Armen, zusammengekniffenen Lippen, und sie schütteln den Kopf.

»Ich komme mir so dämlich vor. Ich habe es nicht gesehen … vielleicht sehe ich es immer noch nicht …«

»Na ja, er ist ein sportlicher, gutaussehender Typ, der anständig verdient. Wünschen sich das nicht viele Frauen?«

Wie Nickyyy, denkt Jo. Aber Finns Worte beruhigen sie ein wenig. Das alles traf zu, und es hatte auch gute Zeiten gegeben. Besonders, wenn sie nur zu zweit gewesen waren.

Jo sieht zu Finns Tasche neben dem Tresen. »Willst du hier übernachten?«, fragt sie.

»Nein, danke dir. Aber kann ich die Tasche noch hierlassen? Ich habe am Nachmittag ein paar Termine. Die sollten aber nicht lange dauern.«

Jo nickt.

»Ich übernachte bei Matt, meinem alten Schulkameraden. Erinnerst du dich noch an ihn?«

Wieder nickt sie.

»Er stand auch auf dich«, sagt Finn lachend, und Jo muss grinsen. Dann greift er nach ihrer Hand und drückt ihr schmatzend einen Kuss aufs Handgelenk. »Aber als ich vierzehn war, Jo Sorsby, war ich über beide Ohren in dich verliebt. Merk dir das.«

15

Bedarf an einem Optiker

Als sie bei ihrem dritten Kaffee sitzen, geht die Ladentür auf, und Eric der Wikinger kommt rein.

Bevor sie etwas sagen kann, steht Finn von seinem Hocker auf. »Ich mach mich besser mal auf den Weg, Jo. Ich muss bei ein paar Unternehmen vorbeischauen. Neue Kunden vielleicht.« Er lehnt sich vor und gibt ihr einen Kuss auf die Wange. »Bis später.«

Als er sich auf den Weg zur Tür macht, fällt Jo auf, dass sie die beiden wohl einander vorstellen sollte. Aber wie? Ihre Beziehung zu Finn ist zu kompliziert, um das in einem Satz zu erklären. Also sagt sie schließlich: »Eric, das ist Finn. Finn, das ist Eric. Er hat den Brillenladen nebenan.«

Sie beobachtet, wie die beiden Männer sich die Hand geben und ein Gespräch über ihre Pläne am Wochenende beginnen. Finn hat Tickets für das Rugbyspiel England gegen Australien, zu dem er mit Matt gehen will. »Nicht wirklich meine Sportart, aber es gehen ein paar nette Leute hin«, erklärt er.

»Ist Rugby nicht dein Ding, Jo?«, fragt Eric beiläufig, als würde er selbstverständlich davon ausgehen, dass sie mit Finn gehen würde, wenn sie an dem Spiel interessiert wäre.

»Ich arbeite«, ist alles, was ihr einfällt. Schließlich kann sie schlecht sagen: »Er hat mich nicht eingeladen. Wir stehen uns nicht so nah.«

Finn sieht zu Jo und dann zurück zu Eric. »Alles klar, also dann bis später, Jo. Ich schreib dir.«

Jo macht sich daran, die Testfüller zu kontrollieren. Sie schraubt jeden einzelnen auf, um zu schauen, ob noch genug Tinte in den Patronen ist, obwohl sie das erst heute Morgen gemacht hat. Irgendwie hat sie keine Lust, mit Eric über Finn zu reden. Ihr Verhältnis ist zu kompliziert, und ein kleiner Teil von ihr will, dass Eric der Wikinger denkt, dass dieser Mann (der viel jünger ist als sie) auf sie steht.

»Netter Kerl«, kommentiert Eric.

Bevor Jo antworten kann, klingelt die Glocke über der Tür. Sie sieht auf und hofft auf eine Ablenkung. Vielleicht Ruth oder Malcolm? Sie hat keinen von beiden gesehen, seit Ruth Malcolm vor ein paar Tagen nach Hause begleitet hat, und sie fragt sich, ob es ihm inzwischen besser geht. Aber es ist weder die große, schlaksige Gestalt noch die kleine, vogelhafte. Stattdessen streckt eine Frau in einem gelben Regenmantel den Kopf durch die Tür. Karamellkonfekt.

»Hi, ich wollte nur Hallo sagen. Ich weiß nicht, ob du dich noch an mich erinnerst?«

»Natürlich, Giannas Brieffreundin. Komm rein.«

Die junge Frau betritt den Laden. »Ja, genau. Gutes Gedächtnis.« Sie hält einen Brief in der Hand. »Ich wollte mich nur bedanken. Ich habe Gianna geschrieben, und sie hat mir geantwortet. Ich kann gar nicht sagen, wie sehr ich mich über ihren Brief gefreut habe.« Sie strahlt Jo an und dann Eric.

»Oh, das ist Eric ...« Beinahe hätte Jo gesagt: »der Wikinger«. Stattdessen fügt sie hinzu: »... der Optiker.«

Eric streckt ihr eine Hand entgegen, und die junge Frau schnappt nach Luft. »Wirklich? Du bist Optiker?«

»Und wie ich das bin.«

Und Jo findet, sie hält seine Hand einen Augenblick zu lange.

»Das ist wunderbar. Ich muss unbedingt einen Sehtest machen. Ist dein Laden hier in der Nähe?« Karamellkonfekt schaut von einer zur anderen Seite, als wollte sie nach seinem Laden Ausschau halten. Das Sonnenlicht, das durchs Schaufenster scheint, erleuchtet ihre goldenen Locken wie in einer Werbung für Bioshampoo. Die junge Frau strahlt Eric den Optiker an. Die Sommersprossen tanzen auf ihrer Nase, als sie lacht. Und Eric erwidert ihr Lachen.

In diesem Moment sieht Jo Eric wie durch die Augen der anderen Frau.

Er ist unglaublich attraktiv. Nicht nur seine große Statur und die hellblonden Haare. Sein Gesichtsausdruck ist offen und einladend und humorvoll. Jo findet das ziemlich unwiderstehlich. Und dabei fällt ihr schlagartig auf, wie gerne sie diesen Mann hat.

Noch nie hat sich Jo so durchschnittlich gefühlt wie jetzt, als sie beobachtet, wie Karamellkonfekt ihn anlächelt. Sie fühlt sich plötzlich alt, jedes einzelne ihrer neununddreißig Jahre wird ihr in diesem Augenblick schmerzhaft bewusst. Karamellkonfekt ist jünger als sie, da ist sie sich sicher. Viel näher am Alter von Eric, dem Händeschüttler, der erst jetzt ihre Hand loslässt.

»Mein Laden ist gleich nebenan. Möchtest du mit rüberkommen, und wir machen einen Termin zum Sehtest? Vielleicht kann ich dich sogar heute noch einschieben, wenn du Zeit hast«, schlägt Eric vor und hält ihr die Tür auf.

»Wolltest du etwas von mir, Eric?«, fragt Jo, obwohl ihr klar ist, wie verzweifelt das klingen muss.

»Das hat Zeit«, sagt er kurz angebunden und wendet sich wieder Karamellkonfekt zu.

»Großartig!«, sagt die junge Frau, kurz winkt sie Jo noch mit dem Brief in ihrer Hand zu. »Und vielen lieben Dank.«

Mit einem letzten Lächeln verlässt sie den Laden. Gefolgt von Eric dem Wikinger.

Einen Augenblick lang sitzt Jo völlig regungslos da. Die Erleichterung und die Freude nach dem Gespräch mit Finn sind verflogen. Der Laden kommt ihr einsam vor. Es ist vollkommen still, nur das Dröhnen eines Hubschraubers irgendwo über der Stadt ist zu hören.

Ist da gerade etwas passiert? Sie glaubt, ja. Sie ist sich sogar sicher.

Jo betrachtet ihr Spiegelbild im Schaufenster. Ein gespenstischer Schatten in geborgten Klamotten. Sie betrachtet sich weiter reglos. Irgendetwas ist zweifellos zwischen Eric dem Wikinger und Karamellkonfekt vorgefallen.

Jo hat den Eindruck, als wäre ihr etwas entglitten. Gerne würde sie die Zeit zurückdrehen. Warum hat sie nicht gesagt, dass er Eric der Wikinger ist statt der Optiker? Vielleicht wäre die junge Frau dann wieder gegangen, und sie hätte ihm erklären können, wie Finn und sie zueinanderstehen.

Sie wendet sich ab und starrt auf die Federhalter, die auf dem Tresen aufgereiht liegen. Warum hat sie das nicht schon eher bemerkt? Sie ist in James-bedingtem Selbstmitleid zerflossen und hat sich Gedanken über das Alter von Eric dem Wikinger gemacht, statt die Zeichen zu lesen. Zeichen, von denen sie jetzt meint, sie in dicken Lettern sehen zu können. Und in schwarzer Tinte.

Eric der Wikinger ist ein Mann, der Federhalter mag. Wie hat sie *dieses* Zeichen übersehen können?

Sie hätte einfach mit ihm reden sollen, richtig mit ihm reden, dann wäre er vielleicht noch hier.

Stattdessen führt Eric der Wikinger nun Karamellkonfekt in einen schummrigen Raum, in dem er ihr in Jos Vorstellung gleich tief in die strahlenden Augen sehen wird.

16

Wie man seine Handschrift verbessert

Der Nachmittag hat sich hingezogen, und es fällt Jo schwer, sich zu konzentrieren. Bis der Polizist mit der schlampigen Handschrift auftaucht.

Sein Kopf mit den dunklen Haaren ist ihr zugeneigt, und die Konzentration steht ihm ins Gesicht geschrieben. »Das sieht ja aus wie eine Reihe von Wellen. Also muss man gar keine richtigen Buchstaben üben?«

Jo schreibt langsam in das Übungsheft. »Nein, das sind nur Formen, wie die Kreise hier oder diese Linien.« Sie deutet auf die verschiedenen Linien, die sie in das Heft gezeichnet hat. »Es geht darum, sich regelmäßige Schwünge beizubringen. Wenn man dann schreibt, ist man schon daran gewöhnt, die gleiche Größe zu produzieren, und die Schrift wird leserlicher.« Ihr ist bewusst, dass sie wahrscheinlich keinen großen Unterschied hiermit macht, aber vielleicht schafft sie es doch, Stück für Stück ein paar Leute dazu zu bewegen, öfter von Hand zu schreiben.

Jo fährt fort. »Die Frau, deren Videos ich auf YouTube angeschaut habe, sagt, man solle nicht mehr als zehn Minuten am Tag üben.« Sie zuckt mit den Schultern. »Ich weiß auch nicht, warum. Aber sie macht den Eindruck, als sollte man sich mit ihr nicht anlegen.«

»Ein bisschen wie meine Frau«, vertraut ihr der junge Mann grinsend an.

Er wirkt nicht alt genug, um verheiratet zu sein. Dann fällt ihr aber ein, dass dieser Mann sogar die Befugnis hätte, sie zu verhaften.

Ihre Gedanken driften zu Eric dem Wikinger. Und eine weitere Erinnerung drängt sich ihr auf: James und wie er so oft darüber scherzte, dass er mit einer älteren Frau zusammen war. Was als beiläufiger Kommentar angefangen hatte, der nicht ohne einen gewissen Stolz gemacht wurde, begleitet von Scherzen darüber, dass er ihr »Toy Boy« war, wurde schließlich immer offensichtlicher nur an sie gerichtet.

»Setz dich wieder auf, Jo, dein Gesicht sieht runzelig aus, wenn du so dasitzt.«

Sie hatte sich während des Mittagessens vorgelehnt, um ihm etwas zu erzählen. Sie saßen in einem netten Restaurant. An einem Tisch beim Fenster. Sie hatte die Hand zurückgezogen, als hätte sie sich verbrüht.

Dann hatte sie sich aufgesetzt.

Er murmelte: »Nimm es doch nicht persönlich, Jo, ich sag ja nur. Wir werden alle nicht jünger.«

Sie hatte nichts mehr gesagt, sich nur in ihrem Stuhl so weit wie möglich zurückgesetzt. Die anderen Freunde am Tisch, James' Freunde, hatten weitergeredet, als sei nichts passiert.

Damals hatte sie sich gesagt, dass sie es sich zu sehr zu Herzen nahm. Er hatte immerhin »wir« gesagt und nicht »du«.

Vor ihr wartet der Polizist geduldig, dass sie das Heft umdreht, damit er besser sehen kann, was sie geschrieben hat.

Ein Perspektivwechsel. Mehr braucht es nicht.

Was, wenn sie gar nicht schuld war? Irgendwie war es ihr immer so vorgekommen, als ob es ihr Fehler wäre, dass sie nicht wirklich dazupasste. Aber James hatte auf jeden Fall »du« gemeint, und sie hatte sich schrecklich gefühlt. Das war wirklich *verletzend* gewesen.

»Okay, ich glaube, das kriege ich hin«, sagt der Polizist. »Was noch?«

Jo muss sich konzentrieren.

»Suchen Sie sich ein paar Buchstaben aus, die Sie gerne schreiben. Vielleicht Ihre Initialen. Dann können Sie die mit etwas mehr Schwung üben. Das Ziel ist, eine regelmäßige Schrift mit ein paar Eigenheiten zu bekommen. Dann ist sie gut leserlich, hat aber einen eigenen Stil.«

»Und das funktioniert?«

»Jap«, sagt Jo jetzt mit mehr Überzeugung. »Das und die Tipps, die ich Ihnen vorhin gegeben habe.« Sie reicht ihm eine Kopie ihrer Hinweise zur Verbesserung der Handschrift über den Tresen und pinnt eine weitere an ihre Pinnwand neben den Zettel mit den Hinweisen für den Notfall. Der Nachmittag mit Malcolm und Reverend Ruth fällt ihr ein. Und löst ein Gefühl aus, das ihr wie ein unerwartetes Geschenk vorkommt.

Sie gibt dem Polizisten ein Übungsheft. »Hier, nehmen Sie das zum Üben mit.«

Er sieht auf das unerwartete Geschenk hinunter. »Wirklich?«, fragt er zögerlich. Er blättert durch die Seiten des Hefts. »Ich sollte doch aber irgendetwas kaufen«, sagt er und sieht sich um.

»Wenn es funktioniert, dann kommen Sie gerne wieder, und vielleicht kaufen Sie ja dann einen Füller.«

Sein Gesicht hellt sich auf. »Das könnte ich, nicht wahr?

Meine Mum wird es nicht glauben können, wenn ich ihr und Dad tatsächlich einen Brief schreibe.«

»Ich bin sicher, Ihre Eltern würden sich sehr freuen.«

Diese Worte kommen von Reverend Ruth. Sie steht im Eingang. Jo überkommt eine Welle der Freude und so etwas wie Erleichterung, als sie sie sieht.

Der Polizist lächelt die kleine Gestalt an, und während er die Hinweise von Jo und das Übungsheft einsteckt, bedankt er sich erneut, bevor er geht.

»Ich habe nicht alles mitbekommen. Wie lauten die anderen Tipps?«, will Ruth wissen.

Jo bietet ihr einen Hocker an. »Möchtest du einen Tee oder einen Kaffee? Dann zeige ich sie dir«, schlägt sie vor und lächelt die Vikarin freundlich an.

»Ein Kaffee wäre wunderbar«, sagt Ruth, setzt sich auf den Hocker und nimmt ihren Schal, der mit bunten Sternen übersät ist, ab.

»Schöner Schal«, sagt Jo, als sie sich auf den Weg in die Teeküche im hinteren Teil des Ladens macht. Über die Schulter ruft sie: »Falls jemand reinkommt, verkaufe ihm den teuersten Federhalter.«

»Mach ich.«

Oh, Finn! Beinahe hätte sie ihn vergessen. Schnell fügt sie hinzu: »Und falls ein Typ in einer blauen Fahrradjacke reinkommt und nach seiner Tasche fragt, das ist Finn, und seine Tasche steht hinter dem Tresen.«

Als Jo mit Kaffee und Keksen zurückkommt, fragt Ruth, als hätte es keine Unterbrechung in ihrer Unterhaltung gegeben. »Finn?«

Jo fällt auf, dass ihre dunklen, vogelgleichen Augen sie aufmerksam studieren.

»Ein Freund.«

»Ein *Freund* Freund?«

»Oh, nicht wirklich. »Wir sind nur …«

Es folgt eine Pause.

Ein Teil von Jo möchte den Kopf auf den Tresen legen und dieser Frau von all ihren Gefühlen erzählen, dass sie sich an manchen Tagen so sehr nach einem Baby und einer Familie sehnt, dass es wehtut. Wie sehr ihre Beziehung zu Lucy sie besorgt … wie viel sie an Eric den Wikinger denkt. Wie sehr sie sich schämt, dass sie ihre alten Freunde für James vernachlässigt hat. Wie sehr sie ihn immer noch vermisst, aber wie verwirrt sie nun ist, wenn sie an ihr Leben mit ihm zurückdenkt.

All das geht Jo durch den Kopf. Aber ein anderer Teil lässt sie zögern, denn sie weiß, dass Reverend Ruth ihre eigenen Sorgen haben muss. Sie muss sich das nicht anhören. Und Jo will nicht zugeben, was für eine schlechte Freundin sie war. Sie will nicht, dass Ruth schlecht von ihr denkt.

Nach einer Weile sieht Ruth sie auf einmal beschämt an. »Verzeihung. Das geht mich wirklich nichts an. Ich hätte nicht fragen sollen. Das hat nichts mit mir zu tun.«

Verwundert von Ruths plötzlichem Stimmungswechsel, will Jo sie beruhigen. »Nein, alles gut. Finn ist der Bruder meiner besten Freundin. Es ist … kompliziert. Darf ich dich etwas fragen?«, sagt sie und wechselt das Thema.

Ein wenig von Ruths Humor kehrt zurück, als sie antwortet. »Wenn es sein muss.«

»Weiß irgendjemand, ich weiß nicht … in der Kirche, wo du bist?«

»Ah, ich hatte mit einer anderen Frage gerechnet«, sagt Ruth neugierig und legt den Kopf schief.

Jo denkt, Ruth hatte erwartet, sie würde fragen, warum sie davongelaufen ist. Natürlich will sie das fragen, aber sie glaubt, sie hat kein Recht dazu. Noch nicht. Das ist zu persönlich. Außerdem fürchtet sie instinktiv, dass sie, sollte sie etwas Falsches sagen, Ruth nie wiedersehen würde. Das würde zu ihr passen. Sie ist immerhin die flüchtige Vikarin.

»Nein«, antwortet Ruth schließlich.

»Niemand?«, hakt Jo nach.

»Um deine Frage richtig zu beantworten: Mein Bischof weiß nicht, wo ich bin.« Sie zögert. »Aber er weiß, dass es mir gut geht. Und jetzt hätte ich gern, dass du mir zeigst, wie man seine Handschrift verbessert. Ich habe gehört, dass du gesagt hast, man soll eine regelmäßige Schrift üben und ein bisschen Schwung hinzufügen ...«

»Das machst du doch schon«, unterbricht sie Jo. »Als du die Zeilen des Gedichts geschrieben hast, sahen die S aus, als wollten sie sich davonmachen und abhauen.«

»Hm«, macht Ruth und sieht Jo an.

»Nein, so habe ich das nicht gemeint!«, platzt es aus Jo heraus. »Nein, ich wollte nur sagen, dass du schon eine sehr schöne Handschrift hast.«

»Aber die könnte immer noch besser sein. Wie lauten die anderen Tipps?«

»Um ehrlich zu sein, sagen alle, das Wichtigste ist, sich Zeit zu nehmen.«

»Nur beim Schreiben?«, fragt Ruth über den Rand ihrer Kaffeetasse hinweg.

Jo unterdrückt ein Lächeln. »Nun ja, wir reden schließlich übers Schreiben.«

»Das hatte ich gehofft«, erwidert Ruth, ohne zu lächeln, aber mit einem Leuchten in den Augen.

Ist es das? Musste diese Frau sich nur etwas mehr Zeit nehmen? War ihr alles zu viel geworden? »Und wir müssen uns entspannen.«

»Wenn wir schreiben?«, wiederholt Ruth langsam, und das Leuchten wird stärker.

»Davon reden wir schließlich«, antwortet Jo und lächelt sie nun offen an. »Die meisten Leute schreiben zu schnell und halten den Stift zu fest. Es geht also darum, sich Zeit zu nehmen und sich zu entspannen.«

»Tatsache?«

Sie sehen einander schweigend an. Und Jo kommt es so vor, als teilten sie in diesem Moment mehr als Kaffee und Kekse.

»Und jetzt«, sagt Ruth und stellt ihre Tasse ab, »möchte ich über Malcolm reden.«

»Hast du ihn gesehen?«, fragt Jo aufgeregt.

»Nein. Das wollte ich dich auch fragen.«

Jo schüttelt den Kopf. »Als du ihn nach Hause begleitet hast, hat er da noch etwas gesagt?« Jo überlegt, wie sie seinen Kommentar »Ich wollte nicht sterben« anbringen kann.

»Darüber, dass er herausgefunden hat, dass er nicht sterben will?«, fasst Ruth nach.

Jo nickt.

»Das ist dir also auch aufgefallen. Er klang wirklich sehr überrascht, nicht wahr?«, grübelt Ruth und fährt dann überzeugter fort. »Wir sollten ihn besuchen gehen.«

»Meinst du, das würde ihn freuen? Vielleicht stört es ihn, wenn wir einfach so auftauchen.«

»Ich habe ja nicht vorgeschlagen, dass wir seine Tür eintreten. Ich dachte eher, wir besuchen ihn mit einer Flasche Wein.« Ruth macht eine Pause und sieht nachdenklich aus. »Oder meinst du, er würde Gin bevorzugen?«

Jo denkt, dass die Vikare, die sie bisher kannte, auch wenn es nicht viele waren, eher mit dem Klingelbeutel als mit Alkohol bei jemandem auftauchten. Ohne darüber nachzudenken, fragt sie: »Hast du das in deiner Gemeinde auch so gemacht?«

»Was?«

»Mit einer Flasche vorbeigeschaut?«

»Natürlich! Wenn jemand trauert, seinen Job verloren hat, der Hund eingeschläfert wurde oder jemand eine Krebsdiagnose erhalten hat … wer hat da schon Lust auf Tee? Außerdem wurde ich mit einer Flasche in der Hand nie abgewiesen.«

Jo muss lachen. »Nein, das glaube ich sofort.«

»Das tut man doch für einen Freund, oder?«

Das stimmt natürlich, aber sie hatte Vikare immer als distanzierte Personen wahrgenommen, die von der Kanzel über Nächstenliebe predigten, statt mit einer Flasche Wein oder Gin vor der Tür aufzutauchen. »Hast du das oft gemacht?«, fragt Jo und ist kurz von ihrer Sorge um Malcolm abgelenkt.

»Was? Getrunken?«, fragt Ruth unschuldig.

»Nein, Leute besucht. Du hast nur aufgezählt, was alles im Leben schiefgehen kann, und da habe ich mir gedacht, dass du ganz schön beschäftigt gewesen sein musst.« Sie wundert sich: *Warst du zu beschäftigt, hast du dich vielleicht übernommen?*

»Das hat mir am besten gefallen«, antwortet Ruth schlicht.

Jo merkt, dass sie nicht mehr dazu sagen möchte, also fährt sie fort. »Ich glaube, Malcolm würde sich über einen Single-Malt-Whisky freuen. Onkel Wilbur hat ein paar ungeöffnete Flaschen oben stehen, fällt mir gerade ein. Ich glaube, die hat er über die Jahre geschenkt bekommen, aber sie nie angerührt. Er trinkt nur Bier. Wann hattest du vor, bei ihm vorbeizuschauen?«

»Wann machst du den Laden zu? Dann könnten wir gehen.«

Jo sieht rauf zu dem dunkler werdenden Streifen Himmel. Der Tag war anstrengend, sie ist erleichtert, dass zwischen ihr und Finn alles gut ist, aber sie fühlt sich ausgelaugt und ausgeliefert nach der Begegnung zwischen Eric dem Wikinger und Karamellkonfekt. »Weißt du was, ich glaube, ich kann früher schließen. Heute ist nicht viel los.« Sie steht auf, um die Kaffeetassen aufzuräumen, dabei fällt ihr Blick auf Finns Tasche. »Oh, ich habe ganz vergessen, dass Finn seine Sachen noch abholen kommt.«

Ruth sieht über den Tresen zu Finns Gepäck. »Können wir die Tasche woanders lassen?«, schlägt sie vor. »Oder wir warten auf ihn«, sagt sie langsam und setzt sich aufrechter hin. Ruths Augen beginnen zu funkeln, und Jo hat den Eindruck, dass Ruth ganz gerne einen Blick auf Finn werfen würde.

Jo beobachtet sie, während sie überlegt, Eric zu fragen, ob Finn seine Tasche bei ihm abholen könnte. Er arbeitet zu anderen Zeiten als sie, er fängt meist später an und bleibt länger. Aber sein Laden ist so klein wie ihrer. Vielleicht hat er etwas dagegen, eine große Reisetasche unterbringen zu müssen. Jo ringt mit sich, einerseits möchte sie Eric den Wikinger unbedingt sehen, aber andererseits graut ihr bei der Vorstellung.

»Weißt du was«, sagt sie, steht auf und trifft eine Entscheidung, »ich frage meinen Nachbarn Eric, ob er Finn den Ersatzschlüssel geben kann. Dann kann ich Finn einfach Bescheid geben.«

»Äh, ist das Eric der Wikinger?«, fragt Ruth nach. »Kann ich mitkommen?« Sie hüpft von ihrem Hocker und wickelt sich den langen mit Sternen besetzten Schal um den Hals.

Jo schnappt sich die Tassen und stellt sie in die Spüle in der Teeküche. Als sie die Stufen zur Wohnung hinaufsteigt, überkommt sie eine kindische Freude, als hätte die Schule unerwartet früher geendet.

Auf dem Weg zurück in den Laden stellt Jo fest, dass Ruth telefoniert.

»Ja, vielen Dank für den Anruf. Es freut mich, dass Sie angerufen haben.«

Jo bleibt auf der Treppe stehen und weiß nicht, ob sie wieder hoch- oder runtergehen soll. Sie will nicht beim Lauschen erwischt werden.

»Ja, natürlich.«

Jo macht vorsichtig einen Schritt zurück.

»Nein, ich bin froh, dass Sie angerufen haben. Ich würde mich gerne mit Ihnen unterhalten. Ich glaube, das wäre eine große Bereicherung für Sie …«

Jo bleibt stehen. Sie kann sich nicht helfen, sie will mehr erfahren.

Es dauert eine Weile, bevor Ruth weiterspricht. »Ja, der Zeitpunkt ist günstig. Es ist immer der richtige Zeitpunkt, um die Liebe unseres Herrn Jesus Christus in unser Leben zu lassen. Bitte öffnen Sie Ihr Herz und …«

Damit hatte sie nicht gerechnet. Oder darauf gehofft.

»… sein Wort wird Ihre Seele mit Liebe erfüllen …«

Jo schämt sich auf einmal fürchterlich. Aber was hat sie erwartet? Die Frau ist schließlich Vikarin.

»Oh, wenn es sein muss, na gut.«

Es wird still im Laden. Nur ein leises Summen kommt von der flüchtigen Vikarin.

»Du kannst jetzt rauskommen«, ruft Ruth.

Jo geht mit der Flasche Whisky in der Hand die letzten Stufen runter.

Ruth deutet auf ihr Telefon. »Betrugsanruf. Das hilft meistens. Dann möchten sie mich immer zügig loswerden.«

Jo muss immer noch lachen, als sie und Ruth sich auf den Weg zu Erics Laden machen. Das Lachen tut ihr gut, es hilft ihr dabei, ihre Nervosität in den Griff zu bekommen. Als sie die Holztür mit der Glasscheibe (eine genaue Kopie der ihren) öffnet, fällt ihr auf, dass sie zum ersten Mal im Laden von Eric dem Wikinger ist. Ihr scheint, sie ist auch keine gute Nachbarin gewesen.

Das Innere des Ladens ist ganz anders als ihrer. Die Wände sind mit blassem Holz getäfelt, an denen Brillen hängen. Vor ihnen steht ein kleiner moderner Empfangstisch, dahinter führt eine Tür vermutlich in den Beratungsraum. Jo ist etwas geknickt, weil Eric nicht hinter der Theke steht. Aber ist sie vielleicht auch erleichtert?

Gemischt mit Enttäuschung? Sie ist nicht auf die Idee gekommen, dass er vielleicht gerade jemanden berät. Stattdessen werden sie von einer freundlich lächelnden Frau begrüßt, die sie stark an die Köchin aus *Downton Abbey* erinnert.

Wie Mrs Patmore ist auch Erics Empfangsdame schnell und gewissenhaft, sie steckt den Schlüssel in ein Kuvert und schreibt Finns Namen darauf. Bevor Jo sich bedankt und auf den Weg raus macht, sieht sie noch einmal zur Tür zum Hinterzimmer.

Als sie Ladentür hinter sich schließen, kommt Jo nicht umhin, sich zu fragen, ob Eric der Optiker Karamellkonfekt noch immer im Hinterzimmer berät.

17

Die außergewöhnliche Eve

Ruth hatte recht. Menschen freuen sich über Besuch (in ihrem Fall im doppelten Sinn), wenn er mit einer Flasche kommt.

»Kommt rein, kommt rein. Das ist aber aufmerksam von euch.« Malcolm lotst sie herein, seine lange graue Strickjacke schwingt, als er zur Begrüßung mit den Armen wedelt. Jo stellt erfreut fest, dass er viel besser aussieht als bei ihrer letzten Begegnung und ein mittelgroßes Pflaster den Verband ersetzt hat.

Malcolms Haus ist ein kleiner Backsteinbau, der sich zwischen zwei großen, weiß gestrichenen georgianischen Häusern befindet. Die hellrote Eingangstür führt direkt in ein Wohnzimmer, und Jo hat das Gefühl, in einen sanft beleuchteten Wald einzutreten. Die Sessel und das Sofa sind mit elfenbeinfarbenem, farngemustertem Leinen bezogen, der Teppich und die Tischlampen sind blassgrün, und an den Wänden hängen verblichene Bilder mit botanischen Motiven. In dem kleinen Kamin brennt ein Feuer.

Als Malcolm sie dabei ertappt, wie sie die Bilder betrachtet, sagt er: »Das sind die Arbeiten meiner Mutter, Joanne. Sie ist eine recht erfolgreiche Künstlerin gewesen, und auch wenn es nicht das war, was sie mit ihrem Leben anfangen wollte, glaube ich, dass sie in der Malerei Trost gefunden hat.«

Bevor Jo fragen kann, was sie eigentlich machen wollte, umkreist Malcolm sie und fordert sie auf, ihre Mäntel abzulegen und Platz zu nehmen, während er sich über den Whisky freut. Er scheint wirklich glücklich zu sein, sie zu sehen, und Jo fragt sich, wie oft er wohl Besuch bekommt.

Ruth lässt sich in einem Sessel am Kamin nieder und wirft Jo einen Blick zu, der so eindeutig *ich hab's dir doch gesagt* auszudrücken scheint, dass sie lachen möchte. Sie nimmt auf dem Sofa Platz und überlässt Malcolm den Sessel gegenüber von Ruth. Er hat bis gerade eben offensichtlich dort gesessen, und Jo sieht eines seiner Notizbücher auf der Armlehne liegen.

»Ihr macht es euch erst einmal bequem, und ich hole uns Gläser.« Malcolm verschwindet durch eine Tür in die Küche.

Während sie und Ruth schweigend warten, sieht sich Jo im Raum um. Weiß gestrichene Bücherregale stehen zu beiden Seiten des Kamins, und auf dem untersten Boden des rechten Regals entdeckt sie eine lange Reihe von Notizbüchern. Es müssen mindestens vierzig oder fünfzig Stück sein. Jo sucht Ruths Blick und nickt vielsagend in ihre Richtung. Auf dem Weg zu Malcolm hat sie Ruth von dem Geheimnis erzählt, das Malcolms Buch umgibt (allerdings nicht von dem Notizbuch, das Malcolm im Laden zurückgelassen hat). Sie will unbedingt herausfinden, worum es in Malcolms Buch geht.

Ruth, die sich ebenfalls im Raum umsieht, steht auf und geht zu einer kleinen Gruppe von Schwarz-Weiß-Fotografien, die auf einem Mahagoni-Beistelltisch ausgestellt sind. Es sind die einzigen Fotografien oder Dekorationen im Raum.

»Ach, du meine Güte. Kein Wunder, dass sie ihr Leben langweilig fand.« Ruth sieht von den Fotos zu den Bildern an den Wänden.

Jo hat keine Ahnung, wovon sie redet, und bevor sie nachfragen kann, ist Malcolm zurück und hat ein silbernes Tablett mit geschliffenen Gläsern, die Whiskyflasche und einen Teller mit Keksen dabei.

»Wir sollten besser nicht auf leeren Magen trinken. Ich dachte, ein paar Kekse wären eine gute Grundlage.« Er stellt das Tablett auf einer niedrigen Ottomane ab, auf der eine Decke in verblichenem grün- und cremefarbenen Schottenmuster liegt. »Ah, ich sehe, ihr habt die Fotos von Mutter entdeckt.«

Er beugt sich vor, nimmt ein Glas, das bereits reichlich mit Whisky gefüllt ist, und reicht es Jo. Dann nimmt er die beiden anderen Gläser und geht zu Ruth hinüber. »Bitte schön, Ruth.«

Sie nimmt ihm das Glas ab und dreht sich halb zu den Fotos zurück. »Ihre Mutter war ein Spitfire Girl?«

Ein warmes Lächeln breitet sich auf Malcolms Gesicht aus. »Das war sie in der Tat.«

Jo ist sofort auf den Beinen. Das erste Bild, das sie sich ansieht, zeigt eine junge Frau in Fliegeruniform, die aus einer Spitfire steigt. »Das ist deine *Mutter*?«

»Das ist sie, Joanne. Und hier steht sie neben einer Short Stirling.« Er zeigt auf ein Bild, das eine kleine Gestalt zeigt, die unter der Nase eines riesigen Flugzeugs steht. Ein anderes Foto zeigt eine Gruppe von Frauen in Uniform, die einer Würdenträgerin vorgestellt werden, die eindeutig als die spätere Königinmutter zu erkennen ist.

»Wow, sie war also … ist sie diese Flugzeuge geflogen? War das während des Krieges?«

»Ja, sie war bei der ATA. Der Air Transport Auxiliary«, erzählt Malcolm, lässt sich in seinem Sessel nieder und streckt die langen Beine, die in grauen Cordhosen stecken, in Richtung Feuer aus. Jo ist erstaunt, als sie sieht, dass darunter leuchtend lila- und orangefarbene Hausschuhe im marokkanischen Stil zum Vorschein kommen. Sie sind über und über mit kleinen goldenen Vögeln bestickt. Als hätte er ihren Blick bemerkt, zieht Malcolm seine Füße schnell aus ihrem Sichtfeld.

»Zu Beginn bestand die ATA nur aus Männern, die womöglich schon zu alt waren, um Kampfpiloten zu werden. Sie brachten die Flugzeuge dorthin, wo sie in Großbritannien gebraucht wurden. Irgendwann wurden auch weibliche Piloten rekrutiert, dann suchte man nach Nachwuchs und begann mit der Ausbildung einer kleinen Anzahl von Frauen. Meine Mutter war eine von ihnen. Das hatte zum Ergebnis, dass meine Mutter, wie ich glaube, eine ziemlich großartige Zeit im Krieg hatte. Sie sagte hinterher, sie sei eine der wenigen gewesen, die traurig war, als der Krieg zu Ende ging.«

Malcolm nimmt einen Butterkeks und starrt ihn einen Moment lang an. »Ja, es muss eine sehr aufregende Zeit gewesen sein.« Er sieht zu ihnen auf. »Wisst ihr, Kampfpiloten wurden nur für ein einziges Flugzeug ausgebildet. Mutter musste alles fliegen, was man ihr gab. Es konnte tatsächlich irgendeines von über neunzig Flugzeugen sein.«

»Aber woher wussten die Frauen der ATA, wie man all diese Flugzeuge fliegt?«, fragt Jo.

Malcolm beugt sich vor und bietet ihr ein Shortbread an. »Manchmal wussten sie es überhaupt nicht.« Er schüttelt den Kopf, als ob er es nicht glauben könnte. »Sie hatten nur ein ringgebundenes Buch mit einer Seite für jede Maschine. Mutter erzählte, dass man im Cockpit saß, das las und dann auf das Beste hoffte. Einige der Mädchen sprachen ein Gebet, aber meine Mutter hat ihren Glauben verloren, nachdem ihr Vater 1939 umgekommen ist. Sie meinte, Gott hätte wissen müssen, dass er zu alt war, um noch einmal zu kämpfen, und dass der Verlust eines Teils seines Gesichts und des größten Teils seines Glaubens an die Menschheit im Ersten Weltkrieg für jeden Gott genug hätte sein müssen.«

Malcolm sieht vorsichtig zu Ruth. »Ich entschuldige mich.« Er hält inne und fügt dann hinzu: »Aber haben Sie nicht auch Ihren Glauben verloren?«

Jo ist also nicht die Einzige, die weiß, dass Ruth Hamilton die flüchtige Vikarin ist.

»Das nicht«, antwortet Ruth leise. »Es hat schon Zeiten gegeben, aber nein. Im Augenblick nicht.«

Es folgt eine lange Pause, dann fährt Malcolm fort. »Den Frauen wurde nicht beigebracht, mit Navigationsinstrumenten zu fliegen, und sie hatten auch kein Funkgerät, also mussten sie den Straßen und Flüssen folgen und darauf hoffen, dass das Wetter nicht schlecht wurde. Mutter hat auf diese Weise einige Freundinnen verloren«, sinniert er. »Ein plötzlicher Sturm oder ein vom Meer aufziehender Nebel, und man konnte leicht die Orientierung verlieren.«

»Malcolm, sie muss eine erstaunliche Frau gewesen sein«, sagt Jo voller Bewunderung.

»Ah, Joanne, das war sie.«

»Sie waren nicht versucht, selbst mit dem Fliegen anzufangen, Malcolm?«, fragt Ruth.

»O nein«, erwidert Malcolm ein wenig traurig. »Ich fürchte, ich habe im Vergleich zu ihr ein sehr langweiliges Leben geführt.« Er hält inne und fügt hinzu: »Nein, ich bin kein mutiger Mann.«

Es herrscht kurzes Schweigen.

»Wie hieß deine Mutter?«, fragt Jo.

»Eve. Ihr Name war Eve.«

Ruth steht auf, nimmt die Whiskyflasche und füllt alle Gläser auf. »Einen Toast auf Eve. Eine mutige und außergewöhnliche Frau.«

Jo meint, Malcolm würde gleich anfangen zu weinen, doch dann zieht er die Schultern zurück und steht auf (seine leuchtend lila-orangen Pantoffeln lugen unter dem Umschlag seiner Cordhose hervor). Er hebt das Glas.

Jo springt vom Sofa auf und tut es ihnen gleich.

Als sich alle wieder setzen, wendet Ruth sich an Malcolm. »Und jetzt sollten Sie Jo und mir alles über das Buch erzählen, das Sie schreiben.«

Dann fügt Reverend Ruth noch hinzu: »Schicke Pantoffeln, übrigens.«

18

Wenn Tiere sprechen

Malcolm errötet, hustet und blickt dann auf die Reihe der Notizbücher im Regal. Er sieht nicht gerade begeistert aus, aber er gibt nach. Vielleicht hält er es auch für das Beste, sich nicht mit einer Vikarin anzulegen.

Das Schweigen zieht sich in die Länge, als ob Malcolm nach den richtigen Worten sucht. Jo sieht zu Ruth, die ins Nichts starrt. Aber Jo weiß genau, wie gespannt sie ist, denn ihre Augen leuchten.

»Ich fürchte, ihr werdet mich für ziemlich albern halten«, gesteht Malcolm schließlich und blickt auf seine gefalteten Hände. Er wendet sich Jo zu. »Und ich habe das Gefühl, dass ich mich bei dir entschuldigen muss, Joanne, denn ich weiß, dass du mich schon einmal danach gefragt hast und ich sehr unhöflich war, dir nicht zu antworten. Aber wo soll ich anfangen …?«, überlegt er und betrachtet die Reihe der Notizbücher.

»Am Anfang?«, schlägt die Vikarin unschuldig vor.

»Da haben Sie natürlich recht«, und Malcolm holt tief Luft. »Da könnte ich sehr wohl anfangen.« Er richtet sich in seinem Sessel auf und sieht Ruth an. »Ich weiß nicht, ob Joanne es Ihnen bereits erzählt hat, aber ich interessiere mich für lokale Geschichte. Ebendarum habe ich vor einigen Jahren begonnen, die Vorträge auf dem Highgate Cemetery zu besuchen. In den ersten Jahren hat mich meine Mutter dorthin begleitet.« Malcolm richtet nun seine ganze Aufmerksamkeit auf Jo. »Warst du schon einmal auf dem Friedhof, Joanne?«

Jo schüttelt den Kopf und hat das Gefühl, dass ihre Unkenntnis über London ihr auf der Stirn prangt.

»Ich nehme an, Sie waren schon dort, Reverend Ruth?«

»Natürlich. Vikare und Friedhöfe gehören zusammen wie …«

»Blut, Kacke und Erbrochenes?«, schlägt Malcolm hilfsbereit vor.

Ruth lacht, und Malcolm wirkt langsam entspannter. Die Tipps für eine schönere Handschrift fallen Jo ein. Man muss sich nur Zeit nehmen und sich entspannen.

»Es ist wirklich ein wunderbarer Ort. Viktorianische Gotik vom Feinsten. Zwischen den Gräbern umherzuwandern und die Namen derer zu entdecken, die dort begraben sind, ist wie ein Spaziergang durch die Geschichte. Dort liegen Berühmtheiten neben Einheimischen, die in ihrem Leben vielleicht nicht so viel Aufsehen erregt haben, aber dennoch für diejenigen, die sie liebten, von Bedeutung waren.«

Jo bemerkt, dass Malcolms Blick zu dem Tisch mit den Fotografien huscht. Ihre Gedanken schweifen unterdessen zu William Foyle. Sie hat das Gefühl, dass sie weiß, wo dieser Buchhändler begraben liegt. Ein weiterer Gedanke kommt ihr in den Sinn. »Wurde deine Mutter auch dort beerdigt?«

»Nein, Mutter hat sich für eine Einäscherung entschieden und wollte, dass ihre Asche in Hampstead Heath in der Nähe der Badeteiche verstreut wird. Sie ist unglaublich gerne geschwommen. Auf dem Highgate Cemetery werden zwar immer noch Menschen beerdigt, aber nur etwa dreißig pro Jahr.

Nun, wie zuvor erwähnt, ich besuche den Friedhof schon seit vielen Jahren. Und das nicht nur wegen der Geschichte und der Atmosphäre des Ortes. Auch die Tierwelt und die Pflanzen sind für mich eine große Attraktion. Zwischen den Gräbern wächst so viel, dass man an die Vergänglichkeit des menschlichen Lebens erinnert wird, an seine Zerbrechlichkeit, verglichen mit der Kraft der Natur.« Er hält inne und sagt leise: »Die Natur ist ein Gott, an den ich vielleicht glauben könnte.«

Malcolm scheint in Gedanken versunken zu sein, also fragt Jo: »Kenne ich jemanden, der dort begraben ist?« Sie fügt nicht hinzu *abgesehen von William Foyle*.

»Natürlich, Joanne. Die beiden berühmtesten – nennen wir sie ›Bewohner‹ – sind Karl Marx und George Eliot.«

»Wirklich?« Jo erinnert sich daran, dass sie in der Schule etwas über die viktorianische Schriftstellerin, die unter dem Namen George Eliot schrieb, gelernt hat, aber ihr fällt auf, dass sie nur wenig über Karl Marx weiß, abgesehen davon, dass er einer der Väter des Kommunismus war.

»Wer liegt sonst noch dort begraben?«, will Ruth wissen.

»Der Maler Lucian Freud, Charles Cruft, der die jährliche Hundeausstellung ins Leben gerufen hat, die Dichterin Christina Rossetti, der Schauspieler Sir Ralph Richardson. Frederick Warne, der Verleger von Beatrix Potter, und der Sänger George Michael. Ach, es sind so viele. Es liegen über hunderttausend Menschen dort begraben.«

»Du machst Witze?!« Als Jo das sagt, fragt sie sich, warum es sie beunruhigt hat, Onkel Wilburs Anwesenheit im Schlafzimmer zu spüren, wo doch so viele Tote gleich in der Nähe liegen.

»Nein, keineswegs. Natürlich sind nicht alle von ihnen berühmt. Es gibt einen Mann namens Ernest, der mit der Titanic unterging, und eine Frau namens Elizabeth, die Königin Victoria bei ihren vielen Empfängen assistierte.« Malcolm reibt sich die Hände und kommt bei dem Thema in Fahrt.

»Und Sie schreiben über die Geschichte des Friedhofs?«, erkundigt sich Ruth und blickt auf die lange Reihe von Notizbüchern.

»Oh, das ist etwas schwieriger zu erklären. Ich glaube eher, ihr werdet mich für einen törichten alten Mann halten.«

»Möchten Sie noch einen kleinen Schluck?«, fragt Ruth, deren schottischer Akzent nun deutlicher zum Vorschein kommt.

»Ja, gerne. Den werde ich wohl brauchen.«

Während sie die Gläser auffüllt, sieht Ruth auf einmal besorgt aus, und Jo muss an ihre früheren Stimmungsschwankungen denken. Ruth sagt in viel ernsterem Tonfall: »Malcolm, ich hoffe, Sie denken nicht, dass ich Sie bedränge. Was ich natürlich tue.« Sie hält kurz inne. »Das Problem, und das Privileg, einer Vikarin ist, dass man sehr eng mit dem Leben der Menschen verbunden ist. Manchmal denke ich, das hat mich ziemlich neugierig und etwas aufdringlich gemacht. Vielleicht war das aber auch schon so, bevor ich Vikarin wurde.« Sie setzt sich immer noch mit der Flasche in der Hand wieder hin. »Wenn Sie Jo und mir lieber nichts von Ihrem Buch erzählen möchten, verstehen wir das natürlich«, sagt sie.

Du vielleicht. Jo versucht, ihren Gesichtsausdruck freundlich und verständnisvoll zu halten.

»Nein, nein. Jetzt bin ich schon so weit gekommen.«

Jo kann Ruth nicht ansehen. Sie ist sich sicher, dass die Vikarin merken würde, dass sie ein Grinsen unterdrückt.

»Wie soll ich das jetzt ausdrücken?« Malcolm nimmt einen großen Schluck von seinem Whisky. »Ich will eine Geistergeschichte schreiben«, sagt er eilig. Malcolm schaut zu ihnen auf. »Haltet ihr das nicht für ein lächerliches Unterfangen?«

»Nicht im Geringsten«, versichert Ruth ihm und stellt die Whiskyflasche neben ihrem Stuhl auf den Boden. »Das steht in der besten Tradition der viktorianischen Gotik.«

»Ja, das glaube ich auch«, stimmt Malcolm zu und wird munter. »Ich glaube, ich habe zu viel Zeit meines Lebens mit bloßen Fakten verbracht, sodass es mir eher fantastisch vorkommt. Um ehrlich zu sein, war es mir peinlich, darüber zu sprechen. Bei meiner Arbeit als Steuerberater ging es darum, die in den Zahlen verborgene Wahrheit zu finden … nichts so Mystisches wie Geister …«

Er verstummt, und Jo und Ruth schauen einander an. Jo denkt an ihre Unterhaltung auf dem Weg hierher, in der sie über die Bedeutung seiner Worte gesprochen hatten. *Ich wollte nicht sterben.* Sie waren zu keinem Ergebnis gekommen, aber Jo hatte Ruth erzählt, wie sehr sie sich manchmal um Malcolm sorgt.

Um Malcolm zu ermutigen, sagt Jo: »Nun, vielleicht ist jetzt genau die richtige Zeit für eine Geistergeschichte.«

Malcolm nimmt einen weiteren Schluck Whisky. Seine Nasenspitze leuchtet fast so grell wie seine Pantoffeln. Er schlägt ein Bein über das andere, und ein schöner bestickter Hausschuh schaukelt sanft im warmen Licht des Feuers auf und ab. Malcolm scheint sein ausgefallenes Schuhwerk völlig vergessen zu haben.

»Vielleicht sollten wir damit beginnen, woher die Idee stammt«, schlägt Ruth vor.

»Ja, da haben Sie recht, Reverend Ruth.« Malcolm reibt sich die Hände. »Die Idee stammt aus einer Geschichte, die mir meine Mutter einmal erzählt hat, etwas aus ihrer Kindheit. Und als sie starb, habe ich mich wieder daran erinnert.« Er hält inne, und Jo denkt, sie hätten ihn wieder verloren, aber dann fährt er fort. »Sie ist im Dezember vor fünf Jahren gestorben, kurz vor ihrem vierundneunzigsten Geburtstag, und in der Weihnachtszeit denke ich immer sehr viel an sie. Als sie noch ein Kind war, hat ihr Vater ihr erzählt, dass Heiligabend der einzige Abend im Jahr sei, an dem Tiere sprechen können. Er erzählte ihr Geschichten von den Familienhunden und was sie an Heiligabend machten, wie sie die anderen Tiere besuchten, die der Familie gehörten. Die Pferde, die Enten und die Hühner. Außerdem sprachen sie mit den Wildtieren, den Schleiereulen und den Füchsen ... ah, ja, die Füchse ...«

Malcolm macht wieder eine Pause. Jo fragt sich, warum er die Füchse so betont, aber als er wieder zu sprechen beginnt, hat sie den Eindruck, er hätte noch mehr sagen wollen, sich aber dagegen entschieden.

Dann fährt Malcolm fort. »Nun, ich hoffe, ihr denkt nicht, dass ich zu weit gehe, aber ich habe mich gefragt, was passieren würde, wenn einige der Menschen, die auf dem Highgate Cemetery bestattet sind, auch in Geistergestalt erscheinen würden. Aber nur für eine Nacht im

Jahr. Und diese Nacht wäre Heiligabend. Worüber würden sie reden? Welche Geheimnisse würden sie sich anvertrauen?«

Er sieht die beiden Frauen nervös an.

»Oh, wie wunderbar«, ruft Jo.

»Malcolm Buswell, Sie haben Ihr Licht unter den ...«, aber Ruth kann vor lauter Lachen nicht zu Ende reden.

»Unter den Scheffel? ... Oder unter den Buswell gestellt?«, schlägt Malcolm mit einem zaghaften Grinsen vor.

19

Die Kunst der Konversation

Eine Art Streit ist ausgebrochen. Aber als Jo die beiden beobachtet, wird ihr klar, dass Ruth und Malcolm es sichtlich genießen. Sie muss an Eric und Lando denken und wie sie sich in dem italienischen Restaurant gezankt haben.

Malcolm hat sich auf seinem Sessel vorgelehnt und die schlanken Hände um die Knie gelegt. Auf dem Sessel ihm gegenüber ist auch Ruth ihm zugeneigt und hat ihre kleinen Füße fest auf dem Boden verankert. Während Malcolm die Hände so fest um die Knie geschlossen hat, dass er bei jedem Argument vor und zurück wippt, fuchtelt Ruth mit den Armen, als würde sie wie eine professionelle Tischtennisspielerin jeden Punkt zu ihm zurückspielen.

»Nur weil George Eliot und Karl Marx die berühmtesten Leute auf dem Highgate Cemetery sind, heißt das doch noch lange nicht, dass sie sich miteinander unterhalten würden?« (Ping)

»Mit wem man sich unterhält, ist letztendlich oft eine Frage der Umstände.« (Pong)

Dann gewinnt Ruth den Satz. »Nun ja, da muss man sich doch nur uns drei anschauen.«

Malcolm hebt die Hände und gibt sich geschlagen. »Das ist zweifelsfrei wahr.« Er nickt Ruth anerkennend zu. Beide lehnen sich in ihren Sesseln zurück und sehen zu Jo.

Jo hat sich an der Diskussion, die sich anschließt, nachdem Malcolm gestanden hat, dass er bisher nicht ein einziges Wort geschrieben hat, nicht beteiligt. Er holt alle Notizbücher aus dem Regal und breitet sie auf der Ottomane aus (das Tablett und den Whisky bringt er weg und kommt mit Kaffee zurück). Jedes der Notizbücher steht für eine Person, die auf dem Friedhof beerdigt ist. Sie beinhalten die Recherche ihrer Lebensgeschichten.

Malcolm hält die beiden Notizbücher über George Eliot und Karl Marx in den Händen und stellt sich vor, dass die beiden sich in seinem Buch begegnen, um über alles Mögliche, von Politik über Philosophie bis hin zu Religion, zu reden. Er ist überzeugt davon, dass Karl und Mary Ann (George Eliots eigentlicher Name) es genossen hätten, George Eliots Übersetzung von *Das Leben Jesu* des deutschen Philosophen David Strauß und ihre Abhandlung über Ludwig Feuerbachs *Das Wesen des Christentums* zu diskutieren.

Dazu kommentiert Ruth leicht säuerlich, dass die beiden womöglich Freude an einer solchen Auseinandersetzung gehabt hätten, aber die Leser wohl eher nicht. Jo findet, Ruth könnte damit recht haben. Aber sie muss auch Malcolm zustimmen, als der erwidert, dass eine Frau, die als die »schlauste Frau Londons« galt, sich sicher nicht auf Unterhaltungen über Handarbeit beschränkt hätte.

Nun, da die Diskussion beendet ist, sehen beide erwartungsvoll zu Jo.

»Also, Joanne, was denkst du?«, will Malcolm wissen.

Jo betrachtet die beiden vom Gespräch geröteten Gesichter.

»Ich denke«, antwortet sie schließlich, »dass wir etwas zu essen bestellen sollten.«

Ruth lacht auf.

Die Pizzakartons sind weggeräumt, und sie haben die Ottomane näher ans Feuer gezogen, damit alle die Füße darauf ablegen können. Die Notizbücher liegen in zwei Stapeln neben Jo auf dem Sofa. Alle drei halten ein Glas Rotwein in der Hand, weil Malcolm der Meinung ist, dies sei zu italienischem Essen unerlässlich.

Jo beobachtet, wie der Feuerschein sich in ihrem Glas bricht und der Wein rot und silbern leuchtet. Ruth und Jo haben ihre Schuhe ausgezogen, und Jo kann durch ihr Glas ihre Socken sehen. Jos sind blau und beige gestreift, Ruths sind rot und haben kleine Pinguine drauf. Malcolm hat seine Pantoffeln irgendwohin geräumt, und nun ruhen seine Füße (die in weichen, grauen Socken stecken), einer über den anderen geschlagen, auf der Decke mit dem ausgeblichenen Schottenmuster.

»Ich glaube, ich habe noch ein Geständnis zu machen«, gesteht Malcolm und nippt an seinem Wein. Kurz muss Jo an seine wunderschönen Pantoffeln denken. »Ich habe den starken Verdacht, dass ich bisher mit meinem Buch nicht vorangekommen bin, weil ich kein Talent für die Kunst der Konversation besitze.«

Wie Jo ist auch Malcolm in der Schwebe, immer in der Recherche, nie am Schreiben.

Er fährt fort. »Mir fällt es schon immer schwer, ein Thema zu finden, das andere interessiert. Leider scheint sich das auch nicht zu bessern. Ich fürchte, ich bin ein eher fader Hund.«

»Ganz und gar nicht«, sagt Ruth schnell, »wir haben uns gerade erst kennengelernt, aber du hast Jo und mir schon eine ganz neue Welt eröffnet. Ich war zwar schon einmal auf dem Highgate Cemetery, aber durch dich sehe ich ihn in einem völlig neuen Licht.«

»Ist das so?«, fragt Malcolm, und der Anflug von Hoffnung in seiner Stimme berührt Jo.

»Denk nur an die Konversationen, die wir schon hatten«, versichert ihm Ruth.

»Wir haben uns ein ziemliches Match geliefert«, gibt Malcolm strahlend zu. »Und vielleicht ist gute Konversation auch eine Frage der Übung.«

»Ich weiß, deine Mutter muss dir fehlen, Malcolm. Und ich bin ganz und gar nicht überzeugt davon, dass die Zeit alle Wunden heilt.«

Malcolms Blick ist auf Ruth gerichtet, und Jo wird sich des spürbaren Mitgefühls bewusst, das diese Frau ausstrahlt. Man möchte sich ihr anvertrauen. Ging ihr das nicht genauso? Wollte sie nicht auch all die Probleme ihres Lebens vor ihr ausbreiten? Ruths Mangel an Schamgefühl, über Dinge zu sprechen, vor denen andere zurückschrecken, ist erfrischend und erleichternd. Hat das womöglich Vertraulichkeiten Tür und Tor geöffnet, von denen Ruth vielleicht lieber nichts gewusst hätte? War das der Grund, warum sie geflohen ist?

Während sie Ruth beobachtet, fragt sich Jo, ob irgendwann wohl einmal der Moment kommt, in dem sie Ruth fragen kann, warum sie ihre Gemeinde verlassen hat.

Malcolm erwidert nichts, sieht nur von Ruth zu den

Fotografien auf dem Beistelltisch. Im Feuerschein wirkt sein Gesicht von tiefer Trauer gezeichnet.

»Malcolm, du bist nicht allein«, sagt Ruth sanft. »Die Kunst der Konversation ist, wie fast alles im Leben, wie du sagst, eine Frage der Übung. Als junge Vikarin hat mich die Vorstellung, mit Leuten zu reden, oft überfordert. Ich habe mich lieber mit allem Möglichen in der Sakristei beschäftigt, als nach dem Gottesdienst mit den Gemeindemitgliedern Kaffee zu trinken.«

»Wie hast du das überwunden?«, fragt Jo und kann sich Ruth nur sehr schwer als schüchterne junge Frau vorstellen.

»Ich habe die anderen beobachtet und sie imitiert …«

Für einen Moment muss Jo an Lucy denken.

»… und wenn man einmal damit angefangen hat, findet man immer etwas zu reden. Und wenn man nur feststellt, dass man eine Leidenschaft für Hunde teilt.« Ruth lächelt Malcolm an, den Mann, der sich für einen faden Hund hält.

»Genau«, sagt Jo auf einmal mit Überzeugung. »Ich habe eine Idee. Nehmt die Füße runter.«

Die beiden sehen einander verwundert an, tun aber wie ihnen geheißen. Das entspricht nicht dem gewohnten Verhalten der Frau, die sie geworden ist. Der Frau, die nun in der Schwebe hängt. Der Frau, die sich so große Mühe gegeben hat, alles für James zu tun, ihm überallhin zu folgen (wie eine treue Hündin). Aber so ist sie nicht schon immer. Zwar beneidet sie Lucy für ihren Umgang mit Menschen, aber sie ist diejenige, die üblicherweise auf neue Ideen kommt, die Probleme löst.

Jo holt tief Luft, nimmt die Stapel Notizbücher vom

Sofa und breitet sie auf der Ottomane aus. Sie zeigt auf die Notizbücher, die die Nachforschungen zu Karl Marx und George Eliot enthalten. »Also, Malcolm, du darfst nur eines von beiden behalten«, erklärt sie.

Malcolm runzelt die Stirn. »Ich verstehe nicht ...«

»Von einem musst du dich trennen.«

»Ich verstehe nicht ganz, was du vorhast, Joanne.«

»Karl oder George?«

»Wenn du es so ausdrückst, dann möchte ich lieber George behalten.« Und er hält ihr das Notizbuch zu Karl Marx entgegen.

»Nein, gib das Ruth«, weist Jo ihn an. Sie hat sich auf den Boden gekniet und verteilt die Notizbücher auf der Ottomane, bis sie alle gut gemischt sind. Das Ruder zu übernehmen ist ein erfrischendes Gefühl, eine Erinnerung an sich selbst, an etwas, das sie fast vergessen hatte.

Ruth, die nun das Notizbuch zu Karl Marx in Händen hält, sieht ihr fasziniert zu.

»Jeder sucht sich ein Notizbuch zufällig aus. Ich nehme zwei, ihr habt ja schon Karl und George. Dann, wenn wir sie gelesen haben, treffen wir uns und erzählen einander, worüber sich die beiden Personen, oder eher *Geister*, an Heiligabend unterhalten hätten. Ich glaube auch, dass es den Umständen geschuldet ist, Malcolm. Sowohl, wer sich miteinander unterhält, als auch, worüber. Und vielleicht führt ihre Begegnung zu Themen, die diesen Personen wirklich am Herzen liegen. Immerhin sind sie schon eine Weile tot und hatten vermutlich genug Zeit, sich über ihre Leben ausgiebig Gedanken zu machen. Vielleicht überrascht es dich, worüber sie reden. Oder uns viel mehr.«

Es folgt ein kurzes Schweigen, dann redet Malcolm aufgeregt los. »Ich halte das für eine großartige Idee«, stimmt er enthusiastisch zu.

»Wunderbar«, schließt Ruth sich an.

»Das soll natürlich nicht heißen, dass du unsere Vorschläge annehmen musst«, sagt Jo auf einmal verunsichert von ihrer eigenen Begeisterung. »Es ist schließlich deine Geschichte«, fügt sie an Malcolm gewandt hinzu.

»Nein, überhaupt nicht. Ich kann es kaum erwarten«, sagt Malcolm aufgeregt und betrachtet die Bücher.

Jo spürt, wie ihr Selbstbewusstsein zurückkehrt.

»Oh, wir werden dir die Augen verbinden müssen, Malcolm.« Ruth lacht. »Du kannst uns nicht weismachen, dass du nicht jedes Notizbuch am Umschlag erkennst. Du fängst an, Jo. Es war deine Idee.«

Malcolm beobachtet sie. Jo fragt sich, ob er schon weiß, was sie auswählen wird. Sie sucht herum und entscheidet sich für ein hellrotes Ringbuch in A4. Dann greift sie ein zweites Mal zu und fischt, rein zufällig, das Notizbuch mit dem eingerissenen Umschlag heraus. Wenn sie das hier durchziehen will, möchte sie den Geist von William Foyle an ihrer Seite wissen. Ein Mann, der wusste, wie man anpackte. Als sie den eingerissenen Umschlag berührt, weiß sie, dass es auch nicht schaden kann, Onkel Wilbur an ihrer Seite zu haben.

Sie sieht zu Malcolm, und er nickt ihr kaum merklich zu.

Jo unterdrückt ein Grinsen und wendet sich an Ruth. »Jetzt bist du dran.«

»Ich behalte also Karl Marx und suche mir noch eins aus, stimmt's?«

»Genau. Ich glaube, Malcolm hat recht, wenn er die

beiden berühmtesten Geister zu Wort kommen lassen will. Ich bin überzeugt, dass die Leser sich für sie interessieren. Ich zumindest möchte gerne wissen, was Karl einem Fremden erzählen würde, dem er als Gespenst begegnet, und was er im Gegenzug zu hören bekommt.«

»Okay«, Ruth nickt, »mal sehen.« Dann streckt sie die Hand aus und sucht sich ein gelb und weiß gestreiftes Notizbuch aus.

»Jetzt bist du an der Reihe, Malcolm«, sagt Jo. Langsam beginnt sie an ihrer neuen Rolle Spaß zu haben.

»Und du musst versprechen, dass du die Augen zumachst«, wirft Ruth ein, lehnt sich vor und verteilt die Notizbücher noch einmal neu.

Malcolm streckt einen langen Arm aus, die Augen fest geschlossen, und sucht in dem Stapel nach einem Gesprächspartner für George Eliot.

»Ach, du meine Güte!«, ruft er aus und fängt an zu lachen. »Ach, du meine Güte!« Dann legt er die beiden Notizbücher aufeinander. »Was werdet ihr beiden euch wohl zu berichten haben?«

»Wer ist es?«, fragen Jo und Ruth gleichzeitig.

»Issachar Zacharie.«

»Wer?«, fragen sie wieder gemeinsam.

»Issachar war der Fußpfleger von Abraham Lincoln.«

»Ach, du meine Güte«, stimmt Ruth zu.

»Wie wahr«, sagt Malcolm, und seine Augen strahlen so hell wie ihre. »Darüber werde ich eine Weile nachdenken müssen.«

Jo ist einigermaßen überwältigt und fragt: »Ruth, wen wird Karl Marx treffen?«

Ruth schlägt das gelb und weiß gestreifte Notizbuch

auf und runzelt die Stirn. »Ich glaube nicht, dass ich von ihr schon einmal gehört habe.« Sie sieht neugierig zu Malcolm. »Leslie Hutchinson?«

»Leslie war ein Mann, und vielleicht kennst du ihn bei seinem Bühnennamen, Hutch.«

»Hutch? Das kommt mir bekannt vor. Warum muss ich auf einmal an Nat King Cole denken?«

»Du bist auf der richtigen Fährte«, versichert er ihr und sieht inzwischen geradezu aufgekratzt aus. »Er war ein Star des Kabaretts, ursprünglich kam er aus Grenada, ließ sich aber irgendwann in London nieder. Er trat ein paar Jahre vor Nat King Cole auf. Aber vielleicht kommst du auf ›Cole‹, denn er war eine Zeit der Liebhaber von Cole Porter. So wie er Edwina Mountbattens Liebhaber war, der Frau des Earl Mountbatten.«

»Ach, du meine Güte!« Ruth lacht laut auf. »Hutch und Karl Marx also …« Ruth grinst. »Wie faszinierend. Ich kann es kaum erwarten, deine Aufzeichnungen zu lesen.«

»Was ist mit dir, Joanne, wen hast du erwischt?«, fragt Malcolm und tut so, als wüsste er das nicht bereits.

Jo öffnet das beschädigte Notizbuch. »William Foyle. Gründer des gleichnamigen Buchladens«, teilt sie mit, ohne die Worte lesen zu müssen.

»Oh, du wirst deine Freude an seiner Geschichte haben«, verspricht Malcolm. »Er war ein famoser Charakter. Während er sie führte, war Foyles die berühmteste Buchhandlung auf der Welt. Sie nannten ihn den Zirkusdirektor des Buchhandels.«

Nun öffnet Jo das rote Notizbuch. »John Lobb?«, liest sie vor und sieht erwartungsvoll zu Malcolm.

»Lobb, sagst du?« Dann beugt er sich vor, hebt seine lila und orangen Pantoffeln auf und verschwindet durch eine Tür neben dem Mahagonitisch. Ruth und Jo sehen einander an, während sie Malcolms Schritten lauschen, der die Treppe hinaufsteigt.

Einige Minuten später hören die beiden lautere Schritte die Stufen wieder hinunterkommen, und Malcolm kehrt ins Wohnzimmer zurück. Statt seiner exotischen Pantoffeln trägt er ein Paar schicke schwarze Herrenschuhe. Er stellt sich vor sie hin, hebt die Hosenbeine leicht an und klappt die Hacken zusammen.

»Ich präsentiere euch das Werk von John Lobb.«

Dann, als wäre ihm der theatralische Auftritt auf einmal unangenehm, errötet er und setzt sich schnell nervös wieder hin. »Obwohl diese Schuhe hier nicht von dem Mann persönlich hergestellt wurden. John Lobb starb im Jahr 1895.«

»Lobbs. Ja, davon habe ich gehört«, fällt Ruth lächelnd ein. »Gibt es da nicht einen sehr schicken Laden in London?«

»O ja, der Laden befindet sich in der St. James Street, wo noch heute handgefertigte Schuhe verkauft werden. Ich habe diese Schuhe dort erworben, als ich fünfundzwanzig war. Sie sind also inzwischen achtundvierzig Jahre alt.«

Jo rechnet schnell Malcolms Alter aus: dreiundsiebzig. Also sieben Jahre jünger als Onkel Wilbur.

»Die sind aber in einem hervorragenden Zustand«, sagt Ruth und betrachtet Malcolms Schuhwerk.

»O ja, die muss man sich leisten können. Ach, verzeiht das alberne Wortspiel«, Malcolm schmunzelt. »Jeder Kunde bekommt seine eigenen Leisten, ein Stück Holz, das genau nach den Maßen der Kunden gefertigt wird, damit jeder Schuh perfekt passt. Sie haben ein ganzes Lager voller personalisierter Leisten, die über hundert Jahre zurückreichen.«

Jo würde gerne wissen, wie viel ein Paar dieser Schuhe kostet, traut sich aber nicht zu fragen.

»Wie viel würde es mich kosten, ein solches Paar anfertigen zu lassen?«, fragt Ruth.

Jo unterdrückt ein Grinsen.

»Leider muss ich gestehen, dass es heutzutage mehrere Tausend Pfund kosten würde, und es dauert einige Monate, bis sie fertiggestellt sind. Es bedarf so vieler hoch komplizierter Arbeitsschritte.«

Ruth betrachtet weiter Malcolms Schuhe mit schiefgelegtem Kopf. »Das sprengt eindeutig mein Budget, aber wenn sie so lange halten, verstehe ich, warum sich eine Investition lohnt.«

»Warum hast du dir ein Paar gekauft?«, fragt Jo ermutigt von Ruths Direktheit.

»Mein Vater trug immer Schuhe und Stiefel von Lobb, und als ich mit fünfundzwanzig eine kleine Erbschaft machte, habe ich beschlossen, mir selbst ein Paar anzuschaffen.«

»Hat dein Vater dich begleitet, als du sie gekauft hast?«, will Jo wissen und stellt sich das als schöne Familientradition vor.

Ihre romantischen Überlegungen werden von Malcolms knapper Antwort jäh unterbrochen.

»Nein, mein Vater ist bei einem Autounfall ums Leben gekommen, als ich zwölf war. So wie mein jüngerer Bruder.« Er zögert, seine Stimme zittert. »Sie waren gemeinsam auf dem Weg, die Sonntagszeitung zu besorgen, mein Bruder war in der Hoffnung auf ein paar Süßigkeiten mitgefahren. Das Geld, das ich mit fünfundzwanzig erhalten habe, stammt aus einem kleinen Treuhandfond, den mein Vater für mich bei meiner Geburt angelegt hat.«

»Oh, Malcolm, das ist ja schrecklich. Das tut mir so leid«, sagt Jo bestürzt.

»Ich würde sagen, die Schuhe waren jeden Penny wert. Bestimmt erinnern sie dich jedes Mal an deinen Vater, wenn du sie trägst«, sagt Ruth leise.

»Ich brauche sicherlich kein Paar Schuhe, um mich an meinen Vater zu erinnern«, erwidert Malcolm schroff und atmet scharf ein, dann redet er schnell weiter. »Ich bitte um Verzeihung, Reverend Ruth. Das war unangebracht.« Bitter fügt er hinzu: »Aber vielleicht kannst du verstehen, warum ich meinen Glauben an Gott schon verloren habe, bevor ich dreizehn geworden bin.«

»Natürlich kann ich das«, erwidert Ruth gefasst. Dann greift sie nach ihren Schuhen. »Und ich glaube, ich sollte mich jetzt auf den Weg ins Bett machen.«

Jo sieht auf der Uhr über dem Kamin, dass es bereits nach Mitternacht ist.

Ruth steht auf und sammelt die beiden Notizbücher über Karl Marx und Hutch ein. Jo tut es ihr gleich und steckt John Lobb und William Foyle in ihren Rucksack.

»Am Sonntag machen wir mit Jo einen Ausflug auf den Highgate Cemetery«, sagt Ruth bestimmt.

Bevor Jo oder Malcolm etwas erwidern können, redet Ruth weiter. »Schon geht es wieder los. Du machst dir vielleicht Sorgen, dass du zu wenig sagst, Malcolm. Ich wiederum befürchte, dass ich immer alles an mich reiße. Du machst dir Sorgen, dass du ein fader Hund bist. Ich fürchte, ich bin ein übergriffiger Wadenbeißer.«

»Nein!«

Das Wort »Wadenbeißer« lässt Jo so heftig reagieren. Ruth ist die letzte Frau auf der Welt, die Jo je als Wadenbeißer bezeichnen würde.

»Nun ja, ich hoffe, ich bin kein Wadenbeißer«, gibt Ruth nach, als sie ihre schockierten Gesichter bemerkt. »Aber sicherlich übergriffig.« Sie grinst.

Jo ist sich sicher, da steht sie Ruth in nichts nach, wenn man ihr Verhalten von heute Abend bedenkt. »Highgate Cemetery am Sonntag«, sagt sie auf dem Weg raus, »abgemacht.«

Dann muss sie plötzlich an Finn denken. Ob er wohl seine Reisetasche abgeholt hat? Hatte er damit gerechnet, sie heute Abend noch zu sehen?

Seit Malcolm den Whisky geöffnet hat, hat sie nicht mehr auf ihr Handy gesehen.

Da fällt ihr der Ersatzschlüssel ein. Ob Eric der Wikinger wohl denkt, sie hat den Schlüssel bei ihm hinterlegt, damit sich Finn in die Wohnung seiner Freundin lassen kann?

20

Die Schuhe von John Lobb

Am nächsten Tag dekoriert Jo die Holzregale mit Lichterketten. Es ist Mitte November, und das ist ihr erstes Zugeständnis an die Weihnachtszeit. Außerdem stellt sie eine kleine Tischlampe in eines der Regale, das sie leergeräumt hat, um es wie einen Schreibtisch aussehen zu lassen, der darauf wartet, dass jemand sich daransetzt. Sie legt einen angefangenen Brief auf die Schreibunterlage und steckt einen Umschlag darunter. Das bringt sie auf noch eine Idee.

Sie kehrt zur Theke zurück, nimmt ein Päckchen mit den altmodischen Briefumschlägen, die niemand (außer der flüchtigen Vikarin) kauft, öffnet sie und schreibt auf die Vorderseite beliebige Namen und Adressen (in ihrer schönsten Handschrift). Das macht ihr so viel Spaß, dass sie ein paar fiktionale Empfänger, Freunde und einen Wikinger namens Eric hinzufügt. Dann kramt Jo in Onkel Wilburs altem Briefmarkenalbum und wählt bunte Briefmarken aus dem Tütchen mit losen Briefmarken aus, die es nicht wert waren, eingepflegt zu werden, und klebt sie auf die Briefe. Danach schneidet sie verschiedenfarbige Bänder zurecht und hängt die Umschläge wie eine mehrfarbige Girlande aus Briefen vor das Fenster. Mit einem übrig gebliebenen Stück kurzes Band bastelt sie noch eine kleine Girlande für den oberen Rand ihrer Pinnwand.

Sie ist gerade fertig, als die Tür ein unheilvolles Klappern von sich gibt und Eric der Wikinger den Laden betritt, in der einen Hand ein Paket, mit der anderen versucht er, die Tür gegen den scharfen Wind zu schließen. Wenn der Wind aus Osten weht, wird die Seitenstraße zu einem Windkanal, und Jo hat schon oft beobachtet, wie sich Fußgänger mit wehenden Haaren und tränenden Augen die Gasse hinaufgekämpft haben.

»Ein Paketbote hat das gestern bei mir abgegeben«, sagt Eric, als er den Kampf mit der Tür endlich gewonnen hat. »Dem Markennamen nach zu urteilen, könnte es sich um Federhalter handeln. Ich musste mich wirklich zusammenreißen, aber ich habe nicht hineingesehen.« Er grinst. »Daher denke ich aber, es ist nur fair, wenn du es jetzt öffnest. Willst du einen Kaffee?«, bietet er an, bevor er das Paket auf den Tresen stellt.

»Ein Cappuccino wäre gut, danke«, antwortet Jo und ist dankbar für die Zeit, die Eric braucht, um ins Café und zurückzugehen. Sie hofft, dass sie bis dahin ihren Kopf und ihr Herz wieder unter Kontrolle bringt.

Eric geht, um den Kaffee zu holen, und tut so, als sei gestern nichts passiert. Vielleicht ist ja auch nichts passiert, und sie interpretiert zu viel in sein Treffen mit Karamellkonfekt hinein? Dann erinnert sie sich daran, wie lange Eric ihre Hand gehalten hatte. Jo starrt aus dem Fenster und spielt es in Gedanken noch einmal durch. Sie ist sich nicht sicher, was sie davon halten soll. Aber vielleicht ist es auf diese Weise einfacher. Ihn einfach aus ihrem Kopf zu verbannen.

Sie versucht, sich in Erinnerungen an James zurückzuziehen, aber das macht sie nur müde und ärgerlich. Stattdessen denkt sie daran, wie sehr sie sich gefreut hat, als der Wikinger durch die Tür kam. Aber dann fällt ihr wieder das Lächeln von Karamellkonfekt ein, und ihr zieht sich der Magen zusammen.

Mit Ruth und Malcolm ist alles viel einfacher. Trotz des Rätsels um Ruths plötzliches Verschwinden, Ruths und Malcolms Streitereien (die sie zu genießen scheinen) und der Sorge um Malcolms Kommentar *ich wollte nicht sterben* ist alles mit den beiden viel unkomplizierter.

Auf dem Heimweg gestern Abend war sie versucht, Ruth von Eric, James und Lucy und noch so viel mehr zu erzählen. Jo wollte gerade den Mund öffnen, als Ruth fröhlich sagte: »So, hier wohne ich«, und nach einem »Gute Nacht« in eine Seitenstraße am oberen Ende der High Street einbog. Zuvor hatte sie Jo erzählt, dass sie eine Einzimmerwohnung gemietet hat, die besonders günstig sei, weil sie nicht größer ist als die Sakristei in ihrer alten Kirche.

Jo schreibt eine Nachricht an Finn (*Viel Spaß beim Rugby. Schön, dass du deine Tasche gefunden hast. Tut mir leid, dass ich nicht da war.*), als Eric mit dem Kaffee zurückkommt. Jo legt das Handy beiseite.

»Du hast also Mrs Patmore kennengelernt«, stellt Eric fest und macht es sich auf dem Hocker vor dem Tresen bequem.

»Sie heißt doch nicht wirklich Mrs Patmore, oder?« Jo lacht.

»Doch, sie heißt wirklich so. Was ist das Problem?«

»Hast du nie *Downton Abbey* gesehen?«

Eric zuckt mit den Schultern.

»Du meinst, sie heißt *wirklich* Mrs Patmore?«, wiederholt Jo. »Das ist ja unglaublich.«

Eric schüttelt den Kopf und grinst. »Es ist so leicht, wie einem Baby die Süßigkeiten zu klauen.« Bevor Jo antworten kann, fügt er hinzu: »Danke übrigens, dass du mir Clare vorgestellt hast.«

»Clare?«

»Du hast sie mir gestern hier vorgestellt. Ich dachte, sie sei eine Freundin von dir? Sie braucht neue Kontaktlinsen und hat auch eine Brille bestellt. Darauf müssen wir anstoßen«, verkündet er und hebt seine Kaffeetasse.

Clare? Sie sind also schon bei Clare. Was soll sie dazu sagen? Sie weiß, was sie fragen will, aber ihr fällt keine Wortfolge ein, die sie nicht verraten würde.

»Ich kenne ihren Namen nicht. Sie ist nur eine Kundin.« Dann, als ihr auffällt, wie abwertend das klingt, fügt sie hinzu: »Sie wirkt aber sympathisch.«

»Oh, das ist sie. Sie ist großartig. Wir haben uns gut unterhalten, während ich alles für sie organisiert habe.« Er nickt in Richtung seines Ladens. »Sie ist ein wirklich warmer und aufrichtiger Mensch. Solche trifft man nicht so oft. Wirklich offen und freundlich.« Er grinst wieder. »Also schulde ich dir einen Gefallen. Mehr als das.«

Jo wünscht sich, er würde einfach die Klappe halten und seinen Kaffee trinken.

Um ihn davon abzulenken, wie toll Clare ist, beginnt sie, das Paket auszupacken, das er für sie angenommen hat. Darin befinden sich zwanzig pastellfarbene Füllfederhalter, kurz und kompakt, mit sechseckigen statt abgerundeten Deckeln. Sie liegen erstaunlich leicht in der Hand. Jo nimmt einen rosafarbenen und schraubt den Deckel ab, der perfekt auf das Ende passt.

»Hübsch«, sagt Eric, »aber etwas zu klein für mich.« Er

streckt Jo die Hände entgegen, und sie wünschte, er würde das lassen.

»Du hast eine Menge neuer Ware bekommen«, stellt er fest und schaut sich um. »Erweiterst du dein Sortiment?«

»Ja, Schreibwaren habe ich schon immer geliebt, also dachte ich, warum nicht ein paar Sachen kaufen, die mir wirklich gefallen.«

»Das merkt man«, sagt Eric und nickt zustimmend zu ihrer Girlande im Fenster.

Jo konzentriert sich auf das Auspacken der Stifte und schiebt die leere Schachtel beiseite, um die Vitrine des Verkaufstresens zu öffnen. Dabei stößt sie ihren Kaffee mit der Kante der Schachtel an. Sie fängt die Tasse zwar auf, bevor etwas danebengeht, aber Malcolms Notizbuch fällt von der Theke und landet auf dem Boden. Heute Morgen hat sie alles über John Lobb gelesen.

Eric beugt sich hinunter und hebt es für sie auf. »Tolle Handschrift«, kommentiert er. »Ist das deine?«

»Nein, die eines Freundes. Ich helfe ihm bei seinen Nachforschungen. Er recherchiert einige der Leute, die auf dem Highgate Cemetery begraben sind.«

»Ich liebe diesen Friedhof!«, ruft Eric mit Begeisterung. »Ich konnte es nicht glauben, als ich das erste Mal da war. Ich bin nur hingegangen, weil ich dachte, dass mein Vater ihn sich vielleicht gerne ansehen würde. Aber es ist verrückt da. Die Viktorianer wussten wirklich, wie man den Tod feiert.« Er gibt Jo das Notizbuch zurück. »Also, um wen geht es?«

»Einen gewissen John Lobb. Er war Schuhmacher.«

»Lobbs? Ja, ich glaube, von denen habe ich schon gehört. Traditionsreich und schweineteuer.«

»Ja, aber John, der das Geschäft aufgebaut hat, hat mit nichts angefangen.«

»Wann war das?«

Jo blättert in Malcolms Notizen. »Er wurde 1829 geboren.«

Eric lässt sich auf dem Hocker nieder, als hätte er nicht vor, so schnell wieder zu gehen. »Erzähl weiter.«

»Er stammte aus einer armen Bauernfamilie aus Cornwall, aber nachdem er einen Unfall mit einem Esel hatte, der zu einer Menge Knochenbrüche und einem kaputten Fuß geführt hat, konnte nicht mehr auf dem Hof arbeiten. Also hat er eine Ausbildung zum Schuhmacher gemacht. Als Teenager beschloss er dann, nach London zu gehen, um dort sein Glück zu versuchen, aber da er kein Geld für die Reise hatte, musste er zu Fuß gehen.«

»Mensch, das muss hart gewesen sein, selbst ohne eine Beinverletzung.«

Jo nickt. »Jedenfalls gab es damals Tausende von Stiefel- und Schuhmachern in London, aber John wollte nur für den besten arbeiten, also ging er direkt zu Thomas' in der St. James's Street und verlangte, den alten Thomas zu sehen.«

»Was ist passiert?«

»Thomas hat ihn rausgeworfen.«

»Schade. Ich dachte, du würdest sagen, dass er ihn rumbekommen hat.«

»Nein, John landete vor der Tür. Und da stand er dann und schimpfte, dass es Thomas leidtun und er seine eigene Firma gründen würde, die ihn aus den Latschen hauen würde.«

Eric grinst. »Was ihm vermutlich auch gelungen ist?«

Jo grinst ihn an und freut sich, wie schön es ist, ihm das alles zu erzählen.

»Lange Geschichte. Aber, ja. Wie auch immer, zu diesem Zeitpunkt sitzt er in London ohne Geld auf der Straße. Daher beschließt er, nach Australien zu gehen, weil er gehört hat, dass die Leute reich werden, wenn sie Gold finden.«

»Wie man das eben damals machte. Und hat er Gold gefunden?«

»Nein. Aber er fand eine Menge Goldsucher, die wirklich schlecht gemachte Stiefel trugen.«

Eric lacht. »Erzähl mir nicht …«

»Doch, John hat angefangen, neue Stiefel zu machen. Und er erfand etwas, das er den Schürferstiefel nannte. Er hatte eine Aussparung in der Ferse, in der die Goldsucher ihr Gold verstecken konnten, sodass niemand es finden konnte, wenn sie ausgeraubt wurden, was wohl ziemlich oft vorkam.«

»Tolle Idee«, sagt Eric anerkennend, und sein Enthusiasmus weckt etwas in Jo, und ihr wird klar, dass sie gerne mehr Geschichten mit diesem Mann teilen würde. Und auch seine Geschichten hören möchte.

Sie nimmt den Faden wieder auf. »Das hat ihn ziemlich reich gemacht, denn viele seiner Kunden haben ihn in Goldnuggets bezahlt, da sie nicht immer Bargeld hatten.«

»Das ist ja toll, Jo. Wie ging es weiter?«

Jo fährt fort und lächelt ihn warm an, sein Zuspruch ermutigt sie. »Er reichte ein Paar Stiefel bei der Weltausstellung 1851 ein.«

»War er dafür wieder in England?«

»Nein, immer noch in Australien, aber er gewann eine

Goldmedaille. Und da war er gerade mal zweiundzwanzig ...« Jo fragt sich, während sie Eric ansieht, warum das Alter bei ihr so ein Thema ist. Sie kennt die Antwort darauf, aber dann erinnert sie sich daran, wie sie in einem Wohnzimmer mit einer flüchtigen Vikarin und einem Mann in bestickten Pantoffeln gesessen hat. Hat das Alter da eine Rolle gespielt?

»Was dann?«, fragt Eric.

»Oh, dann hat er ein Paar Stiefel für den Sohn von Königin Victoria, den Prinzen von Wales, angefertigt.«

»Für Bertie? Den Frauenheld? Lieg ich da richtig? Naturwissenschaften waren in der Schule mehr mein Ding als Geschichte.«

»Ja, genau der. Wie John das gemacht hat, weiß man nicht, denn sie müssen genau nach seinen Maßen angefertigt worden sein, aber John war immer noch in Australien. Jedenfalls schickt er ihm die Stiefel als Geschenk, und Bertie ist begeistert. Dann schreibt John und fragt, ob er eine königliche Urkunde als Hoflieferant bekommen könnte.«

Eric trinkt seinen Kaffee aus, aber Jo will nicht, dass er geht.

Also fährt sie schnell fort. »Nun, Königin Victoria hat damals Albert und Bertie wohl ganz schön den Marsch geblasen, weil sie der Meinung war, sie sei die Einzige, die so etwas aushändigen dürfe. Vielleicht gab Bertie John eine solche Urkunde, um seine Mutter zu ärgern, oder er dachte, es sei egal, weil es sich um einen australischen Schuhmacher handelte, von dem er nie wieder etwas hören würde.«

»Ich vermute mal, dass er nicht das letzte Mal von Herrn Lobb gehört hat.«

»Nein. Daraufhin kam John mit seinem Gold und seiner königlichen Urkunde nach London und eröffnete ein Geschäft in der Regent Street.«

»Ah, ich dachte schon, du sagst, dass er sich neben dem alten Thomas in der St. James's niedergelassen hat.«

»Hat er auch.« Jo grinst. »Aber das kam etwas später. Ich habe Fotos von dem Laden in der Regent Street gefunden. Ich habe noch etwas weiter recherchiert, nachdem ich Malcolms Notizen gelesen habe.«

»Malcolm?«

»Der Freund, dem ich helfe. Der Hobbyhistoriker.«

»Wie war der Laden?«, fragt Eric.

»Sehr traditionell, aber über der Tür hing die größte königliche Urkunde, die ich je gesehen habe.«

»Ich frage mich, was Bertie wohl davon gehalten hat.«

»Vielleicht hat er gelacht«, meint Jo. »Auf jeden Fall bestellte er weiterhin Stiefel bei John. Das taten auch andere Mitglieder der königlichen Familie, und Sultane und eine ganze Menge anderer berühmter Leute.«

»Nicht schlecht, für einen armen Jungen aus Cornwall.« Eric klingt beeindruckt.

»Das habe ich mir auch gedacht«, bestätigt Jo, aber in Wirklichkeit denkt sie nur daran, wie sehr sie diesen Wikinger aus Birmingham mag, der mit einem Füllfederhalter schreibt.

Ein Mann, der ihr zuhört.

Hat James ihr je wirklich zugehört?

Sie werden von einem sachten Klopfen am Schaufenster unterbrochen.

»Ah, das ist Clare«, sagt Eric und steht auf. »Ich muss dann wohl los.«

Clare winkt den beiden zu, ihre karamellfarbenen Locken wehen im Wind. Als Jo sie beobachtet, weiß sie nicht, ob sie es sich nur einbildet, aber Clare sieht leicht unbehaglich aus. Sie sieht aus, als wäre es ihr unangenehm, sie zu sehen.

Jo überlegt, ob es Eric vielleicht nicht aufgefallen ist. Er ahnt vielleicht nicht, wie sehr sie ihn mag. Aber sie ist sich nicht sicher, ob sie Clare getäuscht hat. Clare macht den Eindruck, als ahnte sie, dass sie Jo auf die Füße getreten ist. Sie freut sich zwar sicherlich darüber, dass Eric sie statt Jo mit zu sich in seinen Laden nimmt, aber Clare wirkt auch verlegen.

Ein weiterer Hinweis darauf, dass Karamellkonfekt eine nette Frau ist.

21

Highgate Cemetery

Die Lichtverhältnisse sind atemberaubend. Über sich kann Jo sehen, wo die Äste der Bäume das Sonnenlicht des Spätnachmittags teilen und die Strahlen sich so brechen, dass es an manchen Stellen leuchtend hell ist und an anderen diffus und schummrig. Die Steinengel baden im goldenen Licht. Überall stehen Grabsteine und Denkmäler. Und alles ist bewachsen. Pflanzen ranken sich um die Grabsteine, sodass es scheint, als würden die Blätter mit den Gräbern verschmelzen. Manchmal erweckt es den Eindruck, als würden die Steine aus dem Efeu herauswachsen, an anderen Stellen scheinen die Ranken nach oben zu greifen und die Gräber in die Erde ziehen zu wollen, sie zurückzufordern. Die Gehwege sind braun und uneben, und rostrote, gefallene Blätter liegen überall. Ein weiterer Hinweis darauf, dass sich das Jahr dem Ende neigt und altert wie alles um sie herum.

Sie haben sich am westlichen Eingang des Friedhofs getroffen. Der Friedhof ist in zwei Bereiche geteilt, zwischen denen ein steiler, schmaler Weg verläuft. Malcolm ist wieder sein schlichtes Selbst und ganz in Grau gekleidet. Ruth ist warm eingepackt, ihren Schal mit den Sternen hat sie sich wie eine fröhliche Python bis unter die Nase gewickelt. Malcolm hat Jo mit den Worten »für deine Pinnwand« eine Karte des Friedhofs mitgebracht.

Überrascht hat sie aufgesehen, erstaunt, dass ihm ihre wachsende Sammlung aufgefallen ist.

Nun leitet Malcolm sie über Wege, die durch den alten westlichen Teil des Friedhofs führen, und macht sie immer wieder auf besondere Grabmäler aufmerksam. Das Grab eines Boxers aus der Regency-Zeit, der die größte Beerdigungszeremonie hatte, die es in London je gab. Ein Grab, auf dem ein Elefant thront, für den Gründer des ersten Zoos Englands.

Jo bestaunt den Elefanten aus Marmor und fragt sich, ob Onkel Wilbur wohl je auf dem Friedhof war. Er hat sie, als sie klein war, nie mit hierhergenommen, sie sind immer lieber in den Tierpark gegangen. Als sie jetzt nach London gekommen ist, hat sie sich überlegt, in den Zoo zu gehen, aber war sich nicht sicher, ob ihr ein Besuch ohne ihren Onkel genauso viel Spaß machen würde. Der hatte ihr jedes Mal die Geschichte des Tierpflegers erzählt, der heimlich nachts das Reptilienhaus für die Bewohner des East Ends geöffnet hatte, bis zwei Besucher von einer Schwarzen Mamba getötet wurden.

Jo beeilt sich, um mit Malcom und Ruth Schritt zu halten, die gerade in die Egyptian Avenue, eine reich verzierte, geschwungene Passage, die zu den Katakomben führt, eingebogen sind. Von hier aus steigen sie gemeinsam den Hügel runter und überqueren die Straße, um den Ostteil des Friedhofs zu erkunden. Breite von Grabsteinen gesäumte Wege führen in kleinere Wege und dann zu schmalen Pfaden, die schließlich unpassierbar werden, weil sie so voller heruntergekommener Grabsteine und dicht bewachsen sind. Jo weiß nicht mehr, wie viele Namen sie gelesen oder es zumindest versucht hat.

Gerade wendet sie sich schnell von einem kleinen Grabstein für ein Baby ab, als ihr ein rotes Steinmonument für einen Industriellen aus Birmingham auffällt. Hatte Eric der Wikinger nicht erzählt, dass er mit seinem Vater auf dem Friedhof war? Sie versucht, den Gedanken abzuschütteln. Es reicht schon, dass sie jedes Mal nach Eric Ausschau hält, wenn jemand an ihrem Ladenfenster vorbeigeht. Sie will nicht, dass er sich auch in ihre Zeit mit Ruth und Malcolm drängt, die eine so gute Ablenkung von ihren Sorgen ist.

Sie schließt mit Ruth auf. Da hört sie, dass die flüchtige Vikarin leise vor sich hin murmelt, und fragt sich, ob sie betet oder den Toten einfach Geschichten erzählt. Sie hocken beide vor dem Grab einer jungen Frau, die 1850 gestorben ist, als Jo etwas einfällt.

»Ruth, ich verstehe, warum Vikare und Friedhöfe zusammengehören, aber was hat es mit Vikaren und Blut, Kacke und Erbrochenem auf sich? Hast du in einer besonders schlimmen Gegend gearbeitet?«

Ruth richtet sich auf. »Oh, man muss nicht in einer besonders schlimmen Gegend leben, um diesen drei zu begegnen.« Einen Augenblick studiert sie Jos Gesicht. »Dir muss das doch, wo du gelebt hast und groß geworden bist, auch begegnet sein. Man kann in der schönsten Gegend der Welt leben, aber man wird immer Menschen begegnen, die in einer schlimmen Situation sind.« Sie nickt in Richtung einer Parkbank. »Sollen wir uns da kurz hinsetzen? Ich glaube, Malcolm braucht noch eine Weile.«

Jo sieht zu der schlanken Gestalt von Malcolm, der weiter oben am Weg ein Grab betrachtet. Er schreibt eifrig in sein Notizbuch.

Als Ruth sich setzt, sagt sie: »Dr. und Mrs Claybourne.«

»Wo sind sie?«, fragt Jo und sieht zu den umliegenden Gräbern.

Ruth schüttelt den Kopf. »Oh, nein, sie liegen nicht hier. John und Sonja Claybourne waren Teil meiner ehemaligen Gemeinde. Ein nettes Paar. Sie haben in einem Cottage gelebt, wie man es von Weihnachtskarten kennt. Ihr Sohn Paul starb … tja, sie behaupten, es war eine Überdosis. Aber wer weiß das schon so genau? Es könnte auch Mangelernährung und Unterkühlung gewesen sein. Sie haben ihn am 7. Januar vor sechs Jahren tot im Garten gefunden.«

»Das ist ja fürchterlich.«

Ihr wird klar, ohne dass es ausgesprochen wurde, dass Ruth an diesem Wintertag neben Pauls Eltern im Garten gestanden haben musste.

Jo denkt an ihre eigene Kindheit zurück. »Als ich klein war, habe ich schon mitbekommen, dass es Leute gab, denen es schlecht ging, aber nicht wirklich häufig, wenn ich ehrlich bin. Vielleicht lag es daran, dass ich auf einem Bauernhof groß geworden bin und sehr behütet war. Ich glaube, meine Eltern haben immer geholfen, wenn sie konnten, da bin ich mir ziemlich sicher. Aber viel darüber geredet haben sie nicht.«

»Gut so«, sagt Ruth knapp. »Wenn du aber Almosen gibst, so lass deine linke Hand nicht wissen, was die rechte tut.«

»Wer hat das gesagt?«

»Jesus«, antwortet Ruth mit gehobenen Augenbrauen. »Ich wünschte, mehr Leute in meiner Gemeinde hätten sich das zu Herzen genommen. Viele von ihnen haben ihre Christlichkeit viel zu laut herausposaunt. Manchmal habe ich mir gedacht, das hätten sie lassen und sich einfach ein Schild umhängen können, auf dem steht: *Ich bin*

Christ und stehe auf Tratsch und Wohltätigkeit. Damit hätten sie sich viel Zeit gespart.«

»Waren alle so?«, erkundigt sich Jo.

»Einige. Und manche haben auf die Wohltätigkeit verzichtet«, sagt Ruth grinsend.

Jo will lachen, aber da merkt sie, dass Ruth wieder einen besorgten Gesichtsausdruck bekommt.

»Nein. Nein, das ist ungerecht von mir. So etwas sollte ich nicht sagen. Viele, viele der Leute, die ich dort kannte, haben sehr viel Gutes getan.«

Ruths besorgter Blick klärt sich, und auf einmal lacht sie laut auf.

Jo sieht sie erwartungsvoll an.

»Tut mir leid, ich musste gerade an meine Kaplanin Angela denken. Sie fehlt mir. Sie ist eher still, hat aber einen scharfen Sinn für Humor. Unser Gemeindevorsteher Colin Wilkinson ist genau das Gegenteil: ein großer, grober, zorniger Mann. Er war immer gemein zu Angela. Hinter seinem Rücken hat sie ihn statt ›Wilkinson‹ ›Mr. Will-kill-soon‹ genannt.«

Jo stimmt in Ruths Lachen ein und fragt sich, ob Ruth meint, Colin wäre eines der Gemeindemitglieder, die besser ein Schild um den Hals getragen hätten.

Ruth holt eine Tüte Bonbons aus der Tasche und bietet sie Jo an. »Sind deine Eltern Kirchengänger?«

»An Weihnachten und Ostern, aber auch das nicht mehr oft.«

Ruth nickt, sagt aber nichts. Jo fällt auf, dass Ruth sie nicht direkt nach ihrem eigenen Glauben gefragt hat und dass Ruth auch üblicherweise nicht diejenige ist, die das Thema Religion anspricht. Außer wenn sie einen Betrugsanruf erhält, fällt Jo ein, und sie muss grinsen. Eigentlich ist es immer Malcolm, der das Gespräch darauf lenkt.

»Egal, du hattest nach Blut, Kacke und Erbrochenem gefragt«, erinnert sich Ruth und kehrt zu Jos eigentlicher Frage zurück. »Nun ja, eine Gemeinde und eine Kirche können ein Magnet für Alkoholiker, Drogensüchtige, Randalierer und Diebe sein. Häufig sind es gerade sie, die deine Hilfe am nötigsten haben, und das ist auch gut so, aber es wird immer ein paar geben, die dich ausnutzen. Und dir manchmal tatsächlich vor die Tür oder den Altar pissen und scheißen.«

»O Gott! Wie bist du damit umgegangen?«, fragt Jo, dann wünscht sie sich, sie hätte »Gott« aus dem Spiel gelassen. Mit einer Vikarin zu reden lässt sie sich ihrer eigenen Sprache bewusster werden, als sie es gewohnt ist. Ob Ruth das wohl stört? Fällt ihr auf, dass Leute sie anders behandeln?

Unbeeindruckt fährt Ruth fort. »Normalerweise mit einem Eimer Wasser und Bleiche.«

»Aber wie hast du herausgefunden, wem du helfen kannst und wem nicht?«

»Ich glaube nicht, dass mir das je gelungen ist. Man muss es versuchen, aber man muss auch akzeptieren, dass man nicht jedem helfen kann.«

Jo fällt etwas ein. »Gestern Abend habe ich über William Foyle gelesen. Als er reich und erfolgreich wurde, haben ihm viele Leute Bittbriefe geschrieben. Er wusste, dass ihn manche nur ausnutzen wollten, aber er hat trotzdem allen geantwortet und den Briefen ein paar Scheine beigelegt. Wenn man ihm gesagt hat, dass er sich ausnutzen lässt, hat er gefragt, wie er sonst sicher sein konnte, dass er die Leute in Not auch erreichte, wenn er nicht allen half.«

»Ich freue mich schon darauf, mehr von ihm zu hören«, sagt Ruth und lehnt sich auf der Bank zurück, um durch die Baumwipfel die letzten Sonnenstrahlen des Nachmittags zu erhaschen.

»Hattest du nie Angst? Ich meine, wenn solche Leute bei dir in der Kirche aufgetaucht sind?«

»Manchmal. Besonders, weil ich eine alleinstehende Frau bin.« Ruth sieht wieder zu Jo. »Ich war für eine kurze Zeit verheiratet, aber das hat nicht funktioniert. Und weil ich danach allein war, musste ich aufpassen, wen ich hereinlasse.« Sie sieht wieder hoch zu den Baumspitzen. »Ich glaube zwar an Gott«, sagt sie lächelnd, »aber ich bin nicht blöd.«

Jo grinst.

»Einmal dachte ich, dass jemand bei mir einbricht«, fährt Ruth nachdenklich fort.

»Was ist passiert?«

»Ich habe Geräusche auf der Treppe gehört, es war ganz früh am Morgen. Ich habe gerufen, aber niemand hat geantwortet. Dann habe ich wirklich Angst bekommen, also bin ich aufgestanden und habe mir das Erste gegriffen, was nach einer Waffe aussah.« Ruth fängt an zu lachen.

»Was? Was ist passiert?«, fragt Jo und muss selbst anfangen zu lachen, ohne zu wissen, warum.

»Dann ist Angela, meine Kaplanin, in der Schlafzimmertür aufgetaucht, mit einem Frühstückstablett und einem Blumenstrauß. Es war mein Geburtstag.« Jetzt schüttelt sich Ruth vor Lachen.

»Und was hast du gemacht?«

»Nun ja, ich war splitterfasernackt, habe einen Föhn auf sie gerichtet, wie ein Polizist mit einer Radarpistole.«

Jo lacht laut auf. »Aber ohne Schutzweste.«

»Oder sonst etwas«, stimmt Ruth zu. »Es hat eine ganze Zeit gedauert, bis Angela sich wieder beruhigt hat.«

Ruth reibt sich die Augen. »Ich glaube, diesen Anblick wird sie so schnell nicht vergessen.«

Jo muss immer noch lachen, und ihr fällt auf, wie sehr sie diese Frau mag.

»Aber wo waren wir?«, sagt Ruth und sieht sich um. »Oh, bei den Leuten, denen man versucht zu helfen, tja, davon gibt es immer genug.« Sie deutet auf die Gräber. »Aber trotzdem würden wir nicht hierzu zurückkehren wollen.«

»Wohin?«, fragt Jo verwirrt.

»In die viktorianische Zeit, in der man nur den Menschen half, die es ›verdient‹ hatten. Man muss sich nur ansehen, wie Frauen damals behandelt wurden. Niemand hatte in den Augen der Viktorianer Hilfe und Mitgefühl so wenig verdient wie eine gefallene Frau.«

Jo schüttelt den Kopf. »Ich habe noch nie wirklich viel Zeit mit einer Vikarin verbracht. Sind alle so wie du?«

»Oh, wir sind eine bunte Mischung«, sagt Ruth lächelnd. »Womit hast du gerechnet?«

»Ich glaube, ich habe erwartet, dass du mich nach meinem Glauben fragst.«

Ruths Lachen hallt in der Stille der Novemberluft nach. »Oh, glaub mir, ich muss eigentlich nie fragen. Die Leute erzählen mir sehr gerne unaufgefordert, woran sie glauben und woran nicht. Und üblicherweise auch, wo die Kirche und ich persönlich falschliegen.«

Ruth kichert noch immer vor sich hin, als Malcolm wieder zu ihnen kommt.

22

Gehen oder bleiben

Malcolm wendet sich an die beiden auf ihrer Parkbank. »Nun, meine Lieben, es fängt an zu dämmern, und ich glaube, bevor wir gehen, sollten wir noch Karl Marx und George Eliot unseren Respekt erweisen.« Er dreht sich um, die Steinchen auf dem Weg knirschen unter seinen John Lobbs, dann schreitet er davon. Jo und Ruth eilen ihm hinterher.

Ein paar Minuten später stehen sie vor dem Monument für Karl Marx. Es handelt sich um einen großen rechteckigen Steinklotz, auf dem eine gigantische Büste sitzt. Karl Marx starrt sie unter wilden Augenbrauen an, die zu seinem dichten Haar und Bart passen.

Malcolm beugt sich runter und betrachtet die Gaben, die auf dem Grab lagen: ein Ilexkranz, ein paar welke Rosen und ein Strauß Plastiknelken.

»Ich habe die Notizen über Karl gelesen«, flüstert Ruth Jo ins Ohr. »Ich finde, dieser enorme Steinklumpen steht ihm ziemlich gut. Er war ein Bär von einem Mann, und aus allen Öffnungen sind ihm die Haare gesprossen.«

»Wie war er als Person?«, fragt Jo.

»Schwer zu sagen bisher. Es gibt ein paar nette Anekdoten über ihn, aber ich muss mich durch eine ganze Menge an Politik und Polemik lesen. Es scheint, er hat sich mit allen angelegt, die ihm begegnet sind.« Ruth verzieht das Gesicht. »Na ja, ich habe auch nicht damit gerechnet, dass der Vater des Kommunismus ein Scherzkeks war.«

»William Foyle, du weißt schon, der, von dem ich dir erzählt habe, er hat auch eine Art Manifest geschrieben, aber über Bücher.«

»Wirklich?«

»Ja, ich glaube zwar nicht, dass er es Manifest genannt hat, aber es liest sich so. Mir gefällt es ziemlich gut. Ich kann mich nicht an alles erinnern, aber es ging darum, dass man die größtmögliche Menge an Büchern der größtmöglichen Menge an Menschen zugänglich machen soll.« Jo tritt vor und stellt sich neben Malcom, der immer noch die Blumen auf dem Grab von Karl Marx betrachtet. Seine große Gestalt ist im rechten Winkel nach vorn geneigt. »Malcolm, legen noch viele Leute Blumen hier ab?«

Malcolm richtet sich langsam auf, bis er in voller Größe neben ihr steht. »Ja, in der Tat. Obwohl nur eine Handvoll Trauergäste auf seine Beerdigung kamen, als Karl starb, ist es seither zu einer Art Pilgerstätte für viele geworden. Nicht alle Besucher meinen es gut mit ihm. Im Laufe der Jahre wurde immer wieder versucht, das Grab zu verunstalten oder zu zerstören.«

»Aber nie erfolgreich?«, fragt Ruth und sieht mehr denn je aus wie ein kleiner Vogel, als sie die niedrigen Stufen vor dem Monument hochhüpft.

»Nein, nicht ganz. Aber jemand hat mal eine Bombe darunter gezündet.«

»Wow! Wurde es stark beschädigt?«, fragt Jo, sieht auf und liest die Inschrift unter Karls strengem Gesichtsausdruck: *Proletarier aller Länder, vereinigt euch*.

Langsam breitet sich ein Lächeln auf Malcolms Gesicht aus. »Ich glaube nicht, dass den Vandalen gelungen ist, was sie vorhatten. Die Bombe hat das Grab nicht zerstört. Es ist jetzt nur etwas weiter nach links geneigt.«

»Oh, Karl hätte das bestimmt gefallen«, sagt Ruth heiter. »So, wo finden wir George Eliot? Meine Füße werden langsam kalt vom Herumstehen.«

»Oh, ja, richtig. Noch einen Halt, und dann sollten wir uns einen Tee genehmigen.«

Jo ist von der Idee, einen Tee trinken zu gehen, nicht begeistert, sie träumt seit einer halben Stunde von einem warmen Pub.

Malcolm führt die beiden einen der Nebenwege entlang zu einem deutlich kleineren Grabmal, einem einfachen Obelisken. Auf dem Sockel stehen zwei Namen und Jahreszahlen: George Eliot und Mary Ann Cross, 1819–1880.

»Warum hat sie unter dem Pseudonym George Eliot geschrieben?«, fragt Jo und muss an Jane Austen und die Brontë-Schwestern denken. Hatten sie nicht Schriftstellerinnen den Weg geebnet?

»Als sie wirklich angefangen hat zu schreiben, lebte sie mit einem verheirateten Mann zusammen. George Henry Lewes, ihr Partner, war trotzdem in der höheren Gesellschaft akzeptiert, doch George Eliot wurde geschmäht. Also wäre es schwierig gewesen, unter ihrem eigenen Namen zu schreiben. Ich glaube, sie hat den Namen ›George‹ zu Ehren ihres Liebhabers ausgewählt«, erklärt Malcolm.

»Eine gefallene Frau«, kommentiert Jo und muss an ihr Gespräch mit Ruth denken. »Wurde George Eliot für den Rest ihres Lebens von der Gesellschaft ausgeschlossen?«, fragt sie.

»Nein, mit ihrem Ruhm hat sich das geändert. Sie war wirklich eine Berühmtheit. Dadurch wurde sie zu einer akzeptierteren Persönlichkeit, besonders als herauskam, dass Königin Victoria ihre Bücher mochte. Und dann starb George Lewes, und sie lebte nicht länger in Sünde. Aber ich glaube, man kann sagen, dass die Welt harsch über sie geurteilt hat, trotz ihres angesehenen Talents. Andererseits muss man auch zugeben, dass sie schwierig sein konnte und es ihren Mitmenschen nicht immer leicht gemacht hat, mit ihr auszukommen.«

Malcolm tippt mit der Spitze seiner Herrenschuhe gegen den Grabstein. »So hat sie einige einflussreiche Leute vor den Kopf gestoßen, und ich glaube, daher wurde ihr die Bitte, in Westminster Abbey neben anderen Schriftstellern wie ihrem Freund Charles Dickens beerdigt zu werden, verwehrt.«

»Gut zu wissen, dass sie heute immer noch berühmt ist und sich seither einiges geändert hat. Die Leute haben heute mehr Freiheit, ihr Leben so zu führen, wie sie es wollen«, meint Jo.

Malcolm sieht sie lange an, sagt aber nichts. Er wendet sich Ruth zu. »Aber das Traurige ist, George Eliot hätte keinen Frieden im Tod gefunden. Sie hat ihren Glauben an Gott als junge Frau verloren und wurde daher von ihrer Familie fürchterlich behandelt. Nein. Sie war mutig genug, um außerhalb der Konventionen der Gesellschaft zu leben, aber alles, was die Kirche ihr zu bieten hatte, war die Aussicht auf ewige Verdammnis und die Hölle.«

»Oh, ich glaube nicht an die Hölle«, erwidert Ruth beiläufig und wedelt mit den Armen, um sich aufzuwärmen.

»Du, eine Vikarin, glaubst nicht an die Hölle?« Malcom klingt misstrauisch.

»Nein. Ich habe darüber nachgedacht und mich dagegen entschieden«, erklärt Ruth gut gelaunt.

Jo lächelt heimlich. Ruth hat wirklich nichts mit den Vikaren gemeinsam, die ihr bisher begegnet sind.

»Aber du kannst es dir doch nicht einfach aussuchen?«, hakt Malcolm weiter nach. »Du bist doch schließlich von der Anglikanischen Kirche ordiniert, oder nicht?«

»Oh ja.«

»Aber die Doktrin, die Bibel …«

Reverend Ruth stößt dem großen Mann neben sich in die Rippen. »Malcolm Buswell, willst du hier neben mir am Grab von George Eliot stehen und behaupten, ich muss jedes einzelne Wort, das in der Bibel steht, glauben? Ein Buch, das nur von Männern verfasst wurde?«

Malcolm starrt sie für ein paar Augenblicke an, dann schnaubt er. »Das ist ein guter Punkt«, stimmt er zu und verbeugt sich leicht. Es ist dieselbe Geste, die er macht, wenn er die Tür für Kunden in Jos Laden öffnet.

Als sie sich zurück auf den Weg zum Eingang des Friedhofs machen, hakt sich Ruth bei Malcolm ein. Jo hört, wie sie leise zu ihm sagt: »Ich weiß, dass es einen viel kosten kann, sich von den Konventionen der Gesellschaft zu lösen, aber ich glaube, Gott hat ein Herz für die Mutigen, auch wenn ich weiß, dass du mich deshalb für eine Idiotin halten wirst.«

Malcolm bleibt stehen und dreht sich zu Ruth. Jo kann in der Dämmerung ihre Gesichter kaum ausmachen, aber sie sieht etwas zwischen den beiden vor sich gehen, auch wenn sie nicht sicher ist, was.

»Nun gut, nun gut«, sagt Malcolm schnell und geht weiter, »es wird wirklich dunkel, und mir wird langsam kalt. Tee? Oder sollten wir doch lieber in ein nettes Pub gehen?«

»Pub«, antwortet Jo, ohne zu zögern, während sie sich immer noch fragt, was dieser Blick zu bedeuten hatte.

~

In einer von der Highgate High Street abgehenden Gasse bleibt ein großer Kerl in einem weiten Pullover vor dem dunklen Schaufenster eines Schreibwarenladens stehen. Von seinem Standpunkt aus kann er gerade so die Pinnwand hinter dem Verkaufstresen ausmachen. Dort hängen unter einer Girlande aus Briefumschlägen Zeichnungen, handgeschriebene Wörter, Flyer, und er entdeckt die Visitenkarte eines Restaurants, La Biblioteca. Ein kleiner Kalender hängt in der Mitte der Pinnwand. Einige der Tage sind ausgekreuzt, aber in den letzten Wochen sind viele vergangene Tage unmarkiert geblieben. Die Pinnwand ist halb voll und halb leer, und Eric der Wikinger fragt sich, ob das ein Zeichen dafür ist, dass das Schreibwaren-Girl wieder gehen oder bleiben wird.

23

Der Geist und der Fuchs

Sie erstellen eine Liste der Regeln für die Geister vom Highgate Cemetery. Jo schreibt mit. Sie freut sich darüber, eine Gelegenheit zu haben, ihren Federhalter zu benutzen. Aber die Regeln stellen sie gemeinsam auf. Sie, Ruth und Malcolm sitzen im Pub an einem Tisch nahe am Kamin und unterhalten sich über Malcolms Buch. Gleich zu Beginn hat Ruth darauf hingewiesen, dass nicht alle Geister jedes Jahr an Heiligabend erscheinen können, es sind einfach viel zu viele. Schließlich haben sie sich über Glühwein und Pommes frites darauf geeinigt, dass die Leser Malcolm ein bisschen dichterische Freiheit zugestehen würden und es in Ordnung wäre, sich auf ein paar besondere Charaktere zu konzentrieren. Ein weiterer Punkt auf der Liste lautet:

Heiligabend geht von zehn Uhr abends bis Sonnenaufgang.

Wenn ihre Existenz nicht um Mitternacht endet, wie es vielleicht naheliegender wäre, gibt das den Geistern mehr Zeit, sich auszutauschen. Jo schlägt vor, dass Heiligabend schon vor zehn Uhr anfangen könnte, aber Malcolm macht sich Sorgen, seine Geister könnten Kindern begegnen, und er will vermeiden, dass sie sich erschrecken. Jo ist nicht sicher, ob er damit die Geister oder die Kinder meint, fragt aber nicht weiter nach, sondern denkt sich, dass es ja schließlich Malcolms Buch ist.

Die Geister können nicht durch Wände gehen, aber sie können den Bus nehmen.

Ruth legt besonders Wert darauf, dass die Geister die Möglichkeit haben, das meiste aus ihrer Nacht in London zu machen.

Ihr Treffen findet jährlich statt.

Das bedeutet, dass sich manche Geister schon zuvor einmal begegnet sein könnten (und darauf hoffen konnten, sich nächstes Jahr wiederzusehen).

Die Geister erscheinen als solide Körper statt als durchsichtige Spektren.

Ansonsten haben sie beschlossen, da es Heiligabend ist, können andere die Geister sehen (die vermutlich in der Kleidung ihrer Zeit unterwegs sind), ohne sich zu wundern (denn an Weihnachten ist alles möglich).

Während sie diesen letzten Punkt besprechen, fragt sich Jo, was James wohl von ihr denken würde, könnte er sie jetzt sehen. Sie ist sich sicher, er würde das alles als Unsinn abtun. Ein lächerliches Unterfangen, wie ihre kindische »Schreibwarensucht«. Tja, aber ihre »Schreibwarensucht« half ihr nun, den Laden ihres Onkels auf Vordermann zu bringen. Und das hier? Jo hat sich seit Jahren nicht mehr so wohlgefühlt. Sie lächelt die beiden so unterschiedlichen Freunde, die neben ihr sitzen, an.

Sie ist nicht mehr nur mit ihren Freundschaften und ihrer Familie in Northumberland verbunden, sie hat auch in London echte Freunde. Ihr Zuhause war immer im Norden, aber hier im Pub mit Ruth und Malcolm spürt Jo so etwas wie Wehmut, wenn sie daran denkt, wieder zurückzukehren. Sie schiebt den Gedanken beiseite, genießt es zur Abwechslung, in der Schwebe zu hängen.

Ruth redet immer noch über die Geister, aber Malcolm verfällt in Schweigen. Er sieht traurig aus, und Jo muss daran denken, wie oft sie sich Sorgen um ihn macht. Ruths Worte verklingen, und beide Frauen sehen ihn an, während er an einem Bierfilz auf dem Tisch herumfummelt.

Er sieht auf und sie beide der Reihe nach an, dann sagt er: »Darf ich euch eine Frage stellen?«

»Nur zu«, ermutigt ihn Ruth, und Jo nickt.

»Glaubt ihr an Geister?«

»Was, abgesehen vom Heiligen Geist?«, fragt Ruth, und Malcolm schenkt ihr ein schwaches Lächeln.

»Ich denke nicht«, antwortet Ruth ernsthafter. Und dann stellt sie die Frage, die auch Jo sofort in den Sinn gekommen ist. »Glaubst du etwa an Geister, Malcolm?«

Er starrt Ruth für einige Augenblicke an, dann klopft er mit beiden Händen auf den Tisch. »Ich glaube, es ist nur fair, wenn ich dir und Joanne etwas mehr davon erzähle, wie ich auf die Idee zu meinem Buch gekommen bin.« Er sieht über ihre Köpfe hinweg zu einem unbestimmten Punkt an der Wand.

Ruth und Jo werfen sich einen Blick zu und warten schweigend ab. Jo erinnert sich an den Moment, als Malcolm ihnen zum ersten Mal von seinem Buch erzählt hat, und wie schwer es ihm gefallen ist, ihnen zu erzählen, was ihn auf die Idee gebracht hat.

»Manchmal komme ich mir wie ein dummer alter Mann vor«, beginnt Malcolm und schüttelt den Kopf. »Meine Mutter war eine wunderbare Frau, und wir standen uns sehr nahe, besonders nachdem mein Vater und mein Bruder gestorben sind. Sie hat mich wie niemand sonst verstanden.« Er macht eine Pause. »Nun ja, abgesehen von noch einer sehr geschätzten Person.« Er hört auf zu reden, und Jo fragt sich, ob sie etwas sagen sollte, aber nach ein paar Sekunden nimmt Malcolm den Faden wieder auf. »Ja, sie war eine wirklich außergewöhnliche Frau, und ich konnte ihr nie das Wasser reichen. Meine Güte, wenn ich mir vorstelle, was sie mit ihrem Leben angestellt hat. Und was habe ich erreicht?« Malcolm breitet die leeren Hände aus.

Gerade möchte Jo etwas sagen, um ihm gut zuzusprechen, da wendet er sich an Ruth. »Reverend Ruth, du hast einmal gesagt, Zeit heilt nicht alle Wunden. Meine Liebe, da hast du recht.« Nachdrücklich nickt er. »Es muss jetzt ungefähr zwei Jahre her sein, als es mir, nun ja, erschien, als sei das Leben ohne meine Mutter kaum noch lebenswert. Und, ich weiß, ich weiß, dass ich damit hätte zurechtkommen müssen. Das ist der natürliche Lauf der Dinge, sie war eine sehr alte Frau, als sie starb, aber ich habe sie so fürchterlich vermisst.«

Jo sieht ihm wieder die tiefe Trauer an, wie schon an dem Abend, als sie ihn dabei beobachtet hat, wie er die Fotos seiner Mutter auf dem Beistelltisch betrachtete.

»Ich komme mir sehr albern vor, euch das zu gestehen …«

Ruth greift über den Tisch und streicht Malcolm über die Hand. »Es ist nichts albern daran, einen anderen Menschen zu lieben und zu vermissen«, sagt sie zärtlich.

Er seufzt und fährt fort. »Ich habe versucht, mir einzureden, dass ich ihren Verlust überwunden haben sollte, aber das Einzige, das ich fühlte, war verzweifelte Einsamkeit. Es war noch schlimmer als nach dem Tod meines Vaters und meines Bruders, und dafür habe ich mich dann sehr schuldig gefühlt, denn die beiden starben so jung, und sie hat ein so langes, erfülltes Leben geführt. Aber sie hat mir schrecklich gefehlt. Ich habe versucht, mich mit meiner Recherche über den Highgate Cemetery abzulenken, aber …« Wieder hält er ihnen die leeren Hände entgegen.

»Und die Geister?«, fragt Ruth, und Jo fällt wieder ein, wo dieses Gespräch seinen Anfang genommen hat: bei Malcolms Frage *Glaubt ihr an Geister?*.

»Ah, die Geister oder vielmehr ein Geist.« Plötzlich wird Malcolms Tonfall ernst. »Also, ich möchte absolut nicht behaupten, dass ich einen Geist gesehen habe, aber ich komme nicht umhin zu glauben, dass es da einen Moment gab, in dem meine Mutter … mit mir Kontakt aufgenommen hat. Ihr werdet mich jetzt erst recht für einen schwachsinnigen, senilen alten Mann halten.«

Jo tut das ganz sicher nicht. »Was ist passiert?«, fragt sie.

»Ich war auf dem Friedhof. Es war im letzten Winter an einem kalten Nachmittag, der zu einer eisigen Nacht wurde.« Malcolm sieht aus einem der Fenster im Pub, hinter dem es nun dunkel ist, bis auf die Straßenlaternen, die aussehen, wie diffuse Kugeln im Nebel, die jenseits der Scheiben schweben. »Ich saß in einer ruhigen Ecke des Friedhofs. Dort saß ich oft und habe über mein Leben nachgedacht. Aber an jenem Abend hat sich mir ein Gefühl der tiefen Verzweiflung ums Herz gelegt. Ich habe mich hinter ein großes Grabmal geschlichen, damit mich niemand sehen konnte, und mich auf den kalten Boden gesetzt, mich vor der Welt versteckt.« Malcolm schüttelt ganz leicht den Kopf und versucht zu lächeln. »Ich habe mich fast mein ganzes Leben vor der Welt versteckt. War ein Mann in Grau.«

Jo fallen die mit Vögeln bestickten Pantoffeln in Lila und Orange ein.

Malcolm redet weiter. »Ich habe keinen Grund mehr gesehen, um weiterzumachen. Es war keine große Entscheidung, eigentlich hat es kaum einen Unterschied gemacht, aber ich habe mir gedacht, wenn ich einfach nur lange genug da sitzen bleibe, wird die Kälte und die Nacht mich schon holen.«

Ruth greift wieder nach Malcolms Hand. »Das verstehe ich, Malcolm. Die Leute denken oft, Selbstmord ist eine massive Entscheidung, und das ist es auch in gewisser Weise. Aber wenn man so verzweifelt ist, kann es einem so nebensächlich vorkommen, wie die Entscheidung einkaufen zu gehen.

»Ja, genau«, bestätigt Malcolm nachdrücklich, und Jo wird klar, wie viel diese vogelgleiche Frau neben ihr in ihrem Leben wohl schon erlebt haben muss. Und auch wie typisch es für ihre neue Freundin ist, die Sache beim Namen zu nennen: einen Selbstmordversuch.

»Was ist dann passiert, Malcolm?«, fragt Jo und greift nach seiner anderen Hand.

»Nun ja, da saß ich also. Ich habe sogar meinen Mantel ausgezogen, damit es schneller geht. Die Kirchturmuhr hat eins geschlagen und dann vier. Wahrscheinlich bin ich eingeschlafen. Mittlerweile war ich vollkommen ausgefroren, habe mich taub und schwindelig gefühlt. Besonders erinnere ich mich an die Stille. Ich habe mich von der Stadt jenseits der Friedhofsmauern abgeschnitten gefühlt und nicht mehr wirklich als Teil vom Leben. Ich dachte, jetzt kann es nicht mehr lange dauern, und wenn ich noch einmal einschlafe, wache ich nicht mehr auf.« Als Jo nach

Luft schnappt, drückt er ihre Hand. »Da kam auf einmal ein Fuchs um einen der Grabsteine neben mir. Er hat angehalten und einfach dagestanden und mich angestarrt.«

Ah, die Füchse. Jo erinnert sich daran, dass Malcolm sie betont hat, als er ihnen die Weihnachtsgeschichte der Tiere erzählt hat.

»Ich weiß nicht, wie lange wir uns angesehen haben. In der Dunkelheit habe ich ihn kaum ausmachen können, aber ich habe das rote Fell erkannt und, oh, diese hellen Augen. Da ist sie mir wieder eingefallen, die Geschichte, die meine Mutter mir einst erzählt hatte …«

Jo fällt auf, dass Malcolm Tränen in den Augen hat.

»Es war kurz vor Weihnachten, ich weiß nicht mehr wann genau, aber ich habe gedacht, wenn heute Heiligabend wäre, hätte er vielleicht mit mir gesprochen. Und ich weiß, es klingt albern, aber in dem Moment wusste ich, was der Fuchs gesagt hätte.«

Die beiden Frauen neben ihm nicken ihm aufmunternd zu. Eine Träne läuft seine lange Nase hinunter.

»Er hätte gesagt: ›Malcolm, du musst nur einen Fuß vor den anderen setzen, dann wird es wieder besser. Aber vielleicht kannst du dir selbst etwas helfen, indem du dir ein wirklich gutes Hobby suchst.‹« Malcolm gibt ein schluchzendes Lachen von sich. »Meine Mutter hat mich immer ermutigt, mehr Interessen nachzugehen.«

Jo möchte etwas sagen, aber Malcolm unterbricht sie. »Es kam mir so vor, als sei der Fuchs gekommen, um mich zu ermutigen, mir zu sagen, was meine Mutter immer zu mir gesagt hat. Dass ich, Malcolm Buswell, genug bin.«

Jo merkt, dass ihr nun die Tränen in die Augen steigen.

»Als der Fuchs sich umgedreht und davongemacht hat,

ist mir klar geworden, was ich mit all meinen Nachforschungen anstellen sollte. Und so ist mir die Idee der geisterhaften Begegnungen an Heiligabend für das Buch gekommen.«

»Also, ich bezweifle keine Sekunde, dass Eve dich aufgesucht hat, um dich zu ermutigen und dir ins Gewissen zu reden«, sagt Ruth, lässt Malcolms Hand los und greift zu ihrem Glühwein.

»Glaubst du das wirklich?«, fragt Malcolm und klingt ungläubig und hoffnungsvoll zugleich.

Auch Jo greift zu ihrem Glas. »Natürlich«, sagt sie. Und davon ist sie wirklich überzeugt. Zur Abwechslung ist sie sehr froh darüber, dass James nicht an ihrer Seite ist. Er würde all das hier auseinandernehmen und sich darüber lustig machen. Aber für Jo ergibt das (wenn auch unerklärlich) sehr viel Sinn.

Malcolm lächelt die beiden an, und eine weitere Träne läuft ihm über die Wange.

»Taschentuch!«, ruft Ruth aus und kramt in ihrer Tasche.

Als Malcolm das Taschentuch von ihr akzeptiert, fügt er hinzu: »Ich hatte niemanden, mit dem ich das teilen konnte, und wenn ich ehrlich bin, bin ich mit dem Buch so wenig vorangekommen, dass ich mir manchmal gedacht habe …«

»Dauerhaft auf den Friedhof zurückzukehren?«, schlägt Ruth vor, und Malcolm muss lachen.

Der Klang freut Jo.

»Nun ja, es gab solche Momente. Aber seit ich beinahe vom Bus überfahren worden wäre und ich euch zwei lieben Menschen begegnet bin …«

Da ist es wieder. *Liebe*.

Malcolm steckt das Taschentuch weg und greift wieder nach Jos und Ruths Händen. »… das hat alles verändert. Ihr gebt mir das Gefühl, dass ich etwas mit meinem Leben anstellen sollte. Dass ich mutiger sein sollte. Ich kann euch nicht genug danken für das, was ich hoffe *unsere Freundschaft* nennen zu dürfen.«

Jo greift über den Tisch und legt ihre freie Hand auf Ruths. Und verbindet die drei so an diesem kleinen Tisch im Pub miteinander. »Freundschaft« ist genau das richtige Wort dafür. Sie weiß, dass sie in der Vergangenheit ihre Freundschaften nicht genug zu schätzen wusste, und sie verspricht ihren neuen, *lieben* Freunden im Stillen, dass sie das nicht noch einmal tun wird.

24

Die Stille der Stadt, wenn sie innehält

»Wer möchte jetzt noch einen Glühwein?« Ruth ist schon auf den Beinen, um die Gläser einzusammeln.

»Lass dir von mir helfen«, sagt Malcolm und erhebt sich halb.

»Nein, du bleibst hier und leistest Jo Gesellschaft, ich brauche nur eine Minute.«

Als sie allein mit Malcolm am Tisch sitzt, bemerkt Jo, dass er entspannter, aber erschöpft aussieht. Er will etwas sagen, hält dann aber inne.

»Ja, Malcolm?«, hakt sie nach.

Er blickt über die Schulter und lehnt sich dann auf seinem Stuhl nach vorn. »Ich war mir nicht sicher, ob ich das Thema ansprechen sollte, aber ich fürchte, die Neugier hat mich übermannt. Und ich mache mir wirklich Sorgen um sie. Hat Reverend Ruth dir jemals erzählt, was sie dazu gebracht hat, zur flüchtigen Vikarin zu werden?«

Jo schüttelt den Kopf. »Kein einziges Wort. Sie hat mir gesagt, dass ihr Bischof weiß, dass es ihr gut geht, aber ich glaube nicht, dass er weiß, dass sie in London ist.«

»Ah.« Malcolm lehnt sich zurück, die Fingerspitzen vor sich aneinandergelegt.

»Meinst du, wir sollten sie fragen?«, überlegt Jo.

»Mich was fragen?« Ruth ist wieder am Tisch und hat drei dampfende Gläser dabei.

»Mich was fragen?«, wiederholt Ruth und setzt die Getränke ab.

Jo denkt, dass sie und Malcolm wie Kinder aussehen müssen, die beim Stehlen von Pralinen unter dem Weihnachtsbaum erwischt wurden, und beschließt, den Stier, oder besser gesagt die flüchtige Vikarin bei den Hörnern zu packen. »Ruth, wir wollen nicht, dass du denkst, wir hätten hinter deinem Rücken über dich geredet.« Auch wenn sie genau das getan haben. »Aber Malcolm und ich wollten dich fragen, warum du davongelaufen bist.« Besorgt, dass sie etwas zu direkt gewesen ist, fügt sie hinzu: »Ich hoffe, du denkst nicht, dass wir neugierig sind, und wenn du es uns nicht sagen willst, dann ist das auch in Ordnung, wir verstehen das natürlich, es ist nur so, dass wir …« Und jetzt wünscht sie sich, sie hätte schon vor einiger Zeit aufgehört zu reden.

Malcolm greift ihr unter die Arme. »Joanne und ich haben uns gefragt, ob wir irgendwie helfen können.«

»Ich glaube nicht, dass ihr das könnt.«

»Aahh.« Malcolm blickt auf seine Finger, die er auf dem Tisch verschränkt hat.

»Und das bin ich nicht«, sagt Ruth trotzig und setzt sich wieder.

Keiner sagt etwas. Jo möchte fragen: *Was bist du nicht?*, zögert aber, den Mund noch einmal zu öffnen, nachdem sie vorhin so viel geredet hat.

Wieder ist es Malcolm, der den Faden aufnimmt. »Was bist du nicht, meine Liebe?«

Ruth starrt sie jetzt an. Sie sieht ganz anders aus als die Frau, die Malcolm so beruhigend zugesprochen hat. »Ich bin nicht davongelaufen.«

»Oh, die Presse hat das also missverstanden«, platzt Jo erleichtert heraus. »Es war alles nur ein …« Aber sie kann nicht zu Ende reden, weil sie denkt, da muss doch etwas dran gewesen sein. Es kann nicht alles erfunden worden sein. Warum die Andeutungen, sich unauffällig zu verhalten? Und *warum* die Perücke?

»Ein Sturm im Wasserglas?«, bietet Malcolm an und pustet über den Rand seines Glühweins.

Ruth sieht sie störrisch an. »Ich bin nicht davongelaufen. Das ist alles.«

Jo kann sich nicht helfen. »Aber die Zeitungen? Das ›Verließ das Haus mit einer halb gegessenen Mahlzeit‹? Keiner weiß, wo du bist?« Sie will Ruth nicht verärgern, aber sie will es wissen. Und nachdem sie die Erleichterung auf Malcolms Gesicht gesehen hat, kann sie sich des Eindrucks nicht erwehren, dass Ruth sich auch besser fühlen würde, wenn sie ihnen ihre Geschichte anvertrauen würde. Also fragt sie weiter: »War nichts davon wahr?«

Ruth schnieft. »Einiges schon. Aber ich bin nicht davongelaufen«, wiederholt sie. Dann schaut sie in ihr Glühweinglas und sagt mürrisch: »Ich bin einfach nicht wieder zurückgegangen.«

Jetzt ist Jo völlig verwirrt. Ruth ist also gegangen, aus irgendeinem Grund, und was dann?

Es ist Malcolm, der eine Art Gedankensprung gemacht zu haben scheint. Er beugt sich zu Ruth. »Ah, zurückzukehren, den Willen dazu aufzubringen, das ist ein viel schwierigeres Unterfangen.«

Jo denkt plötzlich an Onkel Wilbur. Vielleicht war auch er nicht davongelaufen als junger Mann. Er hatte sein Zuhause verlassen, um zum Militär zu gehen. Aber dann?

War es ihm vielleicht einfach unmöglich gewesen, zu einer Bauernfamilie zurückzukehren, von der er glaubte, sie enttäuscht zu haben?

Ruth blickt ein wenig verlegen auf, der Hauch eines Lächelns kehrt zurück. »Vielleicht habe ich es mit der Perücke etwas übertrieben.«

»Ruth, du brauchst es uns nicht zu sagen, aber bist du immer noch, ich weiß nicht … heimlich hier?«, fragt Jo.

»Die Presse war sehr hartnäckig. Sie haben jeden angerufen und versucht, alles über mich herauszufinden, was sie konnten.« Ruths Gesichtsausdruck wirkt jetzt gestresst. »Ich habe einfach ein wenig Zeit und Raum zum Nachdenken gebraucht.«

Malcolm nickt verständnisvoll.

»Ich habe die Stille der Sterne und der See gekannt, und die Stille der Stadt, wenn sie innehält«, zitiert Jo und erinnert sich an das, was Ruth einmal mit einem ihrer Füllfederhalter geschrieben hat. Das Stück Papier hängt jetzt an der Pinnwand neben der Zeichnung eines Wikingers mit übergroßer Brille.

Jo findet die Worte immer noch faszinierend und ziemlich ergreifend. Sie erinnern sie auch an die Stille auf dem Highgate Cemetery.

Vielleicht geht es den dreien wie den Geistern, die sich am Weihnachtsabend treffen, sie suchen nach einem Weg. Neue Freunde, die einen Weg finden müssen, sich besser kennenzulernen, durch Gespräche und durch Stille. Und Jo spürt, dass das, was Ruth jetzt braucht, von ihr und von Malcolm, Stille ist.

Liebe Lucy,
ich habe den heutigen Tag auf einem Friedhof (und in einem Pub) mit einer flüchtigen Vikarin und einem pensionierten Steuerberater namens Malcolm verbracht, aber das wird den beiden wirklich nicht gerecht. Malcolm hat eine wunderschöne Handschrift – oh, und der Polizist jetzt auch. Na ja, vielleicht nicht so schön wie die von Malcolm, aber er hat mir etwas für meine Pinnwand geschrieben (die möchte ich dir unbedingt zeigen), und seine Schrift ist sehr elegant. Es ist ein Limerick über einen Polizisten und extrem derb, aber so schön geschrieben!
Mein Lieblingskunde letzte Woche war ein Mann namens Barnaby Postlethwaite. Er ist Besitzer von mehr als vierzig Füllfederhaltern und erzählte mir, dass er seine neuen Füller vor seiner Frau versteckt, so wie sie ihre neuen Schuhe vor ihm. Er hat mir gute Tipps in Bezug auf Tinte gegeben, und jetzt habe ich ein Regal mit verschieden geformten Glasflaschen, die Tinte in allen Farben enthalten. Es gibt Zinnoberrot, Zitrone, Grünspan, Scharlachrot, Sepia und ein Türkis, das mich an das Meer erinnert, in dem wir einmal in Kroatien geschwommen sind. Erinnerst du dich?
Barnaby sagt, dass er immer mit lila Tinte schreibt, weil er das für eine royale Farbe hält und er in einem anderen Leben lieber »von königlicher Abstammung« gewesen wäre als ein Sohn eines Schweißers aus Huddersfield.
Seid umarmt, in Liebe
deine Jo x

Jo versiegelt den Brief und schiebt ihre Füße weiter unter die Wärmflasche. Sie liegt aufgestützt im Bett, und ihr ist wunderbar warm. Sie fragt sich, was Lucy von ihren Andeutungen, sie bald wiederzusehen, halten wird. Sie ist sich nicht sicher, warum sie Lucy nicht einfach bittet herzukommen (oder sie selbst besuchen fährt), aber sie hat immer noch das Gefühl, dass sie sich ihrer besten Freundin erst wieder annähern muss. *(Ein Platz für alles, und alles an seinem Platz.)*

Jo rechnet nicht damit, einen Brief von Lucy zurückzubekommen, schreiben war nie ihr Ding, aber in ihren Textnachrichten bezieht sich Lucy oft auf die Geschichten der Leute aus dem Laden. In ihrer letzten Nachricht hat sie auch Finn erwähnt. Es klang nicht so, als hätte Finn etwas »ausgeplaudert«, nur, dass es ihm gut geht, dass er verliebt ist und er seinen kurzen Besuch in London und die Begegnung mit Jo genossen hat. Jo findet es typisch für Finn (und Männer im Allgemeinen), dass er bei all den Dingen, über die sie sich unterhalten haben, nicht daran gedacht hat, seine neue Freundin zu erwähnen. Oder war er vielleicht wegen ihrer Affäre etwas verlegen?

Ihre Gedanken schweifen zurück zu Malcolm. Sie hofft, dass sie und Ruth ihm in irgendeiner Weise haben helfen können. Und sie wünscht sich, dass sie und Malcolm das Gleiche für Ruth tun können.

Reverend Ruth ist also nicht davongelaufen. Glaubt ihr Jo das wirklich? Offen gestanden, nein. Aber vielleicht hat die Aussicht, in ihre Gemeinde zurückzukehren, eine größere Dimension angenommen als ein Ausflug mit der *Mary Celeste*. Und was war es, das sie nicht ertragen konnte? Das Blut, die Kacke und das Erbrochene? Nein, das waren Dinge, die Ruth einfach so hinnahm. Sogar die Tragödien, denen sie begegnete, waren ein akzeptierter Teil ihres Lebens.

Also vielleicht ihre Gemeinde? Natürlich nicht alle Mitglieder. Ruth hat deutlich gemacht, dass viele Menschen ihr geholfen haben, und hat sie nicht gesagt, dass es ihr Spaß gemacht hätte, Menschen zu besuchen? Sie hatte klargestellt, das sei das, was ihr am besten gefiel. Also nein, nicht alle, nur Leute wie Mr. Will-kill-soon.

Vielleicht lag es daran, dass die Leute sie anders behandelten, weil sie eine Pfarrerin war? Hatten die Leute nicht das Gefühl, dass es die Aufgabe eines Pfarrers sei, zu allen nett zu sein und sich alles gefallen zu lassen? Jo mag nicht der gleichen Meinung sein, aber sie ist sich bewusst, dass auch sie von Ruth erwartet, sich für ihre Probleme zu interessieren. Auch wenn sie sich zurückgehalten hat, ihre Probleme bei ihr abzuladen, ist sie nicht immer etwas verunsichert, wenn sie mit Ruth spricht? Sie atmet schläfrig ein und denkt an das Gespräch im Pub. Nun, vielleicht hat sich das geändert. Jo würde gerne sehen, wo Ruth herkommt, ihre Gemeinde besuchen und mit den Leuten sprechen, die sie dort kannten, und vor allem ihre Kaplanin Angela kennenlernen.

Und Malcolm? Jo erinnert sich an diesen Blick auf dem Friedhof. Was war zwischen Ruth und Malcolm vorgefallen? Die Anerkennung für etwas Geheimes? Jo denkt an das Paar bunter, bestickter Hausschuhe. Sie sind so anders als alles, was Malcolm sonst trägt.

Diese Überlegungen führen sie nicht weiter. Stattdessen denkt sie daran, wie sie zu dritt im Pub saßen, über Geister redeten, und lächelt in die Dunkelheit.

Ein ungleiches Trio: Eine Gläubige, ein Ungläubiger und … was ist sie? Sie glaubt nicht an Gott, das weiß sie. Aber andererseits glaubt sie, dass es mehr im Leben gibt als das, was man begreifen kann. Und sie glaubt daran, dass, wenn man an Freunde denkt, die in Schwierigkeiten stecken, und ihnen von ganzem Herzen alles Gute wünscht, das irgendwie auch etwas Gutes bewirken kann. Es ist nicht wie beten, aber so etwas macht man doch auch nicht, wen man glaubt, dass es da draußen sonst gar nichts gibt. Und es fällt ihr nicht schwer zu glauben, dass der Fuchs gerade dann zu Malcolm gekommen ist, als er ihn so dringend brauchte.

Eine Gläubige, ein Ungläubiger und sie, Durchschnitts-Jo, irgendwo dazwischen.

Jo denkt an Malcolms Mutter Eve, die wollte, dass ihre Asche auf dem Heath bei den Badeteichen verstreut wird. Eine außergewöhnliche Frau. Malcolms Selbsteinschätzung fällt ihr ein. *Ich bin kein mutiger Mann.* Sie fragt sich, ob einer der Geister mutig genug wäre, an Heiligabend dort baden zu gehen.

Ihr Telefon klingelt. Es ist eine Nachricht von Ruth.

Ich habe über Malcolms Mutter nachgedacht, und ich bin mir sicher, dass sie um diese Jahreszeit gestorben ist. Vielleicht sollten wir in Gedenken an sie in den Badeteichen in Hampstead Heath schwimmen gehen. Was hältst du davon?

Das ist einfach nur unheimlich. Vielleicht ist Ruth gar keine Vikarin, sondern eine Hexe.

Jo schläft ein, bevor sie dazu kommt, zu antworten, ihr

Telefon liegt verlassen auf der Bettdecke neben dem Brief an Lucy. Jo träumt davon, dass sie an einem Rugbyspiel teilnimmt, bei dem alle Spieler als Pfarrer, Hexe oder Wikinger verkleidet sind.

25

Der Atem kommt langsam

»Manchmal bekomme ich ihn einfach nicht zum Schreiben.«

Der junge Polizist ist zurück. Er ist inzwischen der stolze Besitzer eines Füllers (und seine Eltern sind die erstaunten Empfänger von zwei handgeschriebenen Briefen). Aber er hat Probleme.

Im Stillen ist Jo nicht überrascht. Es gibt einen triftigen Grund, warum Kugelschreiber erfunden wurden. Sie machen weniger Schwierigkeiten. Aber sie möchte trotzdem nicht lieber damit schreiben. Seit sie sich um den Laden ihres Onkels kümmert, hat sie sich noch mehr in Federhalter verliebt. Aber trotz allem muss sie zugeben, dass Füller ihre Tücken haben. »Wenn Sie gerade anfangen, damit zu schreiben?«, fragt sie nach.

Er nickt, und seine dunklen Locken schwingen.

»Vielleicht ist die Tinte an der Feder etwas eingetrocknet.« Ihr fällt auf, wie besorgt er dreinblickt. »Das kann man leicht beheben«, versichert sie ihm, »ich habe immer ein Wasserglas auf dem Schreibtisch. Man muss nur die Spitze der Feder eintauchen, und dann geht er wieder.«

»Ich nutze dafür meinen Tee«, kommentiert eine etwa zwanzig Jahre alte Frau. Sie steht neben Jo und dem Polizisten und sieht sich die Weihnachtskarten an, die Jo für einen Wohltätigkeitsverein aus der Nachbarschaft verkauft. Jo ist von der Unterbrechung nicht überrascht. Ihr ist aufgefallen, dass Schreibwarenliebhaber allgemein sehr hilfsbereite Leute sind.

»Das könnte ich auch machen.« Der Polizist klingt erleichtert. »Ich habe immer einen frischen Tee.«

Als er den Laden verlässt, betreten zwei neue Kundinnen den Laden, eine Mutter mit ihrer Tochter. Jo erkennt die beiden von einem früheren Besuch wieder. Auch sie sind Schreibwarenliebhaberinnen. Es hat sich herumgesprochen, dass ein kleiner Laden in einer Seitenstraße in Nordlondon eine große Auswahl an außergewöhnlichen Schreibwaren anbietet. Jo ist voller Stolz, dass ihre Mühe einen Unterschied für das Geschäft macht. Sie wünscht sich, sie könnte es Onkel Wilbur erzählen, aber bei ihrem letzten Telefonat hatte er Schwierigkeiten damit gehabt, zu verstehen, wo sie sich aufhielt. Dennoch wundert sie sich, dass es ihr hier in seinem Laden gelungen ist, einen Neuanfang zu machen.

Die ungeübte Kinderwagenfahrerin ist auch wiedergekommen. Dieses Mal hat sie ihre wertvolle Ladung gekonnt durch die Gänge manövriert. Als Jo in den Kinderwagen gesehen hat, war das Baby wach und studierte sie aus einem Paar hellblauer Augen aufmerksam. Jo hätte es gerne auf den Arm genommen und diesen betörenden Babygeruch eingeatmet, wollte aber nicht fragen.

Weil das Geschäft so gut läuft, konnte Jo ihr Sortiment um ein paar Schätze erweitern: eine Reihe von traditionellen, schweren Federhaltern in großartigen Farben; Terrakottatöpfe voller Buntstifte (die aussehen, als ob sie aus den Töpfen herauswachsen würden); weiche Lederetuis, perfekt für Füller; und buntes Löschpapier für Löschwippen mit Chromgriffen, die man über frisch geschriebene Worte rollen kann, damit sie nicht verwischen.

Als sie die Löschwippen entdeckt hatte, musste Jo an Karamellkonfekt-Clare denken und an die verschmierten Worte »Liebe Gianna«. Ein paarmal hat sie Clare gesehen, wie sie schnell am Laden vorbeigeilt ist. Sie hatte noch keine Gelegenheit, ihr die Löschwippen zu zeigen, da Clare offenbar unwillig oder zu beschäftigt ist, um hereinzukommen. Aber Clare winkt und lächelt ihr immer zu, obwohl Jo den Eindruck hat, dass ihr etwas unangenehm ist.

Es ist kurz vor Ladenschluss, als Eric der Wikinger hereinkommt und es im Laden endlich ruhiger wird. Jo ist seine Anwesenheit so bewusst, dass es ihr vorkommt, als sei eine laute Horde über die Schwelle gestiegen.

»Wie war dein Tag?«, fragt Eric und zieht den Hocker vor wie ein Stammgast im Pub, der seinen Lieblingsplatz einnimmt.

»Gut«, antwortet Jo. Mit einer Mischung aus Überraschung und Freude stellt sie fest, dass sie zur Abwechslung die Wahrheit sagt. Sie hat sich so daran gewöhnt, ihrer Mutter am Telefon zu erzählen, dass alles in Ordnung ist, dass es ihr seltsam vorkommt, ausnahmsweise nicht lügen zu müssen.

»Und deiner?«, fragt Jo.

Eric sieht nachdenklich aus. »Habe heute einen interessanten Fall von Doppeltsehen gehabt. Das will man nicht jeden Tag erleben, weil das auf einen Hirntumor hindeuten kann.«

»O Gott!« Jo fragt sich, ob sie jetzt jedes Mal an Reverend Ruth denken muss, wenn sie dieses Wort sagt. »Ist alles in Ordnung?«

»Jap. Letztendlich schon. Ich habe es geschafft, den Augenarzt im Krankenhaus zu erreichen, und als ich erklärt habe, dass es sich um plötzliche Diplopie handelt, konnten sie ihm gleich einen Termin geben.« Er fährt sich mit der Hand durch die Haare. »Manchmal hat man Glück, und das fühlt sich dann hervorragend an.«

»Und?«

»Der Typ ist gerade noch mal im Laden gewesen mit einer Augenklappe. Kein Gehirntumor.«

»Weiß man schon, was er hat?«

»Bisher nicht, aber er hat direkt einen Folgetermin bekommen.« Eric sieht sie einen Moment lang an. »Schau nicht so besorgt, Jo, ich habe ein paar junge Frauen beobachtet, wie sie ihn mit seiner Augenklappe ausgecheckt haben, als er aus dem Laden gegangen ist. Könnte gut sein, dass Dwayne die Augenklappe auch noch trägt, wenn sein Auge wieder gesund ist. Erzähl mir mehr von deinem Tag.«

Bevor Jo ihm antworten kann, lehnt Eric sich vor und sagt: »Woah! Neue Füller. Cool. Kann ich einen ausprobieren?«

Jo nimmt einen ihrer neuen Stifte aus der Vitrine, einen scharlachroten mit einem Clip aus Chrom in der Form einer Schreibfeder, und gibt ihn Eric. Statt über ihren eigenen Tag nachzudenken, wird ihr durch Erics Kommentar zu Dwayne klar, was Eric wohl in der Arbeit alles erleben muss. Offensichtlich geht es nicht nur um Brillen und Kontaktlinsen, sicher musste er auch manchmal Kunden sagen, dass sie ihr Augenlicht verlieren könnten.

Eric dreht den Zettel um, damit sie lesen kann, was er geschrieben hat:

Das Schreibwaren-Girl hatte einen guten Tag.

Jo muss lachen und erzählt Eric, dass der Laden nun immer mehr Schreibwarenliebhaber anzieht. Nach einer Weile unterbricht Eric sie. »Warte, soll ich uns einen Kaffee holen? Das Café hat vielleicht noch offen.«

»Nein, kein Stress, ich mach uns welchen.« Jo sieht zu ihrem Streifen Himmel rauf. Er ist bleigrau, und das Licht der Straßenlaternen leuchtet dagegen orange. Es ist nach Ladenschluss, aber sie will nicht zusperren, aus Angst, Eric würde auffallen, wie spät es ist, und gehen. »Oder kann ich dir ein Glas Wein anbieten?«, schlägt sie vorsichtig vor. »Ich habe einen Roten offen.«

»Schade, ich trinke nicht an Tagen, die ein ›N‹ im Namen haben«, sagt Eric traurig.

»Oh … kein Problem. Dann mache ich uns einen Kaffee.«

Eric lacht sein Walrosslachen. »Jedes Mal. Du machst es mir zu leicht, Schreibwaren-Girl. Ein Glas Wein wäre super.«

Jo boxt Eric gegen den Oberarm, als sie sich auf den Weg in den hinteren Teil des Ladens macht. Dann bereut sie es. Es ist, als würde man gegen einen Felsen schlagen.

Als sie mit zwei Gläsern zurückkommt, blättert Eric durch das Notizbuch über William Foyle, das sie auf dem Tresen liegen gelassen hat. »Ich hoffe, das stört dich nicht?«, fragt er und sieht auf. Jo schüttelt den Kopf. »Mir gefällt nur die Handschrift von diesem Typen so gut. Um wen geht es in diesem Heft?« Er gibt Jo das Notizbuch im Tausch gegen ein Glas Wein zurück.

»Um William Foyle, den Gründer der Buchhandlung Foyles.«

»Wann war das?«

Jo schlägt das Notizbuch auf. »Also, er ist 1885 geboren.«

»Hat Lobb, der Typ von den Schuhen, da noch gelebt?«, will Eric wissen.

Jo freut sich, weil Eric sich noch an ihr Gespräch über John Lobb erinnert.

»William Foyle war etwa zehn Jahre alt, als John Lobb starb, also sind sie einander vermutlich nie begegnet. Vielleicht ist William mal an Lobbs Laden vorbeigelaufen. Aber ich weiß nicht, ob er ein Paar Schuhe von Lobb besessen hat.« Bei dem Gedanken fällt Jo etwas ein. Vielleicht könnte sie das herausfinden. Vielleicht liegen irgendwo in einem Lagerraum Leisten mit den genauen Maßen von William Foyles Füßen.

»Starr nicht so ins Leere. Ich will mehr über Will, den Büchermenschen, hören«, fordert Eric sie auf, bevor er einen Schluck Wein nimmt.

Jo nimmt auch einen Schluck und beginnt, Eric alles darüber zu erzählen, wie William dazu kam, seinen Buchladen zu gründen, und über sein Gespür für Werbung, einschließlich der Gestaltung von Werbespots, in denen er und sein Bruder Gilbert Bücher auf einem Tandem ausliefern.

»Wie war William so?«, fragt Eric und blickt vom Notizblock auf, auf dem er herumkritzelt.

»Klingt, als wäre er lustig gewesen. Es gibt eine Menge Geschichten über ihn.« Sie lächelt. »Einmal war er auf dem Weg zu einem Bücherverkauf in einem alten Gutshof, und im Zug saßen eine Menge anderer Buchhändler, die auch die Bücher dieser Bibliothek, die verkauft werden sollten, in die Finger bekommen wollten. Als der Zug in den Bahnhof einfuhr, haben sich die anderen alle Taxis geschnappt, sodass William zurückblieb. Dann winkte er ein vorbeifahrendes Auto heran, das sich als Leichenwagen entpuppte, und überredete den Fahrer, ihn mitzunehmen und Gas zu geben. Er kam vor den anderen zum Verkauf und kaufte die besten Bücher auf. Als die anderen das erfuhren, waren sie wütend. Vor allem, weil sie alle auf der Straße angehalten und ihre Hüte gezogen hatten, als der Leichenwagen vorbeiraste.«

Eric lacht. »Das ist ein tolles Projekt, Jo«, sagt er. »Wie bist du da hineingeraten?«

»Malcolm ist einer meiner Kunden. Er interessiert sich für lokale Geschichte und schreibt ein Buch. Ich und eine andere Kundin, Ruth, haben angeboten, ihm zu helfen.«

»Worum geht es in dem Buch?«

»Er hat sich bislang nicht ganz entschieden«, antwortet Jo zögerlich, »ich glaube, er ist gerade noch in der Recherchephase.« Es widerstrebt ihr, über Malcolms Idee zu sprechen, da er so zurückhaltend war, sie mit ihr zu teilen.

»Bitte sehr.« Eric reißt das oberste Blatt vom Block ab und reicht ihr die Zeichnung von zwei Männern, die auf einem Tandem fahren, das mit Büchern vollgestapelt ist.

»Danke«, sagt Jo, dreht sich um und hängt es an ihre Pinnwand, die nun aus einer bunten Mischung an Wörtern und Bildern besteht, die mehr als die Hälfte der Tafel ausfüllen. Alles erstreckt sich spiralförmig wie Papierblätter um einen zentralen Punkt, Onkel Wilburs kleinen quadratischen Kalender.

»Was schreiben die Leute am häufigsten?«, fragt Eric und studiert die Sammlung von Wörtern und Sätzen.

»Meistens ist es ihr Name, und dann streichen viele Leute ihn durch, weil sie meinen, sie sollten ihre Unterschrift nicht herumliegen lassen.« Jo lacht. »Als ob ich jemals etwas damit anstellen würde!«

Eric grinst. »Das musst du mir nicht sagen.«

Aus irgendeinem Grund freut sie sich nicht darüber, dass Eric der Wikinger sie für ehrlich hält, sondern sie macht sich Sorgen, dass er sie langweilig finden könnte. Durchschnitts-Jo.

»Was noch?«

»Was?«, fragt Jo kurz abgelenkt.

»Was schreiben die Leute noch?«, fragt Eric und schüttelt den Kopf über sie.

»Oh, alles Mögliche«, antwortet sie hastig, »manche schreiben, *Typograf Jakob zürnt schweißgequält vom öden Text*, weil es alle Buchstaben des Alphabets enthält.«

Eric nickt und beugt sich vor, um mit dem scharlachroten Füllfederhalter ein neues Bild anzufertigen.

Jo studiert seine Hand, während er zeichnet.

Sie kann nicht anders.

Dann zwingt sie sich, den Blick abzuwenden und auf die Pinnwand zu schauen. »Ich weiß nicht, was einige der Zeilen bedeuten, da manche Kunden in anderen Sprachen schreiben. Ich bin mir ziemlich sicher, dass da Russisch, Gälisch, Arabisch und Französisch dabei ist.«

Und es gibt auch etwas auf Italienisch, denkt sie, und wieder fallen ihr Clare und ihre italienische Brieffreundin ein. Dann redet sie schnell weiter. »Und manchmal schreiben die Leute, was sie denken, und sie teilen erstaunlich viel mit mir. Eine Frau hat geschrieben …« Sie durchforstet die Collage, um zu finden, was sie sucht. Sie entdeckt die Notiz versteckt unter einer Postkarte. Sie schien ihr zu persönlich, um sie offen zu zeigen. »... Sie hat geschrieben: *Ich glaube, ich sollte ihn verlassen, auch wenn es mir das Herz bricht.*«

Eric hört auf zu zeichnen und sieht überrascht auf. »Das ist wirklich heftig. Ich frage mich ...«, er hält inne.

»Warum sollte sie ihn verlassen?«, bietet Jo an.

Er nickt. »Selbst wenn ihr das ...«, sagt er leise.

» ... das Herz brechen würde«, vollendet Jo den Satz.

Sie starren sich an, und der Moment dehnt sich zwischen ihnen aus, bis Jo glaubt, dass einer von ihnen sich rühren müsste, um das körperlich greifbare Schweigen, das sie umhüllt, zu brechen. Dann, gerade als sie das Gefühl hat, etwas sagen zu müssen, sie etwas sagen *will*, senkt er den Blick und kehrt zu seiner Zeichnung zurück. Und sie fragt sich, was sie wohl gesagt hätte.

Nach einer weiteren Pause fährt Jo fort. »Ich wusste nicht, was ich zu der Frau sagen sollte. Also habe ich nichts gesagt.«

Genau wie jetzt.

Nur dass sie plötzlich weiterredet, um ein weiteres Schweigen zu vermeiden. »Manche Menschen wollen reden, aber ich hatte den Eindruck, dass sie das nicht wollte. Ich glaube, sie musste es einfach aufschreiben, es herauslassen.« Jo wirft einen Blick auf die Worte, die die Frau geschrieben hat, und fragt sich, was gerade zwischen ihr und dem Wikinger passiert ist.

Sie sieht Eric an, der den Kopf gesenkt hat und immer noch zeichnet. Seine Hand ist ihr zugeneigt, Daumen und Zeigefinger drücken gegen den Stift. Sie hört sich selbst sagen: »Es gibt auch Gedichte.« *Alles, um weiterzureden, um sich nicht mehr so verletzlich zu fühlen.* »Erinnerst du dich an das Schneegestöber neulich? Der Schnee ist nicht liegen geblieben, aber es war definitiv Schnee.« Sie kann nicht glauben, dass sie so tief gesunken ist, dass sie über das Wetter spricht.

Eric sieht auf, lehnt sich zurück und beobachtet sie. Die Zeichnung hat er vergessen. »Ja, Mrs Patmore war ziemlich aufgeregt.«

Jo zieht die Augenbrauen zusammen, unsicher, ob er sie wieder auf den Arm nimmt. Ausnahmsweise hofft sie, dass er es tut. Irgendwie spürt sie, dass ihr Gespräch abschweift zu … sie ist sich nicht sicher, wohin. Bei dem Gedanken an Schnee kommt ihr dünnes Eis in den Sinn.

»Also, was sind das für Gedichte?«, fragt Eric, der sie immer noch mustert.

Jo sucht nach den Gedichtzeilen an der Wand. Plötzlich wird ihr bewusst, dass sie einen Fehler gemacht hat. Eine falsche Abzweigung genommen hat.

Das ist kein Gedicht über das Wetter, *ach, was für ein gutes Thema.* Es gibt zwar ein paar Zeilen über Schnee, aber das ist nicht der Grund, warum ihr das Gedicht so gut gefällt.

Sie stellt sich das dünne Eis vor, das unter ihren Füßen knackt.

»Ich habe Gedichte nie wirklich verstanden, als wir sie in der Schule durchgenommen haben«, erzählt ihr Eric, »aber jetzt lese ich ziemlich viel Lyrik. Lach nicht, aber ich habe einen Gedichtband auf dem Nachtkasten liegen.«

Das Herz pocht ihr laut in den Ohren. Sie weiß, dass er von ihr erwarten wird, dass sie diese Gedichtzeilen vorliest. Sie sieht auf die Zeilen, und am Ende liest sie Eric dem Wikinger die Worte vor, einfach weil ihr keine gute Ausrede einfällt.

»*Düsteres Flüstern,*
der Atem kommt langsam.
Und draußen fällt der stille Schnee.«

Der Laden ist völlig still. Alles, woran Jo denken kann, ist, mit diesem Mann im Bett zu liegen, in einer Hütte, während draußen der Schnee fällt und sich ihr Atem und die geflüsterten Worte in der Dunkelheit vermischen. Seine Arme um sie, seine Hände auf ihrer Haut. Ihre Finger verschränkt mit seinen.

»Jo, kann ich dich etwas fragen?« Erics Stimme klingt nicht ganz wie seine eigene.

Sie bewegt sich nicht, sie wartet einfach. Sie weiß nicht, worauf sie wartet. Aber für sie steht die Zeit still.

Sie erinnert sich an eine Zeile aus dem Lieblingsgedicht ihres Vaters. *Die Zeit war dahin und woanders.*

»Ich … Ich wollte fragen …« Eine weitere Pause. »Du hast doch nichts gegen Clare, oder?«, fragt er schließlich.

»Nein, nein. Ganz und gar nicht. Nein!«, platzt es aus ihr heraus, und ihre Stimme klingt heiserer als sonst. Sie fühlt sich ertappt, töricht. *Bitte, Gott, könnte nur jemand in den Laden kommen*. Sie würde sich sogar freuen, wenn Malcolm blutüberströmt durch die Tür taumeln würde.

»Sie ist wirklich reizend. Ich glaube, du würdest sie mögen, wenn du sie kennenlernst.«

»Toll, toll. Ich bin sicher, sie ist großartig.« Jetzt scheint sie in einer Wiederholungsschleife stecken geblieben zu sein, die Angst pumpt ihre Worte heraus. »Ja, ja. Ich bin sicher, das würde ich. Ja, sie ist bestimmt großartig.«

Als jemand an das Schaufenster klopft, wirbelt Jo herum. Alles, um dieses Gespräch zu beenden. »Da ist Lando!«, ruft Jo, viel zu laut.

Lando hebt eine Hand zum Gruß und winkt Eric zu sich.

»Entschuldige, Jo. Ich habe die Zeit vergessen. Lando und ich gehen ins Pub.« Er reicht ihr die Zeichnung, auf der ein Mann verschiedene Buchstaben auf eine Tafel schreibt. »Hast du Lust mitzukommen?«

»Nein, nein, ist schon gut. Ich habe noch zu tun.« Und weil sie sich anscheinend nicht zurückhalten kann, wirft sie noch ein »Nein!« hinterher.

»Na gut«, sagt Eric und steht langsam auf, »danke für den Wein.« Er schiebt den Hocker wieder an den Tresen. »Jo …«

Sie wird vom »Ping« ihres Telefons gerettet. Sie greift danach, als wäre es eine Rettungsleine. Es ist Ruth, die noch einmal nachfragt, ob sie schwimmen gehen wollen. Jo fällt ein, dass sie gestern nicht mehr auf ihre Nachricht geantwortet hat.

»Da muss ich antworten«, murmelt Jo. Sie fragt sich, ob er die Erleichterung in ihrer Stimme hören kann.

Als die kaputte Glocke ihren blechernen Abschiedsgruß ertönen lässt, schreibt Jo zurück.

Ja, lass uns das machen.

Mit etwas Glück wird sie ertrinken.

26

Guter Rat von Malcolm Buswell

Sie verabredeten sich für nächsten Sonntag zum Schwimmen. Malcolm war von dem Vorschlag begeistert, dass sie das im Andenken an seine Mutter vorhatten, und behauptete, er sei untröstlich, dass er sie nicht begleiten konnte (die gemischten Teiche sind im Winter geschlossen). Er versicherte ihnen, das Wasser sei zwar eiskalt, aber es wirke *belebend*. Jo sah ihn skeptisch an, aber er lächelte sie so offen an, dass sie dachte, er bedauere es wirklich, nicht mit ihnen im Dezember in einem Teich im Park schwimmen zu können. Erst als er über ihren Vorschlag, einen Neoprenanzug zu tragen, schnaubte (Mutter hätte das nie getan!) und nur eingestand, dass seine Mutter gelegentlich eine Pudelmütze gegen die Kälte getragen hatte, kamen ihr Zweifel an seinem unschuldigen Lächeln. Da war ein Leuchten in seinen Augen, das sie zu sehr an Reverend Ruth erinnerte, und sie fragte sich, ob Malcolm anfing, sich einen gewissen schelmischen Humor von seiner neuen Freundin anzueignen.

In der Zwischenzeit war Jo damit beschäftigt, für Weihnachten zu dekorieren, und der ganze Laden ist nun mit funkelnden Lichterketten ausgestattet. Neben ihr im Fenster steht ein kleiner Weihnachtsbaum. Der Geruch des Nadelbaums mischt sich mit der Politur, die Jo für den Verkaufstresen verwendet. Die Zweige des Baums sind mit einer weiteren Lichterkette dekoriert. Außerdem hat sie bunte Gepäckanhänger daran befestigt, auf die ihre Kunden Weihnachtswünsche schreiben können. Wieder einmal, wie beim Testen der Füller, hat es sie überrascht, wie persönlich die Wünsche ihrer Kunden sind. Der bewegendste Wunsch kommt von einem Handwerker, der die Kanalisation am Ende der Seitenstraße repariert. Er hat Jo erzählt, dass die Krebserkrankung seiner Frau zurückgekehrt ist und er sich Sorgen macht, dass sie Weihnachten im Hospiz verbringen müsste. Er wünscht sich ein letztes Weihnachtsfest zu Hause mit seiner Frau und ihrer Tochter.

Von Lucy hat Jo seit ihrem letzten Brief nichts mehr gehört. Sie macht sich Sorgen. Üblicherweise würde sie nach ein paar Tagen mit einer Textnachricht rechnen. Jo hat ihr geschrieben und gefragt, ob alles in Ordnung ist, aber als Antwort kam nur ein angespanntes: *Ja, sorry, im Stress.*

Jo sieht auf ihr Handy und überlegt, ob sie noch einmal schreiben soll oder vielleicht sogar anrufen, da kommt Malcolm in den Laden.

»Guten Morgen, Joanne. Ich habe dir ein Geschenk mitgebracht«, begrüßt er sie gut gelaunt und reicht ihr eine orangefarbene Pudelmütze mit einem pinken Bommel.

Jo legt ihr Telefon weg und nimmt das Geschenk etwas skeptisch entgegen. »Danke, Malcolm, und du meinst, *die* hält mich warm?«

Er summt kurz fröhlich vor sich hin und hält dann inne. Er betrachtet sie genauer. »Joanne, du siehst besorgt aus.«

»Ach, ja?«

»Du musst wirklich nicht im Teich baden gehen, wenn du nicht möchtest«, sagt Malcolm besorgt.

»Oh, es liegt nicht am Teich«, versichert sie ihm.

Malcolm zieht einen der Hocker vor. »Verstehe.« Er zögert, als wüsste er nicht, wie er weitermachen sollte. Schließlich sagt er: »Kann ich etwas für dich tun? *Irgendwas?*«

Jo erinnert sich an das letzte Mal, als er ihr diese Frage gestellt hat. Damals hatte sie sich gewünscht, er könnte James dazu bringen, sie zu lieben. Wieder sieht sie zu ihrem Telefon. Sicher macht sie sich Sorgen um Lucy, aber sie muss zugeben, dass sie mittlerweile oft stundenlang überhaupt nicht mehr an James denken muss.

Als könne er ihren Gedanken folgen, fragt Malcolm: »Hat es etwas mit der vergangenen Beziehung zu tun, von der du mir erzählt hast, Joanne? James hieß er doch, nicht wahr?«

Jo streicht über den pinken, flauschigen Bommel der Mütze. »Nicht wirklich, Malcolm. Ich glaube tatsächlich, dass ich über ihn hinwegkomme.«

Und plötzlich erzählt sie Malcolm alles über ihre Zeit mit James. Wie es angefangen und wie sie sich auf ihn konzentriert hat, als Lucy das Land verlassen hatte. Dass sie glaubt, dass sie ihre Freunde vernachlässigt hat. Alles kommt nun aus ihr raus (nun ja, fast alles). Wie sie immer all das gemacht haben, was er wollte, wie sie es versucht hat, vermutlich zu viel, und wie sich alles geändert hat, als sein Vater starb. »Da hat er mich wirklich gebraucht. Das hat mich an unsere Anfangszeit erinnert, als wir noch stundenlang geredet haben.«

Oder hatten sie das überhaupt? War sie es nicht gewesen, die zugehört hat und ihre Unterstützung anbot, wenn James *ohne Ende* über sich selbst redete?

Sie erzählt Malcolm von Lucy. Davon, wie nah sie einander gestanden hatten, wie sehr sie sich darauf gefreut hat, dass sie zurückkam, und wie sie es irgendwie nicht geschafft hatten, ihre alte Nähe wiederzuerlangen. Und schließlich erzählt sie ihm von all den Gemeinheiten, die Lucy an ihrem letzten Abend über James zu sagen gehabt hatte.

»Ah, Lucy ist also der Grund für deine Sorge. Sehe ich das richtig?«, fragt Malcolm, der offensichtlich ganz genau zugehört hat, als Jo erzählte.

»Ja, das ist sie. Sie ist meine beste Freundin, und wir schaffen es einfach nicht ... ach, ich weiß nicht. Ich kann einfach nicht ... es ist einfach alles ...« Jo hat ebenso große Schwierigkeiten, die richtigen Worte zu finden, wie es ihr schwerfällt zu verstehen, was zwischen ihr und Lucy vorgefallen ist.

Malcolm sitzt ganz aufrecht auf dem Hocker und scheint die Pinnwand hinter ihr zu studieren. Er senkt den Blick, um Jo ins Gesicht zu sehen. Langsam sagt er: »Würde es dir etwas ausmachen, wenn ich dir etwas sage, Joanne?«

»Natürlich nicht«, erwidert Jo und wundert sich, was jetzt wohl kommt.

»Ich zögere, weil ich, wie du weißt, kein Mann bin, der leicht Freunde findet ...«

Jo möchte sagen *du hast doch uns*.

Aber Malcolm redet weiter. Er wählt die Worte umsichtig und gibt sich offensichtlich Mühe. »Ich gebe ungern gute Ratschläge. Dennoch wird durch deine Erzählung eines klar ...«, er zögert wieder, dann nickt er sich selbst zu. »Vielleicht liegt es an meiner Zeit als Steuerberater. Ich habe mich immer auf der Suche nach der

Wahrheit befunden, auf meine eigene Art und Weise.« Überzeugter fährt er fort. »Meine Beobachtung und Erkenntnis ist die folgende, Joanne. James mag dein Liebhaber gewesen sein«, Malcolm errötet leicht, als er das sagt, »aber er war *nie* dein Freund.«

Jo sitzt regungslos da. Es kommt ihr vor, als sei sie (vollständig bekleidet) in den Schwimmteich gesprungen. Die Erkenntnis trifft sie wie ein Schwall eiskaltes Wasser.

Natürlich war er nie ihr Freund. Warum hat sie das nie gesehen? Sie war Menschen wie James bislang nicht oft begegnet. Menschen, die die Bezeichnung »Freund« genauso eingefordert haben wie alles andere. Ihre Zeit, ihr Mitgefühl, ihre Aufmerksamkeit. Aber immer nur an ihrem eigenen Leben interessiert waren, nie an ihrem. In Wahrheit hat sie alles für James getan, war immer für ihn da. Wann waren sie oder ihre Wünsche je seine Priorität gewesen? Es war immer die James-Beckford-Einbahnstraße. Warum würde sie das von einem sogenannten Freund nie hinnehmen, aber es bei ihrem Partner dulden?

»Oh, Malcolm«, ist alles, was sie herausbringt.

Sie fühlt sich schwach, und ihr ist leicht übel. Aber sie merkt auch, dass sie etwas Wichtiges erkannt hat. Eine Wahrheit, auch wenn sie schockierend ist.

Er greift über den Tresen und tätschelt ihr die Hand. »Das Zweite, was ich sagen möchte, ist eher persönlicher Natur. Aber ich möchte es mit dir teilen.« Er hat aufgehört, ihre Hand zu tätscheln. »Ich hatte mal einen Freund, den ich habe gehen lassen. Ich habe mir keine Mühe gegeben, obwohl ich das hätte sollen, und …«, er sieht Jo in die Augen, »… das bereue ich am meisten in meinem Leben. Mach nicht den gleichen Fehler, den ich gemacht habe, mit Lucy.«

Jo steht von ihrem Hocker auf und geht um den Tresen zu Malcolm. Sie nimmt ihn in den Arm und hält ihn fest. Zuerst bleibt er steif, aber dann, wie ein Seufzen, entspannt er sich in ihrer Umarmung. Er bleibt eine Weile so stehen. Er weint nicht und umarmt sie nicht zurück. Aber Jo spürt, wie die Anspannung in ihm nachlässt. Sie denkt daran zurück, als sie Finn umarmt hat, hier im Laden. Damals hatte sie sich gefragt, wie lange es wohl her ist, dass jemand Malcolm in den Arm genommen hat. Jetzt ist sie sich sicher, dass es schon eine ganze lange Zeit her sein muss, dass jemand Malcolm Buswell umarmt hat.

Liebe Lucy,
ich habe einen Weihnachtsbaum im Laden aufgestellt. Er ist mit einer Lichterkette dekoriert, und ich habe Gepäckaufhänger an den Zweigen befestigt. Kunden schreiben ihre Weihnachtswünsche dort auf. Eine Frau hat über ihre Sehnsucht nach einem Baby geschrieben. Diesen Wunsch habe ich ganz oben neben den Engel gehängt. Ich glaube, du weißt, Lucy, wie sehr ich mir ein Baby wünsche, aber du musst nie befürchten, dass ich dein Baby nicht lieben werde oder mich nicht für dich freue. Ich werde die beste Tante Jo sein, die sich dein Baby wünschen kann.
Das hier ist der Wunsch, den ich für mich selbst an den Baum gehängt habe:
Ich wünsche mir, dass ich meiner besten Freundin wieder näherkomme, weil ich sie liebe und mehr vermisse, als ich beschreiben kann.
In Liebe
Jo x

27

Der erste Adventssonntag

Heute ist es so weit, Jo und Ruth machen sich auf den Weg nach Hampstead Heath. Um sie herum ist die Welt grau und neblig. Ein »dreich« Tag, sagt Ruth auf Schottisch. Bald kommen sie an anderen Frauen vorbei, die sich ihrer Kleidung entledigen, als wäre es ein angenehmer Sommertag, und bei Jo machen sich langsam Zweifel breit. Es mag ein milder Tag für diese Jahreszeit sein, aber es immer noch Dezember. Der erste Adventssonntag, erklärt ihr Ruth. Jo meint, Malcolm mache es richtig. Er verbringt den Morgen mit der Sonntagszeitung und trifft sie nachher im Restaurant *La Biblioteca*.

Als Ruth ein Badehäuschen aus dunklem Holz am Steg beim Teich ausfindig macht, steigt Jos Laune. Immerhin müssen sie sich nicht bei den Bänken im Freien ausziehen. Als sie in die Umkleide eintreten, umhüllt sie warmer Dampf. Im hinteren Bereich des Häuschens ist eine Reihe Duschen, eine von ihnen sprüht warmes Wasser in den Raum. Auf einer Seite zeigt ein großes Fenster in Richtung des Badeteichs. Jo ist weniger von der Aussicht nach draußen fasziniert als von dem, was innen vor sich geht. Sie ist umgeben von kichernden, nackten Frauen. Körper in allen Formen und Größen. Ihr ist sehr deutlich bewusst, dass sie noch angezogen ist, und obwohl um sie herum eine solche Gelassenheit herrscht, wird sie plötzlich schüchtern.

Ein Schild außen an dem Häuschen zeigt an, dass das Wasser nur neun Grad hat, und die meisten Gespräche drehen sich um die Temperatur (*Es wird noch kälter, das Wasser könnte bald nur noch fünf Grad haben*). Und es geht auch um Wildtiere (*Hat Margery schon gesehen, dass der Fischreiher zurück ist?*). Viele der Frauen scheinen sich zu kennen. Eine kräftige Frau mit einem steinernen Gesichtsausdruck (Jo meint, vielleicht eine Gefängniswärterin?) begrüßt eine Gruppe von drei jungen Frauen, von denen eine schwanger ist. Während sie sich über die Wassertemperatur unterhalten und dass es am Wochenende womöglich schneien könnte, beginnt die ältere Frau zu lächeln, und der Stein schmilzt zu einer weichen Landschaft.

Jo und Ruth finden eine Bank und holen ihre Badeanzüge und Strickmützen raus. Ruths Mütze sieht aus wie ein Weihnachtspudding. Einige der Frauen in der Umkleide ziehen sich auch Pudelmützen auf. Die jüngeren Frauen tragen Neoprenschlappen und -handschuhe. Neoprenanzüge sind also verpönt, aber das geht. Während sie sich auszieht, ist Jo versucht zu fragen, ob sie noch welche für sie übrig haben.

Ruth hingegen steht ohne BH in großen lila Unterhosen aus Seide neben ihr und freundet sich mit den anderen Frauen an. Als Jo auf die überraschende Farbe ihrer Unterwäsche starrt, erklärt ihr Ruth leise: »Das ist die Farbe des Advents. Ich mag Lila schon immer, aber ich bezweifle, dass meine Gemeinde vermutete, dass ich die passende Wäsche unter dem Talar trug.«

Abgesehen von diesem Kommentar, den sie flüstert, scheint Ruth sich keine Sorgen zu machen, als die flüchtige Vikarin erkannt zu werden. Aber vielleicht hält sie es auch für unwahrscheinlich, dass jemand eine Verbindung herstellt zwischen einem alten Zeitungsartikel und einer Frau mittleren Alters, die sich in einer Umkleide auszieht. Nacktheit bringt eine gewisse Anonymität mit sich. Anstatt sich entblößt zu fühlen, entspannt sich Jo, und es ist ihr egal, ob diese Frauen die Dellen und Beulen ihres durchschnittlichen Körpers bemerken. Und als sie die vielen unterschiedlichen Frauenkörper um sich herum betrachtet, fragt sie sich, was ist schon der Durchschnitt?

Nachdem sie in ihre Badeanzüge gestiegen sind, folgen sie einer Gruppe Frauen an den Badeteich. In der Umkleide, im Gespräch mit all den anderen Frauen, kam ihr das hier wie eine gute Idee vor. Aber jetzt, da sie über den kalten Steg gehen, meint Jo, sie und Ruth müssen den Verstand verloren haben. Ihr Respekt vor Malcolms Mutter Eve steigt nur noch mehr.

Nebel liegt über dem Teich, und das Licht ist grau und trüb. Die Bäume und Büsche am anderen Ufer sind nur vage Formen in der diesigen Ferne. Die Wasseroberfläche ist graugrün mit ein paar orangen Farbklecksen der gefallenen Herbstblätter. Jo entdeckt die »Gefängniswärterin« am Ufer. Sie richtet sich zu ihrer vollen Größe auf, obwohl Jo sehen kann, dass sie gegen müde und verspannte Muskeln ankämpft. Und dann, wie ein Pfeil, landet sie mit einem eleganten Sprung im Wasser. Sie taucht in einiger Entfernung im Nebel wieder auf und beginnt mit langsamen und regelmäßigen Zügen auf den Teich hinauszukraulen. Jo weiß, dass die Frau in diesem Moment all ihre Sorgen auf den hölzernen Planken am Ufer des Teichs zurückgelassen hat.

Eine Bademeisterin kommt auf sie zu und fragt, ob sie zum ersten Mal hier sind (Ist das *so* offensichtlich?). Während die Frau einige Punkte aufzählt – dass sie ihre Atmung kontrollieren, nicht zu lange drinbleiben sollen und sich danach gut aufwärmen müssen –, starrt Jo sehnsüchtig auf ihre Fleecejacke.

Gut instruiert warten sie dann bibbernd, während die Gruppe junger Frauen die Metallleiter herunterklettert. Ihre Unterhaltung wird von Quietschen unterbrochen, als sie sich ins kalte Wasser lassen. Dann stoßen sie sich ab und schwimmen gemeinsam über den Teich. Die schwangere Frau dreht sich auf den Rücken, sieht in den Winterhimmel und legt die Hände auf ihre Kugel. Jo überkommt eine Sehnsucht, die ihr den Atem raubt, schlimmer noch als das kalte Wasser, das ihr jetzt bis an die Knie steht.

Sie ist zuerst im Wasser. Die Kälte bringt ihren ganzen Körper zum Zittern, und sie vergisst die Schwangere, Ruth und alles andere, als sie gegen die aufkommende Panik ankämpfen muss. Die Kälte ist beißend, ihr Herz rast, und sie schnappt im Nebel nach Luft, die ihre Lunge mit eisiger Kälte füllt. Automatisch beginnen ihre Gliedmaßen so etwas wie einen Brustzug. Sie kann die Stimme ihrer Mutter hören. *Mach weiter, entwickle ein Gefühl dafür.*

Aus dem Augenwinkel sieht sie Ruth mit weiten, langsamen Zügen über das Wasser gleiten und hört ein entsetztes »Heilige Scheiiiiße!« zu ihr über die gekräuselte Oberfläche dringen.

Dann hört ihr Herz auf, sich anzufühlen, als würde es gleich zerspringen, und ein solches Hochgefühl überkommt sie, dass sie sich wieder jung fühlt. Und dann fällt ihr ein, im Gegensatz zu vielen anderen *ist* sie noch jung, und da muss sie lachen. Was sind schon neununddreißig Jahre? Es ist nur eine Zahl. Die anderen Frauen sind im Nebel verschwunden, und Ruth ist nur ein Weihnachtspudding, der einige Meter entfernt auf und ab wippt. Ein »Du meine Güte!« schwappt zu ihr, und sie muss an Malcolm und seine Mutter Eve denken, die Bomber geflogen und bei Wind und Wetter in diesem Teich geschwommen ist.

Vor ihr treibt eine Ente durch das Laub auf der Wasseroberfläche. Ihre kleinen schwarzen Augen erinnern sie an die von Ruth. Ruth, die so schnell in selbstkritische Sorge verfallen kann. Wird Jo je verstehen, was sie umtreibt? Erfahren, warum sie davongelaufen ist? Wird sie je mehr über die verlorene Freundschaft herausfinden, die Malcolm so sehr bereut? Und je mehr sie darüber nachdenkt, desto sicherer ist sie, dass hinter den lila und orangefarbenen Pantoffeln mehr steckt als reine Freude an bunten Farben. Sie sind schön, aber alt, sie müssen also sentimentalen Wert haben. Sie fragt sich, wie lange Malcolm sie wohl schon hat und von wem.

Sie lächelt, während sie weiterschwimmt.

Und was ist mit Eric? Sie sieht dabei zu, wie ihre Finger durch die Wasseroberfläche brechen. Der schokoladenbraune Nagellack blitzt schillernd auf. Sie sollte nicht über ihn nachdenken. Sie sind nur Freunde, und er ist eindeutig mit Clare zusammen. Aber jetzt, in diesem Moment, hier im Wasser, Auge in Auge mit einer Ente, wird alles leichter. Sogar der feste Knoten Schmerz, den sie versteckt in sich trägt, lockert sich etwas.

»Das ist großartig!« Ruth taucht neben ihr auf. »Ich habe gedacht, ich bekomme einen Herzinfarkt, aber es ist unglaublich.« Mit diesen Worten schwimmt sie weiter auf den Teich raus und lässt Jo zurück, die mit langsameren Zügen näher am Ufer bleibt.

Als das Wasser ihr eher zuspricht als sticht, lässt sie die letzte Woche Revue passieren. Es war eine gute Woche. Es war viel los im Laden, und ihre Mutter war gut gelaunt, als sie wie jede Woche über Skype telefoniert haben (sie ist immer noch überzeugt, dass Onkel Wilbur »im Frühling« zurück sein würde). Hinter dem freundlichen Gesicht ihrer Mutter hat sie ihren Vater vorbeigehen sehen, der ihr zum Gruß liebevoll zuwinkte und gleichzeitig den Kopf schüttelte. Also soll sie noch eine Weile länger hierbleiben und die Stellung halten. Aber das macht ihr nichts aus. Sie genießt es, endlich Umsatz im Laden zu machen. Vielleicht könnte das ein Neuanfang werden? Eine neue Unternehmung? Sie freut sich jedenfalls sehr, sich mit anderen Schreibwarenliebhabern auszutauschen. Sie fühlt sich dazugehörig.

Sie denkt an Ruth und Malcolm und ihren Altersunterschied und wie wenig das für ihre Freundschaft ausmacht, und sie erkennt, dass James ihr ganz schön viel zugemutet hat. Sie macht einen besonders kräftigen Zug weit aufs Wasser raus und sieht in den bleigrauen Himmel und freut sich auf das Mittagessen mit Ruth und Malcolm. Bei dem Gedanken an Essen und Wein fällt ihr auf, dass sie inzwischen am ganzen Leib zittert. Das Wohlgefühl klingt ab, und ihre Muskeln zucken. Ihre Hände und Füße schmerzen vor Kälte.

Ruth taucht aus dem Nebel auf. »Genug davon!«, verkündet sie. »Wenn ich noch länger hier drinbleibe, hole ich mir den Tod.«

Mit diesen Worten schwimmen sie gemeinsam zurück zur Leiter. Jo erreicht sie als Erste und hievt sich aus dem Wasser, sie ist knallrot und bibbert. Als sie zurück zur Umkleide eilt, kann Jo das Planschen der hartgesotteneren Schwimmer hören, ihre gedämpfte Unterhaltung, die immer wieder von lautem Gelächter unterbrochen wird.

Vielleicht hat sie weder Eric noch James (und will sie James überhaupt noch?). Aber sie hat Ruth und Malcolm.

Und nun hat sie auch das hier. Sie wird sicher bald wiederkommen. Und sie schickt ein stilles … sie würde es nicht Gebet nennen (schließlich ist sie immer noch Durchschnitts-Jo, irgendwo in der Mitte, wenn es um Gott geht) … aber einen Gedanken, ein *Danke*, an Malcolms Mutter Eve.

Als Ruth hinter ihr die Leiter hochklettert, hört Jo sie leise sagen: »Gott segne dich, Eve Buswell.«

28

Haben Seehunde Ohren?

Ruth hat sich bereits mit den Kellnern angefreundet und erfahren, dass sie die alten Bibliotheksbücher gerne ausleihen kann. Gäste werden sogar dazu ermutigt. Jetzt kommt sie (immer noch in viele Schichten gekleidet) mit einer Reihe von Agatha Christies zurück an den Tisch.

»Bist du dir sicher, dass du deinen Mantel nicht ausziehen möchtest?«, fragt Malcom beunruhigt.

Und damit hat er recht. Jo hat gerade erst aufgehört zu zittern. Eine der Schwimmerinnen, die in die Umkleide gekommen war, als sie ihre Sachen zusammengepackt haben, hat vorgeschlagen, beim nächsten Mal eine Wärmflasche mitzunehmen. »Das ist großartig«, hatte sie gesagt.

»Wie bitte? Ihr schwimmt damit?«, hat Jo gefragt, und alle waren in schallendes Gelächter ausgebrochen.

»Nein.« Die junge Frau grinste sie an. »Wenn du dich wieder anziehst, steckst du sie dir ins Unterhemd. Wirkt Wunder.«

Als Jo sich aus ihrem Mantel kämpft, greift Malcolm ihr unter die Arme. Dabei fällt etwas aus dem Kragen seines frisch gebügelten, grau und weiß gestreiften Hemds. Es ist ein großer türkisfarbener Anhänger in Form einer Sonne. Schnell steckt er ihn sich zurück unters Hemd und wendet sich Ruth zu.

»Nein, ich behalte meinen Mantel lieber noch an, danke

dir, Malcolm«, antwortet Ruth. »Schicke Kette«, fügt sie mit angehobenen Augenbrauen hinzu.

Malcolm starrt für einen Moment vor sich hin und macht dann weiter, als hätte er ihren letzten Kommentar nicht gehört. »Vielleicht hätte ich euch besser raten sollen, bis zum Frühling zu warten«, sagt er besorgt.

Jo lugt zu Malcolms Kragen (die Kette ist nun wieder gut versteckt) und sieht runter, um sein Schuhwerk zu begutachten. Er trägt wieder die Herrenschuhe von Lobb, aber sein Hosenbein ist etwas hochgerutscht, und sie entdeckt ein paar strahlend orangefarbene Socken mit Gänseblümchen darauf.

Ruth hört auf, so zu tun, als wäre sie verstimmt. »Unsinn, es war eine fantastische Erfahrung, oder nicht, Jo?«

»Ich überlege, nächste Woche wieder schwimmen zu gehen«, erwidert Jo.

»Wirklich?«, Ruth klingt ungläubig, dann fügt sie hinzu: »Nein, nein. Ich kann mir gut vorstellen, dass das süchtig machen kann. Wie oft war deine Mutter im Teich baden, Malcolm?«

»Oh, Mutter ist fast jeden Tag gegangen. Sie meinte, auch wenn sie schlecht gelaunt aufgewacht ist, wisse sie, ein Bad im Teich würde alles richten. Sie ist sogar noch mit Mitte achtzig regelmäßig schwimmen gegangen.«

»Bist du je mit ihr gegangen?«, fragt Jo. »Also, wenn die gemischten Teiche geöffnet hatten.«

»Nein, nie«, antwortet Malcolm knapp, dann wiederholt er den Satz, über den sich Jo jedes Mal wundert. »Ich bin kein mutiger Mann.«

Ziemlich mutige Socken für einen pensionierten Steuerberater.

Schnell redet Malcolm weiter. »Jetzt lasst uns einen Blick in die Karte werfen und euch beiden Schwimmerinnen etwas zu essen bestellen. Das habt ihr euch redlich verdient. Ich lade euch ein. Also bestellt, was ihr wollt. Keine Zurückhaltung.«

Jo schnappt sich die Karte, aber sie kann aus dem Augenwinkel sehen, dass Ruth Malcolm immer noch einen misstrauischen Blick zuwirft.

»Hi, Jo!«

Jo wirbelt auf ihrem Stuhl herum und sieht Lando und eine zierliche dunkelhaarige Frau vor sich stehen. Die Frau hält ein dunkelhaariges Kind an der Hand, das genauso akkurat aussieht wie Lando (das überrascht Jo, denn der Kleine kann nicht älter als sechs Jahre sein). Nur seine Haare verraten sein Alter. Die sehen aus, als hätte er sie selbst geschnitten. »Hi, Lando, wie geht es dir?«, erwidert Jo.

»Gut«, sagt Lando zögerlich. Er scheint ihre Pudelmütze, die sie immer noch am Kopf trägt, neugierig zu studieren. »Jo, das hier ist meine Frau Sacha und unser Sohn Ferdy. Sacha, Jo.« Die zierliche elegante Frau reicht Jo die Hand. »Jap, er hat sie sich selbst geschnitten«, erklärt sie lachend als Antwort auf Jos fragenden Blick. »Da ist auch eine Menge Kleber drinnen. Er dachte, es wäre Haargel.«

Jo grinst Ferdy an, der sie scheinbar völlig unbeeindruckt anstarrt.

»Haben alle Tiere Ohren?«, fragt er Jo unvermittelt.

Jo kann Malcolms polterndes Lachen hören. Sie sieht sich hilfesuchend zu ihm um, aber obwohl er sie mitfühlend anlächelt, zuckt er nur mit den Schultern.

»Ich bin mir nicht sicher ... ähm, ich weiß nicht ...«

Ferdy starrt sie weiter an.

»Ähm ... was ist mit Seehunden?«, schlägt sie vor.

Ferdy starrt sie immer noch an. Dann sagt er: »Und was ist mit Spinnen und Würmern und Krokodilen?« Dann fügt er langsam und mitleidig hinzu: »Du weißt wohl nicht besonders viel, oder?«

Sacha und Lando greifen ein. »Ferdy, das ist unhöflich!«

Jo findet nicht, dass das unhöflich war. Er hat nur das Offensichtliche ausgesprochen.

Sie nutzt die Gelegenheit, ihre Begleitung vorzustellen. Ruth stellt sie so knapp wie möglich vor. Die flüchtige Vikarin ist vielleicht ein alter Hut, aber sie will trotzdem nichts sagen, was auf Ruths Identität hinweisen könnte.

Noch jemand gesellt sich zu ihnen an den Tisch. »Lando, Sacha, entschuldigt, dass ich spät dran bin. Hi, mein Freund«, sagt er an Ferdy gerichtet. Dann sieht er Jo und lächelt. »Oh, hi! Was machst du denn hier, Jo?«

Als sie zu Eric dem Wikinger aufsieht, wünscht sich Jo, sie hätte die Pudelmütze abgenommen. Schnell erzählt sie von ihrem Badeausflug und stellt die beiden vor. Dann fügt sie hinzu: »Das ist Eric der Optiker.«

»Nicht ›der Wikinger‹?«, murmelt er etwas enttäuscht.

Auch Ruth murmelt ihr etwas zu. »Ah, der Wikinger ist zurück.«

»Du findest doch auch, dass meine Haare noko sind, Eric?«, will Ferdy vom Wikinger wissen und zupft an seiner Hand.

»Sicher«, antwortet Eric sofort.

»Seht ihr?«, sagt Ferdy und sieht seine Eltern an. Der Punkt geht an ihn.

Jo ist verwirrt. »Noko?«, fragt sie.

»Oh, Ferdy und Eric haben ihre eigene Sprache«, erklärt Lando seufzend. »Ich glaube, ›noko‹ heißt cool.«

Eric wendet sich der aufrecht sitzenden Gestalt neben sich zu. »Sind Sie der Malcolm, der ein Buch über den Highgate Cemetery schreibt?«

Jo erschrickt. Sie will nicht, dass Malcolm denkt, sie hätte seine Geheimnisse preisgegeben. Schnell greift sie ein. »Ich habe Eric von deinen Nachforschungen erzählt. Ich habe ihm auch erklärt, dass du bisher nicht genau weißt, worüber du schreiben willst.«

Malcolm neigt seinen Kopf nachsichtig in ihre Richtung.

»Ja, das ist ein faszinierendes Unterfangen. Waren Sie schon einmal auf dem Highgate Cemetery, Eric?«

Bevor Eric antworten kann, werden sie von zwei Kellnern unterbrochen. Diese Zusammenkunft an ihrem kleinen Tisch ist ganz offensichtlich im Weg, und mit kurzen Entschuldigungen und knappen Worten trennen sich die beiden Gruppen. Lando, Sacha, Ferdy und Eric werden an ihren Tisch am anderen Ende des Restaurants geführt. Einer der Kellner stellt eine Wasserkaraffe und eine Flasche Rotwein auf Jos Tisch, dann nimmt er ihre Bestellungen auf.

»Also«, sagt Ruth und greift zur Weinflasche, »erzähl uns *alles* über Eric den Wikinger, Jo.«

Jo legt den Kopf in die Hände, muss aber lachen. »Ich weiß nicht, wo ich anfangen soll, und ich weiß auch nicht, ob es da wirklich viel zu erzählen gibt.«

Malcolm schenkt allen Wasser ein. »Vielleicht solltest du Reverend Ruth lieber etwas von James erzählen, wenn es dir nichts ausmacht, Joanne. Als Hintergrund sozusagen.«

Als Hintergrund wofür?, fragt sich Jo, aber sie gibt nach und weiht Ruth in alles, was mit James vorgefallen ist, ein, und in die Probleme (welche auch immer das sein mögen) mit Lucy. Sie hat immer noch keine Antwort auf ihren letzten Brief über die Weihnachtswünsche erhalten, und das Warten macht sie nervös und leicht panisch.

Mittlerweile haben alle ihr Essen, und sie sind beim zweiten Glas Wein. Jos Erzählung hat eine ganze Weile gedauert, weil Ruth und Malcolm eine ganze Menge Fragen stellen, besonders über James. Dann stellen beide fest, dass er »nicht gut genug ist für unser Joanne«. Jo merkt, je mehr sie von James erzählt, desto mehr stimmt sie ihnen zu. Ihre Wut auf ihn steigt immer mehr und auch auf sich selbst, weil sie alles so lange mitgemacht hat, so viele Dinge und Freunde aufgegeben hat, ohne sich zu wehren. Zu streiten hätte auch nichts gebracht. James hat sie immer mit endlosen Argumenten torpediert, warum er recht habe und sie falschläge. Ein vernünftiger Mann. Und wenn ihm das nicht gelungen ist, hat er geschmollt. Das konnte tagelang so gehen.

»Und jetzt zu deinem Wikinger«, sagt Ruth genüsslich.

»Er ist nicht mein Wikinger«, sagt Jo und muss dann lachen, weil das so lächerlich klingt.

»Ich glaube, er mag dich«, verkündet Ruth überzeugt.

Malcolm stimmt ihr zu. »Ich weiß, dass der junge Mann sie mag. Ich beobachte ihn, und er schaut immer wieder hierher. Und ich bin mir sicher, dass der junge Mann weder an mir noch an dir Interesse hat, Reverend Ruth«, sagt Malcolm und kichert.

Jo wird rot. Vielleicht liegt es am Wein oder der Hitze nach dem Bad im kalten Wasser. »Aber er ist mit Clare zusammen«, beharrt sie und unterdrückt den Impuls zu fragen *meint ihr wirklich?*. Sie erzählt von Karamellkonfekt-Clare und wie Eric sie gefragt hat, ob Jo ein Problem mit ihr hätte. »Als ob er mit ihr ausgehen würde«, erklärt Jo.

Ruth brummt leise vor sich hin. »Vielleicht, aber das kommt mir etwas weit hergeholt vor.«

»Ich habe die beiden oft miteinander gesehen«, besteht Jo weiter darauf. Sie kann sich seine Worte einfach nicht anders erklären. Und vielleicht ist es so auch am besten. Zu wissen, dass Eric mit jemand anderem zusammen ist, schützt sie vor dem Unausweichlichen. Sie mag zwar hier mit Freunden unterschiedlichen Alters sitzen, aber es fällt ihr immer noch schwer, sich, wenn es ums Thema Alter geht, davon zu überzeugen, dass es in einer *Beziehung* keinen Unterschied macht. Ihre Erfahrung mit James hat sie etwas anderes gelehrt.

»Meine Güte, diese Tattoos«, sagt Ruth plötzlich. »Er sieht aus wie irgendein nordischer Gott.«

»Loki«, verkündet Malcolm. »Loki mit einem Birminghamer Akzent.«

Ruth sieht ihn verständnislos an.

»Loki war ein nordischer Gott, ein ziemlich schelmischer …«, erklärt Malcolm.

»Du weißt schon, wie in den Superheldenfilmen«, sagt Jo und denkt, schelmisch, das passt zu Eric.

»… und Loki konnte sich in Tiere verwandeln«, fährt Malcolm fort.

Und schon geht es wieder los. Ruth und Malcolm spielen über ihre Teller hinweg eine Runde verbales Tischtennis.

Malcolm: »Ein Stier.«

Ruth: »Nein, nein. Zu schwerfällig und wütend.« (Ping)

Malcolm: »Einer dieser großen Hunde, ein Bernhardiner?« (Pong)

Ruth: »Zu viel Sabber, Eric der Wikinger ist eher ein Wolf.«

Da unterbricht Jo die beiden. »Mich erinnert er immer eher an ein Walross.«

Weder Ruth noch Malcolm stimmen ihr zu (aber Jo fällt ein, dass keiner von beiden je sein polterndes Lachen gehört hat). Und dann endet ihr Geplauder, als der Kellner wieder auftaucht, um die Teller abzuräumen und die Nachspeisenbestellung aufzunehmen.

Während sie auf ihren Pudding warten, richtet Ruth ihre ganze Aufmerksamkeit auf die Problematik mit Lucy.

Wie war es für Lucy, als sie mit James zusammen war?

(Schwer zu sagen, sie dachte immer, sie hätte es gut hinbekommen, aber jetzt ...)

Wie war es bei anderen Partnern?

(Okay, abgesehen von Lenny in der Schule, der sich als Dieb herausstellte.)

Mochte Sanjeev James?

(Nicht wirklich, aber er hat sich Mühe gegeben.)

Wie war es, als Lucy in Amsterdam war?

(Gut, die Distanz hat nicht so viel ausgemacht, wie Jo befürchtet hatte. Aber sie hat all die Kleinigkeiten vermisst, wie Kaffeetrinken mit Lucy.)

Warum, glaubte sie, ist Lucy so wütend?

(Sie ist sauer, dass James mich so verletzt hat, aber inzwischen glaube ich, sie ist auch wirklich sauer auf mich.)

Warum?

(Vielleicht war ich keine gute Freundin, als sie wieder nach England zurückgekommen ist, und ich glaube, sie macht sich Sorgen, dass ich wieder zu James zurückkehren könnte.)

Würdest du das?

Jo lächelt Malcolm an. (Nicht mehr. Er mag mein Liebhaber gewesen sein, aber er war nie mein Freund.)

Wie geht es dir mit Lucys Baby?

(Ich freue mich.)

An diesem Punkt hat Ruth erwartungsvoll abgewartet, aber Jo ist nicht weiter darauf eingegangen.

Wann kommt das Baby?

(Anfang Februar.)

Ruth sagt bestimmt: »Du musst am Wochenende heimfahren. Malcolm und ich kümmern uns um den Laden.« Im nächsten Augenblick huscht ein besorgter Blick über Ruths Gesicht, und Jo fragt sich wieder, woher Ruths plötzliche Stimmungsschwankungen kommen.

»Vermutlich hast du recht«, antwortet Jo langsam, »ich muss mal wieder nach Hause.« Gleichzeitig fragt sie sich, wo ist zu Hause? Sie war sich so sicher, dass zu Hause im Norden lag, aber mit dem Laden und ihren neuen Freunden …

Während sie sich über den süßen Karamellpudding hermachen, schweift Jos Blick rüber zum Tisch am anderen Ende des Restaurants. An der Körpersprache und dem Gelächter erkennt sie, dass Eric und Lando sich eindeutig wieder gegenseitig sticheln. Sie erinnert sich an das gemeinsame Abendessen, als sich Sticheleien und Lob immer wieder abwechselten. In gewisser Weise ähnelt das dem verbalen Hin und Her, das Ruth und Malcolm so gerne miteinander spielen. Eric ruft Ferdy zu sich, und Jo beobachtet, wie er den kleinen Jungen auf seinen Schoß hebt, damit sie gemeinsam auf Lando zeigen können, sie kichern und schaukeln, die Köpfe zusammengesteckt. Jo fragt sich, ob Eric dort festkleben wird, und weiß nicht, ob sie bei dem Gedanken lachen oder weinen soll.

»Was du heute kannst besorgen …«, verkündet Ruth plötzlich, und Jo sieht sie überrascht an.

»Ich finde, du solltest Lucy schreiben, dass du vorhast, am Wochenende heimzufahren.«

Jo merkt, wie Ruth zu Eric sieht, und bekommt den Eindruck, dass es sich hierbei um ein Ablenkungsmanöver handelt, um ihr zu helfen. Sie holt ihr Telefon raus und schreibt Lucy eine Nachricht. Schnell schickt sie die Nachricht ab, bevor sie es sich anders überlegen kann.

Fast sofort erhält Jo eine Antwort. Sie sieht hoffnungsvoll auf ihr Handy und dann vollkommen erschüttert zu Ruth und Malcolm auf.

»Was?«, fragen beide gleichzeitig und lehnen sich vor.

Jo hält ihr Telefon hoch, damit beide die kurze Antwort lesen können:

Komm nicht

»Ach, du meine Güte«, sagt Malcolm und tätschelt ihr die Hand.

»Tja …«, fängt Ruth an, aber scheint zum ersten Mal sprachlos.

Ihr Telefon klingelt ein zweites Mal, und Jo sieht aufs Display. Dieses Mal strahlt sie, als sie wieder aufsieht, die

Erleichterung steht ihr ins Gesicht geschrieben. Wieder hält sie das Telefon hoch, diese Nachricht lautet:

Sorry, habe zu schnell auf Senden gedrückt. Komm nicht heim am Wochenende. Ich komme dich vorher besuchen! Sanjeev hat mir als Überraschung Tickets gekauft. Melde mich später, bin grad im Geburtsvorbereitungskurs. Einer Frau ist die Fruchtblase geplatzt. Sanjeev meint, wenn das bei mir auch so wird, kauft er ein Boot. L x

29

William Foyle & John Lobb

Jo ist ein großer Stein vom Herzen gefallen. Sie weiß nicht, was Lucys Besuch mit sich bringen würde, aber sie müssen doch in der Lage sein, die Sache zu klären, oder nicht? Lucy würde nicht kommen, wenn sie das nicht auch wollte.

Als ein Kellner den Kaffee bringt, kommt ihr ein Gedanke. Plötzlich weiß sie mit absoluter Sicherheit, worüber die Geister von William Foyle und John Lobb an Heiligabend reden würden. Sie wirft einen Blick in Richtung Eric und Lando und dann zurück zu Ruth und Malcolm.

»Ich möchte euch von William Foyle und John Lobb erzählen«, sagt sie entschlossen.

»Oh, wunderbar!«, ruft Malcolm aus und zieht seinen Stuhl näher an den Tisch heran.

Zunächst erzählt Jo alles, was sie über John und William herausgefunden hat. Die ärmlichen Verhältnisse, aus denen sie kamen, und der Reichtum, den sie im Laufe ihres Lebens angehäuft haben. »Es war für beide nicht immer einfach, selbst als ihre Unternehmen gut liefen.«

»Beide waren also Selfmademänner, die sich zu helfen wussten«, schlägt Malcolm vor.

Jo nickt.

»Ach, du meinst, sie hätten über ihre Geschäfte gesprochen?«, fragt Malcolm.

»Nein, das ist es eben. Ich glaube nicht, dass sie das getan hätten. Oder zumindest nicht in erster Linie.« Ihr Blick wandert wieder zu Lando und Eric. »Ich glaube, sie hätten zwar Respekt voreinander gehabt, aber wahrscheinlich hätten sie es nicht zugegeben. Nein, ich glaube, sie hätten sich gegenseitig auf die Schippe genommen.«

Sie schaut in die Gesichter von Malcolm und Ruth. Ruth nickt, aber Malcolm sieht nicht überzeugt aus. Sie fährt fort: »Ich glaube, sie hätten sich in der Gesellschaft des anderen wohlgefühlt. Ich gebe euch ein Beispiel dafür, was ich meine. Als William Foyle sich ein neues Auto kaufen wollte, ging er in einen Laden und suchte sich einen Rolls-Royce aus, der ihm gefiel. Der Verkäufer war anscheinend sehr hochnäsig und wies ihn darauf hin, dass sie auf einer vollen Anzahlung bestehen würden. William hat wohl nie seinen Cockney-Akzent verloren, also nahm der Verkäufer an, dass er sich ein solches Auto niemals leisten könnte. William sagte dem jungen Mann, er solle sich keine Sorgen machen, und kam am Nachmittag mit einem Koffer voller Bargeld zurück, um den gesamten Betrag zu bezahlen, dann fuhr er mit dem Auto weg. Ich könnte mir vorstellen, dass John Lobb das Gleiche getan hätte. Er war aus Cornwall, ich stelle mir vor, dass er einen starken West-Country-Akzent hatte und es gewohnt war, dass man ihn nicht ernst nahm. Und ich glaube, das würde sie auf lustige Weise zusammenbringen, aber auch etwas bieten, worüber sie sich gegenseitig aufziehen könnten.«

Sie ist froh, dass sowohl Malcolm als auch Ruth jetzt nicken.

»John könnte William damit aufziehen, dass er East Ender ist, kaum mehr als ein Straßenjunge. William könnte John genau sagen, was er von Landeiern hält.« Sie blickt wieder zu Lando und Eric hinüber. »Aber es müsste freundlich bleiben. Sie würden vielleicht nicht über die Gemeinsamkeiten und Nöte sprechen, die sie teilen, aber es könnte ihre Freundschaft untermauern.«

Erwartungsvoll sieht sie zu Malcolm. Sie möchte ihn auf keinen Fall enttäuschen.

»Das ist sehr hilfreich, Joanne. Sehr aufschlussreich, wenn ich das sagen darf.«

Jo möchte ihn (wieder) umarmen.

»Und was würden sie an Heiligabend machen?«, fragt Ruth.

»Sie würden in den Pub gehen. Ganz sicher«, antwortet Jo selbstbewusst. »William fuhr jede Woche nach Hause in die Abtei aus dem 12. Jahrhundert, die er mit seinem ganzen Geld gekauft hat. Auf dem Heimweg hielt er immer mit seinem Rolls-Royce in einem Pub an. Ich glaube, der Pub blieb nur für ihn geöffnet.«

»Und was ist mit John Lobb?«, fragt Malcolm.

Jo greift nach ihrem Handy und zeigt den beiden ein Foto. Es ist schwarz-weiß und zeigt vier Männer in einer Gruppe. Einer sitzt, die anderen drei stehen. Sie scheinen sich in der Nähe eines Gewässers zu befinden.

»John war früher viel mit Freunden und Kollegen unterwegs, und das Foto wurde an den Niagarafällen aufgenommen.«

»Welcher von ihnen ist John Lobb?«, will Ruth wissen und betrachtet das Foto.

»Der da, der sich auf seinen Stock stützt, den Hut auf dem Hinterkopf.«

Malcolm lacht. »Meine Güte, die sehen ja alle aus wie Haudegen.«

Er hat recht. Ihre Hüte sitzen schief, und ihren Gesichtern nach zu urteilen würde Jo vermuten, dass die vier alten Männer den ganzen Nachmittag über getrunken haben.

Ruth lacht leise.

»Also, ich denke, William und John würden an Heiligabend in den nächsten Pub gehen. Ich weiß nicht, wie weit sie dann noch kommen. Ich glaube nicht, dass sie eine Kneipentour brauchen. Nur die Gesellschaft des anderen, ein paar Drinks und die Möglichkeit, sich gegenseitig auf den Arm zu nehmen. Und bei der einen oder anderen Gelegenheit, denke ich, könnten sie auch mal ein herzliches Kompliment einstreuen. Keiner von beiden würde sich Illusionen darüber machen, wie schwer ihr Weg gewesen ist, aber ich glaube nicht, dass einer von beiden vor dem anderen mit seinen Erfolgen prahlen würde. Das hätten sie auch gar nicht nötig. Und deshalb glaube ich, dass sie sich gut amüsieren könnten.«

Malcolm hat ein kleines Buch hervorgeholt und macht sich nun Notizen. Er blickt auf. »Ich sehe schon, wie die beiden beschließen, sich am nächsten Heiligabend wiederzutreffen«, stellt Malcolm zufrieden fest.

Jo lehnt sich zurück. Sie hat zwar keine Freundschaft wie die, die sie sich für John und William vorstellt, aber sie weiß, dass sie (neben Lucy und Sanjeev) Freunde hatte, in deren Gesellschaft sie sich wohlgefühlt hat und deren Freundschaften ihr viel bedeutet haben. Und sie ist sich auch bewusst, dass sie diese Freundschaften nicht so gepflegt hat, wie sie es gebraucht hätten. Zwar tut es gut, sich klarzumachen, dass James immer seinen Kopf durchsetzen musste, aber sie kann ihm auch nicht alles vorwerfen.

Sie lächelt vor sich hin. Die Geister von William Foyle

und John Lobb haben sie daran erinnert, wie wertvoll Freundschaft ist. Die Geister sowie eine flüchtige Vikarin und ein Mann namens Malcolm. Jo stößt einen kleinen, zufriedenen Seufzer aus.

Während Malcolm schreibt, trinken Ruth und Jo schweigend ihren Kaffee aus, und Jo fühlt sich plötzlich sehr schläfrig. Sie studiert die Regale mit den alten Bibliotheksbüchern und überlegt, ob sie eines davon mit nach Hause nehmen soll.

Etwas flattert auf den Tisch vor ihr. Schnell blickt sie auf. Eric steht neben ihr, Lando und Sacha direkt hinter ihm. Ferdy hängt über Erics Schulter und schläft fest. Er sieht aus, als würde er sich dort sehr wohlfühlen, und Jo beneidet ihn.

»Entschuldige, Jo«, sagt er und nickt in Richtung des Zettels, der vor ihr gelandet ist. »Aber das hat Ferdy für dich gezeichnet.«

Jo nimmt den Zettel in die Hand und dreht ihn um. Es ist eine Zeichnung von einer Robbe (oder vielleicht einem Wurm) mit riesengroßen Ohren. Und einer Pudelmütze. Sie grinst Eric an. »Wenn er aufwacht, bedanke dich für mich bei ihm und sag ihm, dass sein Bild einen Ehrenplatz auf meiner Pinnwand im Laden bekommt.«

»Mach ich«, sagt Eric, den komatösen kleinen Körper fest im Arm, dann gehen er und die anderen weiter.

Jo beobachtet, wie Eric durch die Tür des Restaurants geht und Ferdys Kopf vorsichtig mit einer Hand hält, damit er ihn sich nicht am Türrahmen anstößt.

»Nein, auf keinen Fall ein Stier oder ein Wolf«, murmelt Ruth.

Jo seufzt erneut, diesmal trauriger. Schließlich fragt

Ruth: »Was hast du mit dem Rest des Nachmittags und dem Abend vor?«

»Oh, ich denke, ein Nickerchen«, sagt Jo, die sich plötzlich sehr müde fühlt, »und dann muss ich die Wohnung für Lucys Besuch vorbereiten.«

»Dauert das lange?«

»Nein, ich glaube nicht.« Und irgendetwas in Ruths Tonfall veranlasst Jo, nachzufragen. »Warum?«

»Weil ich dachte, ich gehe zu St. Michael's in den Adventsgottesdienst.«

Jo versucht, nicht an lila Unterwäsche zu denken.

»Und ich habe mich gefragt, ob du mitkommen möchtest.«

»Ich bin mir nicht sicher, Ruth«, sagt Jo zögernd. Sie möchte Ruth eine Freude machen, es ihrer Freundin recht machen, aber sie weiß, dass sie nicht an Gott glaubt, und fände es deshalb scheinheilig. Vor allem aber weiß sie, dass man sie aus der warmen Wohnung nur mit einem Brecheisen wieder herausbekommen würde. »Wäre das in Ordnung für dich?«, fügt sie hinzu. »Vielleicht begleitet Malcolm dich?«, schlägt Jo zaghaft vor und blickt zu der kritzelnden Gestalt neben sich.

Ruth schnaubt. »Das glaube ich nicht, du etwa?«

»Was glaubst du nicht?«, fragt Malcolm freundlich und sieht auf.

»Ruth sprach von einem Adventsgottesdienst ...«, beginnt Jo. »Das ist nichts für mich«, spottet Malcolm, dann wird sein Gesichtsausdruck milder. »Ich bitte um Entschuldigung, Reverend Ruth. Hast du eine nette Kirche in der Nähe gefunden?«

»Oh, ich habe ein paar ausprobiert. Ich habe mich ganz

hinten reingesetzt und sie nach mehreren Kriterien mit Punkten bis zehn bewertet. Ich wurde nur einmal erwischt«, sagt sie nachdenklich. »Und dann dachten sie, der Bischof hätte mich geschickt«, fügt sie grinsend hinzu. »Dann habe ich Reverend Abayomrunkoje kennengelernt …« Ruth fährt fort. »Er ist so lustig und sehr einnehmend. Deshalb gehe ich jetzt dorthin.«

»Wo ist die Kirche?«, fragt Malcolm höflich.

Ruth sagt es ihm und fügt dann hinzu: »Schon gut, Malcolm, du musst nicht immer so höflich sein. Ich kann auch gerne allein gehen. Der Adventsgottesdienst ist wunderschön, einer meiner Lieblingsgottesdienste. Von der Dunkelheit ins Licht. Reverend Abayomrunkoje ist ganz nach meinem Geschmack. Er beginnt mit der Kirche in völliger Dunkelheit und geht dann mit Kerzen hinein. Ich werde ihm bei der Beleuchtung der Kirche helfen. Der ganze Gottesdienst findet dann bei Kerzenschein statt.«

Ruth greift nach ihrem Mantel und ihrer Mütze. »Obwohl«, fährt sie nachdenklich fort, »ich glaube anzunehmen, dass das Licht das A und O ist, ist ein wenig kurzsichtig … wie dein Optiker vielleicht sagen würde«, fügt Ruth mit einem schelmischen Blick zu Jo hinzu.

»Er ist nicht mein …«

»Dunkelheit«, unterbricht Ruth sie, »kann eine ganz eigene Art von Sicherheit bieten, meinst du nicht?«

Jo weiß nicht, was sie denken soll. Sie ist zu schläfrig und voll von gutem Wein und Essen. Sie fängt an, ihre Sachen zu packen, und bedankt sich bei Malcolm für das Essen.

»Keine Ursache. Ich bin es, der euch danken muss. Meine Mutter hätte euren Einsatz ihr zuliebe aufrichtig zu schätzen gewusst.«

Bevor sie sich verabschieden, erzählt Jo Reverend Ruth von den Weihnachtswünschen, die an dem Baum in ihrem Laden hängen, und fragt sie, ob sie ein Gebet für den Mann sprechen könne, der sich wünscht, dass seine Frau ihr letztes Weihnachten zu Hause mit ihrer Familie verbringen kann.

»Natürlich. Ich werde eine Kerze für sie anzünden«, antwortet Ruth selbstverständlich.

Später am Abend steht Jo auf dem Fußweg gegenüber von St. Michael's und betrachtet die verdunkelten Fenster. Eigentlich wollte sie zu Hause bleiben, aber sie konnte sich des Gefühls nicht erwehren, Ruth im Stich zu lassen und dass sie Ja hätte sagen sollen, als sie zum Adventsgottesdienst eingeladen wurde. Sie musste an William Foyle und John Lobb denken und an ihren Entschluss, sich jetzt mehr Mühe mit ihren Freunden zu geben, also zog sich noch einmal um und machte sich auf den Weg.

Aber als sie bei der Kirche ankam, waren die Türen bereits geschlossen. Aus Sorge, den Gottesdienst zu stören, setzt sie sich ins Buswartehäuschen gegenüber und sieht von außen zu.

Das Flackern beginnt wenige Augenblicke vor dem Gesang. Nach und nach füllt das Licht die Fenster, und Orgelmusik und Stimmengewirr dringen in die kalte Winterluft hinaus. Jo denkt an Ruths Bemerkung, dass Dunkelheit nicht unbedingt etwas Schlechtes sein muss. Hier ist sie in der Dunkelheit und beobachtet das warme Schimmern im Innern, und sie ist zufrieden, nur Beobachterin zu sein. Sie schaut zu, bis die Kirche hell erleuchtet ist, dann steht sie auf und macht sich auf den Heimweg.

30

Einer dieser Tage

Jo versucht, sich auf die schönen Aspekte des Tages zu konzentrieren, aber es fällt ihr nicht leicht. Zuletzt hat sich ihre Aufregung über Lucys Besuch in Besorgnis verwandelt, und es kommt ihr vor, als würde sie sich auf einen großen Sturm vorbereiten.

Dann waren da noch die heutigen Kunden. Zuerst kam eine äußerst vornehme Frau mit einer riesigen Handtasche in den Laden. Sie ließ sie auf den Tresen fallen, und Jo konnte hören, wie die Metallnoppen vom Boden der Tasche über das Glas kratzten. Sie versuchte es mit einem sanften »Würden Sie bitte …?«, aber ohne Erfolg. Die Frau überging sie, wollte jeden Füllfederhalter ausprobieren, den Jo hatte, und beschwerte sich darüber, dass sie keine Montblanc führte. Als sie fertig war, warf sie jeden Füller weg, ohne sich die Mühe zu machen, die Kappe wieder aufzusetzen. Die Frau verließ den Laden, ohne etwas zu kaufen, lächelte Jo vage an und erklärte schließlich: »Na, das hat ja Spaß gemacht.«

Jo hatte nur wenig Zeit, um ihren klaffenden Mund zu schließen (und das Chaos aufzuräumen), bevor zwei Kinder mit ihrer Mutter hereinkamen. Normalerweise mochte Jo es, wenn Kinder die Füllfederhalter ausprobierten, und es bereitete ihr Freude, ihnen zu zeigen, wie man sie hält und wie man sie mit Tinte füllt. In der Regel waren es die

Eltern, die sich dagegen sträubten, dass ihre Kinder die Füller in die Hand nahmen, und es war Jo, die sie dazu überredete, es die Kinder ausprobieren zu lassen. Ein weiterer Versuch, um mehr Menschen zum Schreiben zu bewegen. Und vielleicht, so hoffte sie, würde sie wie »Sacha die Elster« Informationsschnipsel weitergeben, an die sich die Leute erinnern.

Diese Kinder warteten jedoch nicht auf Hilfe von Jo und fragten auch nicht, ob sie die Stifte ausprobieren dürften. Sie stürzten sich darauf, rissen den Deckel ab und kritzelten ihre Namen auf den Block, die Stifte fest in den Fäusten wie Dolche. Ihre Mutter ignorierte sie völlig. Und die Kinder ignorierten Jo völlig, als sie versuchte, ihnen zu zeigen, wie sie die Stifte halten sollten. Nach einigen Minuten verließ die Frau abrupt den Laden mit Sholto und Allegra im Schlepptau. Als Jo aufräumte, bereitete es ihr eine gewisse heimliche Freude zu sehen, dass Allegra ihren Namen nicht buchstabieren konnte. Sie hängte den Zettel daher mit unverhohlener Schadenfreude an ihre Pinnwand.

Jetzt ist der Laden ruhig, und Jo hat gerade das Gefühl, dass der Tag besser werden könnte, als sie entdeckt, dass jemand einen ihrer Teststifte gestohlen hat. Es ist der scharlachrote, den Eric so sehr mochte.

Sie hockt auf den Knien, den Hintern in der Latzhose in die Luft gestreckt, und stochert mit einem Holzlineal unter dem Tresen herum, als Eric hereinkommt.

»Hast du etwas verloren?«

Schnell setzt sich Jo auf die Fersen. Sie fühlt sich Eric dem Wikinger gegenüber ohnehin schon im Nachteil. Dass er sie auf dem Boden herumkrabbeln sieht, macht es nicht besser. »Jemand hat einen meiner Stifte geklaut«, erklärt sie ihm, seufzt und rappelt sich auf. »Es war ein schrecklicher Tag.«

»Er wird ihnen kein Glück bringen«, sagt Eric philosophisch und setzt sich auf den Hocker vor dem Tresen.

»Glaubst du das wirklich?«, fragt Jo und überlegt, ob er damit mehr sagen will. Keine Religion, sondern etwas Spirituelles, so wie sie den Leuten gute Gedanken schickt. Eine Art von Karma? »Glaubst du wirklich, dass schlechten Menschen schlechte Dinge passieren und umgekehrt?«, fragt sie.

»Das hat nur meine Großmutter immer gesagt. ›Es wird ihnen kein Glück bringen.‹«

»Ein isländisches Sprichwort?«

»Nein«, Eric grinst, »sie war Schottin. Weißt du, wer ihn hat mitgehen lassen?«

Jo versucht, sich an all die Leute zu erinnern, die im Laden waren, seit sie ihn das letzte Mal gesehen hat. »Keine Ahnung«, gibt sie zu.

Wenn sie darüber nachdenkt, fühlt sie sich nur noch schlechter. Jemand, mit dem sie geplaudert hat, hat sie heimlich bestohlen.

»Das passiert mir auch manchmal. Aber warum jemand die Brillen klauen sollte, die wir ausgestellt haben, ist mir ein Rätsel. Die Gläser sind nicht einmal geschliffen.«

»Vielleicht wollen die Diebe einfach nur intelligenter aussehen«, meint Jo und setzt sich auf ihre Seite des Ladentischs.

»Ah, so ist das also«, sagt Eric und reibt sich das Kinn. »Hey, du siehst irgendwie mitgenommen aus. Soll ich uns Kaffee und Kuchen holen? Im Café haben sie gerade tollen Weihnachtskuchen.«

»Gute Idee«, sagt Jo, »danke.«

Als er zur Tür hinausgeht, legt Jo ihren Kopf auf die Glasscheibe des Tresens. Das Glas ist kühl an ihrer Stirn. Ihr Kopf schmerzt, und sie fühlt sich ungewöhnlich niedergeschlagen. Ein Gedanke drängt sich auf. Er ist *so* nett. Sie kennt Menschen, die das Wort »nett« fürchterlich finden (James zum Beispiel). Aber Jo sieht das anders. Sie stößt einen leisen Seufzer aus. Warum hat sie all die Wochen damit verbracht, an diesen Idioten von James zu denken (Onkel Wilbur hatte recht), wenn dieser Mann jeden Tag an ihrem Fenster vorbeilief? Und jetzt ist er mit einer anderen zusammen. Und im Gegensatz zu Nickyyy scheint diese »andere« wirklich nett zu sein. *Wieder dieses Wort.*

Als Eric mit zwei Pappbechern mit Kaffee und Kuchen auf einem Tablett zurückkommt, sieht er, wie sie in die Ferne starrt. »Worüber denkst du nach?«, fragt er.

Sie kann schlecht sagen *dich*, also versucht sie es stattdessen mit: »Nur über einige der Kunden, die heute hier waren. Stellen dir die Leute im Brillenladen auch so viele dumme Fragen?«

Eric balanciert das Tablett zum Tresen. »Was meinst du damit?«

»Ach, heute habe ich nur ziemlich viele dumme Fragen bekommen. Zum Beispiel: ›Wie lange hält meine Tintenpatrone?‹ Ich kann schon verstehen, warum sie fragen, aber ich bin es leid zu sagen ›das hängt davon ab, wie viel Sie schreiben‹.«

Eric grinst: »Das ist ein bisschen so, als würde man jemanden fragen: ›Wann muss ich wieder tanken?‹«

»Genau!«, stimmt Jo zu und freut sich, dass jemand sie versteht.

»Ich habe Kunden, die mich fragen, ob sie ihre Kontaktlinsen mit Spucke reinigen können.«

»Igitt!«

Jetzt schließt Eric sich ihr an: »Genau!«

Eric scheint sich für das Thema zu erwärmen. »Wenn ich darüber nachdenke, sind es nicht so sehr die Fragen, sondern die Kommentare, die wir zu hören bekommen. Zum Beispiel die vielen Leute, die mir sagen, dass ihre Brille schon kaputt war, als sie das Etui geöffnet haben. Dabei ist es offensichtlich, dass sie sich daraufgesetzt haben oder der Hund sie angeknabbert hat. Manchmal kann man sogar die Zahnabdrücke sehen.«

»Hier kommen Leute rein, die sich die Füllfederhalterhüllen ansehen und mich fragen: ›Passt mein Stift da rein?‹ Auch hier weiß ich schon, was sie meinen, aber ich möchte sagen: ›Woher soll ich das wissen?‹«

»Das würde ich gerne hören.«

»Einer Frau habe ich gesagt: ›Wenn Ihr Stift kleiner ist als die Hülle, dann ja. Wenn er größer ist, dann nicht‹«, gesteht Jo ein wenig schuldbewusst.

Eric lacht. »Heute Morgen hatte ich eine Frau im Laden, die mir ganz ohne Ironie gesagt hat, dass sie nicht so gut sieht ohne ihre Brille.«

»Danke dafür, Eric«, sagt Jo und deutet auf das Tablett. »Das ist genau, was ich gebraucht habe.« Und damit meint sie mehr als nur Kaffee und Kuchen. Sie beginnt sich zu fragen, ob Reverend Ruth recht hatte, ob sie vielleicht zu viel in die Frage »Du hast doch nichts gegen Clare?« hineingelesen hat. In diesem Moment klopft es leise an das Fenster, und ohne aufzusehen, weiß Jo, wer es ist. Es ist bisher viel zu gut gelaufen, und es ist schließlich einer dieser Tage.

Clare lächelt sie beide an, mit rosigem Gesicht, weihnachtlich gekleidet in einem scharlachroten Mantel und einem dunkelgrünen Schal. Eric winkt sie rein, aber Clare schüttelt den Kopf, ihre karamellfarbenen Locken wippen. Eric geht zur Tür, Kaffee und Kuchen scheinen vergessen.

Jo nimmt einen Schluck Kaffee und einen Bissen Kuchen, wobei sie versucht, nicht so auszusehen, als würde sie das Pantomimespiel draußen beobachten. Sie glaubt aber, dass ausgerechnet Eric der Optiker wissen muss, dass Frauen ein ausgezeichnetes peripheres Sehvermögen haben, sodass er sich denken kann, dass sie die beiden aus dem Augenwinkel studiert. Nicht dass es den Eindruck macht, als würde er sich für Jo interessieren, er konzentriert sich nur auf Clare. Zuerst sieht es wie ein Streit aus, und sie hofft, dass es einer ist. Dann sieht sie, wie Eric den Kopf schüttelt, als würde er Clare nachgeben (das tut man ja auch, wenn man verliebt ist), und sie sieht, wie er sich zu ihr hinunterbeugt und sie lange und herzlich umarmt. Sie hatte recht: Heute ist wirklich ein verdammt beschissener Tag.

Eric ist plötzlich wieder zurück im Laden und grinst sie an. »Ich muss los, aber ich … na ja, wir … haben uns gefragt … und keine Eile, beim nächsten Mal …«

Jo möchte ihn anschreien, sie beide anschreien. *Um Himmels willen, spuckt es aus!* Stattdessen sitzt sie da und versucht, völlig unbeeindruckt zu wirken.

»Wenn Finn das nächste Mal hier ist, könnten wir vier doch gemeinsam ausgehen?«

»Was? O Gott, nein!«

Zwei Dinge fallen Jo auf, als sie das fast herausbrüllt.

Dass Eric verwirrt und enttäuscht aussieht und dass sie jetzt jedes Mal, wenn sie *Gott* sagt, an Ruth denken muss. Darauf folgt eine Feststellung, die sie einfach nicht über die Lippen bringt. *Finn ist nicht mein Freund. Er wird mich nicht besuchen kommen, er hat eine neue Freundin, die ihn in Northumberland warmhält.*

»Oh, okay. Na gut, tut mir leid. War nur so ein Gedanke«, sagt Eric und sieht sie an, als sähe er sie zum ersten Mal, die neue Jo, die weder durchschnittlich noch ehrlich ist. Einfach nur unhöflich.

Und trotzdem kann sie immer noch nichts sagen. Wenn sie zugibt, dass sie nicht mit Finn zusammen ist, könnten Eric und Clare Mitleid mit ihr haben. Und das würde sie nicht ertragen. Sie könnten sogar vorschlagen, dass sie trotzdem mit ihnen ausgehen soll. Aber da würde sie sich lieber nackt mit einem Stein um den Hals in den Hampstead-Dameneich stürzen, als das zu tun.

»Nette Idee«, sagt sie und will damit versöhnlich klingen, eine Art Entschuldigung anbieten. Aber es kommt genauso heraus, wie sie es gedacht hat, triefend vor Sarkasmus.

Eric macht auf dem Absatz kehrt, und die Tür schließt sich mit einem Knall. Es folgt ein leises Läuten der kaputten Glocke und schließlich das Klappern der Glasscheibe. Sie spürt seine Abwesenheit wie eine physische Kraft, als hätte er ein Vakuum erzeugt und etwas von ihr selbst aus dem Laden gesaugt.

Als sie wieder zum Fenster schaut, sind Eric und Clare verschwunden.

Jo stützt sich mit den Ellenbogen auf den Tresen und legt die Stirn in die Hände. Sie hatte angefangen zu glauben, dass sie vielleicht, nur vielleicht, zu viel in die Begegnung von Eric und Clare hineingelesen hat. Sie hat einen Hoffnungsschimmer zugelassen, war unvorsichtig, und jetzt spürt sie den Schmerz der Enttäuschung und des Verlusts tief in den Rippen.

Und es fühlt sich wie ein doppelter Verlust an. Sie starrt ungläubig auf die Glasplatte des Ladentischs. Sie denkt an die Frau, die sie einmal in einem Bus in Griechenland getroffen hat. Sie haben zwei Stunden lang ununterbrochen geredet. In Athen trennten sich dann ihre Wege, und sie sahen sich nie wieder. Damals dachte Jo, dass die Frau eine enge Freundin hätte werden können, wenn die Dinge anders gelaufen wären. Wie Karamellkonfekt-Clare, eine hypothetische Freundin.

Jo schaut hinauf zu den funkelnden Lichtern. Was macht sie hier? Sie hütet diesen Laden. Ihr Leben ist auf Eis gelegt. Sie dachte, sie hätte durch ihre Liebe zu Schreibwaren etwas Besonderes entdeckt, aber nach einem Tag wie heute … Wem möchte sie etwas vormachen? Sie mag sich Onkel Wilbur hier nahe fühlen, eine wertvolle und unerwartete Freundschaft mit Malcolm und Ruth gefunden haben, aber London ist nicht ihr Zuhause. Hatte sie wirklich geglaubt, dass es das werden könnte?

Ihr Telefon pingt. Malcolm. Seine Nachrichten bringen sie immer zum Schmunzeln (genau das, was sie jetzt braucht). Sie sind lang, höflich, und die Zeichensetzung ist immer korrekt.

Liebe Joanne, ich würde gerne mit dir und Reverend Ruth über George Eliot und Issachar Zacharie sprechen. Unser Gespräch vom Vortag hat mich zu einigen Schlussfolgerungen veranlasst, die ich dir gerne mitteilen möchte. Reverend Ruth kann am Freitag. Ich hoffe, auch du hast Zeit. Vielleicht könnten wir uns im Pub in der Nähe des Highgate Cemetery treffen? Mit freundlichen Grüßen Malcolm

Jo antwortet sofort und lädt die beiden ein, stattdessen zum Abendessen zu ihr zu kommen. Sie hat das Bedürfnis, sich in ihre Freundschaft mit Ruth und Malcolm (und den Geistern) zu vertiefen, und möchte ihnen etwas Gutes tun. Trotz aller Geheimnisse und Komplikationen, die Ruth und Malcolm umgeben, scheinen die Dinge einfacher zu sein, wenn die drei zusammen sind. Außerdem ist Freitag kurz nach Lucys Besuch, und Jo ist sich ziemlich sicher, dass sie bis dahin viel mit den beiden zu besprechen haben wird.

31
Lucy

Jo sieht auf, und da steht sie, strahlend (und hochschwanger) in einem knallorangefarbenen Kleid, lila Strumpfhosen, kirschroten Wildlederstiefeln und einem schwarzweiß karierten Mantel. Ihr dunkles Haar hat sie auf den Kopf hochgesteckt, und sie trägt wie immer scharlachroten Lippenstift. Neben ihr steht Lando mit einem nörgelnden Ferdy an der Hand, der versucht, ihn zur Tür zu ziehen.

Jo war in der Teeküche hinten im Laden, und das unerwartete Trio, das nun vor ihrem Verkaufstisch steht, bringt sie kurz aus dem Konzept. Dann, wie von einer unsichtbaren Kraft angezogen, stürzt sie auf ihre beste Freundin zu. Sie umarmt sie und muss dabei um ihren Bauch herummanövrieren, um so viel wie möglich von ihr abzubekommen. Sie spürt die Wärme, die von Lucys Umarmung ausgeht, und denkt, was auch immer noch kommt, alles wird gut. Ihre Freundschaft ist im Laufe der Jahre gewachsen und hat sich verändert, und auch wenn sie sich etwas voneinander entfernt haben, das hier bedeutet etwas. Es ist Teil von ihnen beiden, es fließt durch sie beide hindurch, und es ist wertvoll.

Lucy muss lachen, und Ferdy nörgelt.

»Ich will zu Eric. Das hier ist der falsche Laden.«

Jo ist verdutzt von dem ungewöhnlichen Anblick von

Lando in ihrem Laden (einem Lando, der ungewöhnlich gestresst wirkt), und daher fragt sie: »Alles in Ordnung, Lando? Kann ich dir helfen?« Dabei hält sie noch immer Lucys Hand. »Oh, das hier ist übrigens meine beste Freundin, Lucy«, fügt sie hinzu. Sie sagt »beste Freundin« voller Stolz und hofft, dass Lucy es hört.

Lucy drückt ihre Hand, bevor sie sie loslässt. »Schön, dich kennenzulernen, Lando. Hey, Jo, wo ist denn die Toilette? Dieses Baby hier vollführt seit einer halben Stunde einen Stepptanz auf meiner Blase.«

Jo zeigt ihr den Weg und nimmt Lucy ihr Gepäck ab, um es hinter dem Tresen abzustellen. Sie weiß, dass sie Lando anstrahlt, was in genauem Gegensatz zu seinem Gesichtsausdruck steht.

»Entschuldige, Jo, Sacha ist krank, daher musste ich Ferdy mitnehmen. Aber ich habe ihn nicht gerne bei mir im Laden, wegen der Nadeln und … Gesundheitsschutz und Sicherheit …«

»Oh, es tut mir leid, Lando …«, fängt Jo an. Sie will ihm gerne helfen, aber sie hat nur so wenig Zeit mit Lucy, nur eine Nacht. Daher will sie den Laden früher schließen.

»… Oh, keine Sorge, ich wollte dich nicht bitten, auf ihn aufzupassen … Ferdy! Hörst du bitte auf, an mir zu ziehen. Wir gehen ja gleich … Nein, Eric hat gesagt, er kann bei ihm bleiben. Ich wollte nur fragen, ob du irgendwas zum Malen hast, einen Block oder so?«

»Natürlich!«, ruft Jo aus. Sie dreht eine kurze Runde durch den Laden und sucht Buntpapier, Stifte und Kreiden raus. Dann kramt sie in der Kiste mit der Mangelware und holt einen Quittungsblock und einen Stempel mit dazugehörigem Stempelkissen hervor. Sie packt all das in eine braune Papiertüte und präsentiert sie Ferdy, der sofort aufhört herumzuzappeln. Er betrachtet die Tüte halb misstrauisch, halb hoffnungsvoll. »Ist das für mich?«

»Na sicher. Alles deins«, sagt sie und reicht ihm die Tüte.

Für einen Augenblick hat sie das Gefühl, ihr Onkel ist an ihrer Seite. Das Gefühl ist so stark, dass sie sich umdreht, aber sie sieht nur die Pinnwand, die nun zu drei Vierteln voll mit ihrer wertvollen Elstersammlung ist.

»Noko«, sagt Ferdy und nimmt sie entgegen.

»Danke, Jo«, fügt sein Vater hinzu, »was schulde ich dir?«

»Nichts, das ist ein Geschenk«, erklärt Jo.

»Wirklich? Danke dir vielmals.«

»Viel Spaß heute«, ruft sie Ferdy hinterher, als sie sich auf den Weg zur Tür machen.

Lucy kommt mit zwei Tassen Tee zurück. Sie hievt sich auf einen der Hocker vor dem Tresen und stellt die Füße auf die Leiste des anderen. Da sie jetzt ganz allein sind, fällt Jo auf, dass Lucy nervös ist, genau wie sie.

»Also, war das der Tätowierer oder der Optiker?«, fragt Lucy und klingt dabei zu locker und fröhlich.

»Das war Lando, der Tätowierer. Eric der Wikinger ist der Optiker«, erklärt Jo und imitiert Lucys Tonfall.

»Der Wikinger passt also auf Kinder auf. Männer, die Kinder mögen, muss man einfach liebhaben. Also, wann bekomme ich den Wikinger zu sehen?« Lucy nimmt einen Schluck vom Tee.

Ausnahmsweise möchte Jo nicht über Eric nachdenken. Sie hat Lucy so viel zu erzählen.

Bevor sie jedoch etwas sagen kann, lehnt sich Lucy auf dem Hocker leicht zurück und betrachtet Jo von oben bis unten. »Ist das meine Latzhose?!«

»Ah, ja. Das hätte ich dir sagen sollen. Die hast du bei mir vergessen, und ich habe sie mitgenommen …« Jo weiß nicht, was sie weiter sagen soll.

Aber Lucy gibt einen kleinen Grunzlaut von sich und lächelt. Schließlich sagt sie: »Sie steht dir.«

»Ich gebe sie dir natürlich wieder, wenn das Baby da ist«, versichert ihr Jo, und zum ersten Mal nimmt sie Lucys dicken Bauch bewusst wahr. Hat sie es vermieden, ihn anzusehen?

Ihre beste Freundin streicht sich über den Bauch. »Nein, ist schon in Ordnung. Du solltest sie behalten.« Es folgt eine Pause, dann fügt Lucy hinzu: »Es würde mich wirklich freuen, wenn du sie behältst.«

Jo rutscht vom Hocker, geht zur Tür und dreht das Schild auf »Geschlossen«. Was auch immer als Nächstes kommt, ist zu wichtig, um unterbrochen zu werden.

Bevor sie überhaupt zurück am Tresen ist, redet sie los, die Worte purzeln nur so aus ihr heraus. »Es tut mir leid, Lucy. Ich war … Ich weiß gar nicht … Ich will gar nicht daran denken. Ich weiß, dass ich keine gute Freundin war und du *so* viel Besseres verdient hast. Ich habe wirklich geglaubt, dass ich mir für dich Zeit genommen habe, als du zurückgekommen bist, aber wenn ich jetzt zurückschaue, gab es so viele Momente, in denen ich hätte da sein sollen und es nicht war.« Sie steht vor ihrer Freundin, sieht sie eindringlich an und versucht, ihren distanzierten Gesichtsausdruck zu lesen. »Du hast mich nie enttäuscht, Lucy, nie. Aber ich hatte mich so daran gewöhnt, meine

Zeit mit James zu verbringen, zu machen, worauf er Lust hatte, und, weißt du, mit all seinen Freunden hatte ich das Gefühl dazuzugehören, dachte ich zumindest, und cool zu sein …«

»Das war es aber nicht«, unterbricht sie Lucy und sieht auf, »es war scheiße.«

Jo hört die Ironie hinter der Verletztheit und atmet ein wenig auf. »Ich habe wirklich geglaubt, dass ich mich bemüht habe.« Jo will es ihr so gerne erklären. »Ich wusste, dass du ihn nicht leiden kannst. Aber ich mochte ihn von ganzem Herzen, Lucy, er war mir wirklich wichtig. Ich habe gedacht, dass ich ihn liebe. Wenn ich jetzt an ihn denke, weiß ich nicht mehr, warum ich auf ihn hereingefallen bin. Ich kann es nicht erklären … aber damals … es war nur …« Jo schüttelt den Kopf. Was war es denn? Chemie, Verknalltheit, irgendeine Sehnsucht in ihr? Sie weiß, sie hatte es »Liebe« genannt. Malcolms Worte fallen ihr wieder ein. *Er mag dein Liebhaber gewesen sein, aber er war nie dein Freund.*

Jo sieht die Frau vor sich an und kann nicht glauben, dass sie ihrer Freundschaft so wenig Aufmerksamkeit geschenkt hat. Als sie in einen Mann verliebt gewesen war (einen Mann, mit dem sie ein Kind gewollt hatte), wie konnte sie glauben, dass es Liebe war, wenn sie keine Freundschaft verband?

Lucy starrt wieder in ihren Tee. Dann sieht sie auf. »Jo, ich weiß, dass ich es dir nicht immer leicht gemacht habe. Ich weiß, dass ich oft rede, ohne vorher nachzudenken.« Sie holt tief Luft. »Ich wäre damit klargekommen, ihn nicht leiden zu können. Wir kennen alle ein paar anstrengende Leute.« Jo fragt sich, ob sie ihre Mutter meint.

»Aber ich wollte nicht, dass du dir für mich ›*Zeit nimmst*‹. Was meinst du, wie sich das angefühlt hat? Das sollte doch so nicht sein. Ich habe mich *so* darauf gefreut, wieder in deiner Nähe zu wohnen.« Mit gerunzelter Stirn, aber freundlicher fügt sie hinzu: »So war es doch früher nie.«

»Ich weiß. Es tut mir so leid, Lucy«, kann Jo nur flüstern.

Lucy seufzt. »Hör zu, ich verstehe das schon. Die Dinge ändern sich. Du saßt fest. Und so eine schlechte Freundin warst du gar nicht. Wirklich. Und als ich in Amsterdam war, warst du großartig. Fantastisch, um genau zu sein. Du warst nur so anders, als ich zurückgekommen bin. Und du hast mir gefehlt ... wir haben mir gefehlt.« Sie grinst Jo schüchtern an. »Ich war mir aber immer sicher, dass du irgendwann wiederkommen würdest. Jemima denkt das auch.«

Jemima, die sie in dieser fürchterlichen Besprechung gerettet hat.

»Ah, ja«, sagt Lucy und rutscht auf dem Hocker herum, »das habe ich vergessen, dir zu sagen.«

»Woher zum Teufel kennst du Jemima?«, will Jo überrascht wissen.

»Sie macht einmal im Monat auf dem Sonntagsmarkt mit, den ich angefangen habe, als wir zurückgekommen sind. Ich verkaufe Second-Hand-Klamotten, und sie hat den Stand neben mir. Du kannst dir sicher vorstellen, was sie verkauft. Geschirrtücher und Teetassen mit Labradoren darauf. Wir haben angefangen, uns zu unterhalten.«

Das passte wieder einmal zu Lucy. Sie fand ein Gesprächsthema mit jedem und redete los. Hatte Jo sich je wirklich mit Jemima unterhalten? Nein, sie war nur James hinterhergelaufen … nun ja … eben wie ein Labrador. »Worüber habt ihr geredet?«

»Vor allem über James. Wow, sie kann ihn wirklich nicht ausstehen«, sagt Lucy etwas schuldbewusst. »Ich kann auch gleich ehrlich sein«, sagt sie grinsend, »wir haben uns permanent das Maul über ihn zerfetzt. Er ist wirklich ein egoistischer Mistkerl, Jo«, sagt Lucy fast flehentlich.

»Ist er das?«, fragt Jo, aber sie klingt nicht überzeugt. Wieder einmal sieht sie Wilbur, Finn, Lucy und Jemima in einer Reihe stehen und die Augen verdrehen. In ihrer Vorstellung stehen Lucy und Jemima nun Arm in Arm vor ihr.

»Aber dich mag Jemima wirklich gerne«, fügt Lucy ermutigend hinzu.

»Tut sie das? Ich wüsste nicht, warum«, sagt Jo, und bei der Vorstellung von Lucys und Jemimas Vertrautheit weiß sie auch nicht, ob sie überhaupt will, dass Jemima sie mag.

»Du kapierst es einfach nicht, oder?«, sagt Lucy aufgebracht. »Deshalb war ich so wütend. Du bist so ein toller Mensch, Jo, und er hat dir das Gefühl gegeben, klein zu sein. Du bist liebevoll und lustig. Und du gibst anderen den Raum, um sie selbst zu sein. Du überwältigst sie nicht so wie andere.« Lucy zieht eine Grimasse und zeigt auf sich. Sie zögert. »Dann ist James aufgetaucht, und es kam mir vor, als hätte er alles Gute aus dir herausgesaugt.« Schnell redet sie weiter. »Natürlich nicht alles Gute, aber mit ihm warst du nur eine blasse Hülle deiner selbst, und du hast alles mitgemacht. Dabei hast *du* immer die besten

Ideen gehabt, aber er hat dich einfach überstimmt und übergangen.«

Jo kann sehen, wie sehr das ihre Freundin mitnimmt.

»Ich habe es nicht ausgehalten, Jo.«

»Warum warst du dann so sauer, als wir uns getrennt haben?«, will Jo wissen.

»Ich war stinksauer auf ihn, weil ich sehen konnte, wie sehr er dich verletzt hat, und das hattest du nicht verdient. Erst recht nicht von ihm. Ich weiß, er sieht gut aus und so weiter, aber er war nur scheiße zu dir, Jo, und du hast tausendmal mehr verdient als ihn.«

Jo legt Lucy eine Hand auf den Arm, aber sie spürt, dass Lucy noch mehr zu sagen hat. Sie sieht, wie Lucy auf dem Hocker herumrutscht, und auf einmal wird ihr klar, wie hochschwanger ihre Freundin ist.

»Hör zu, lass uns oben weiterreden. Da kannst du dich richtig hinsetzen und die Füße hochlegen.«

Lucy sieht sich um. »Und was ist mit dem Laden?«, fragt sie.

»Ach so, ich habe beschlossen, mir heute den halben Tag freizunehmen«, sagt sie und holt Lucys Tasche hinter dem Tresen hervor.

»Gibt es niemanden, der dir aushelfen kann?«, erkundigt sich Lucy.

Jo schüttelt den Kopf. »Das macht für einen halben Tag nichts«, versichert sie Lucy.

»Könnte nicht einer deiner neuen Freunde für dich übernehmen? Können die dir nicht aushelfen?«

»Wie bitte?« Jo beunruhigt Lucys Tonfall.

»Ach, egal«, murmelt Lucy und wuchtet sich vom Hocker.

Gerade möchte Jo nachfragen, da sagt Lucy fröhlich: »Oh, sind das die Wünsche, von denen du mir geschrieben hast?« Dann drängt sie sich an Jo vorbei, um die Gepäckanhänger am Weihnachtsbaum zu lesen. Sie macht das mit einer Vehemenz, die keine Unterbrechung zulässt.

Jo betrachtet sie für einen Moment, dann geht sie zur Tür. Bevor sie draußen die Weihnachtsbeleuchtung ausschaltet, geht sie ein paar Schritte weiter und späht durch das Schaufenster in Erics Laden. Eric und Ferdy sitzen auf dem Boden, umgeben von großen Kartons, die sie zurechtschneiden. Nun ja, Eric schneidet sie zurecht, Ferdy versucht, in einen hineinzuklettern.

»Warte kurz, Kleiner, gib mir einen Moment«, hört Jo Eric sagen. »Schau her, fädle diesen Faden durch das Loch hier«, erklärt er seinem kleinen Helfer.

Eric sieht auf, und Jo verschwindet schnell aus seinem Sichtfeld.

32

Gewitterwolken

Sie sind jetzt oben im Wohnzimmer. Lucy sitzt in Onkel Wilburs Sessel, die Füße auf einem Kissen auf dem Couchtisch. Sie hat ihr oranges Kleid gegen einen pinken Onesie mit Kirschen darauf getauscht.

Sie unterhalten sich über ihre Familien, aber Jo hat es vermieden, nach Finn zu fragen, weil sie sich nicht verraten will. Wie Finn schon sagte, das ist auch »seine Privatsache«. Während sie sich unterhalten, sagt Jo die Online-Reservierung, die sie bei einer nahegelegenen Tapas-Bar gemacht hat, ab. Lucy sieht müde aus, und Jo schlägt vor, dass sie ihnen stattdessen beim Deli etwas zu essen holen geht. Sie überredet Lucy, während sie unterwegs ist, einen kleinen Mittagsschlaf zu machen, und bezieht ihr Onkel Wilburs Bett. Für eine Nacht wird Jo ins Gästezimmer ziehen, damit Lucy mehr Platz hat.

»Tut mir leid wegen der Geschichte mit Jemima«, sagt Lucy, als sie sich aus dem Sessel hievt.

»Ja, das kam etwas unerwartet«, stimmt Jo ihr zu. »Siehst du sie oft?« So etwas wie Eifersucht keimt in ihr auf. Sie fragt sich, wie lange die beiden wohl schon miteinander über sie und James reden.

»Gelegentlich«, antwortet Lucy vage.

»Sie arbeitet aber immer noch bei der Bank, oder?«

»Oh, ja. Der Markt ist nur ein Hobby.«

»Erzählt sie dir je von James?« Jo weiß nicht, warum sie das fragt. Kommt sie sich außen vor gelassen vor?

»Ja …«, antwortet Lucy zögerlich. »Er hat sich von Nicky getrennt«, fährt sie fort und beobachtet ihre Freundin vorsichtig.

Also hat es mit Nickyyy nicht lange gehalten … Jo weiß nicht genau, was sie davon halten soll. Ein großer Teil freut sich, dass es mit den beiden nicht geklappt hat. James hatte sicher kein »Happy End« verdient. Vor ein paar Wochen hätte sie das auf jeden Fall als Hoffnungsschimmer betrachtet, ein Zeichen dafür, dass James zur Besinnung gekommen ist, sie zurückwollte. Und jetzt? Sie denkt an Malcolms Worte: *Er war nie dein Freund.*

»Sag etwas, Jo.« Lucy steht ihr nun gegenüber. »Oh, bitte sag mir nicht, dass du …«, sie beendet den Satz nicht.

»Nein. Ich glaube nicht.«

»Kannst du das bitte mit etwas mehr Überzeugung sagen?«, fordert Lucy sie auf und klingt wieder gereizt.

Warum hat sie nur für den Bruchteil einer Sekunde gezögert? Weil es beweisen würde, dass er unrecht hatte und sie es wert war, wenn sie wieder zusammenkämen?

Lucy scheint ihr Zögern zu bemerken. Ihr Tonfall ist ein Indikator dafür, wie genervt sie ist. »Gott, Jo, er ist es nicht wert. Mach die Augen auf. Er war es *nie* wert. Er ist nicht der Mann, für den du ihn gehalten hast.« Lucy holt tief Luft. »Bitte sag mir nicht, dass du diesen ›Immerhin war er treu‹-Blödsinn immer noch glaubst.«

Jo kommt es vor, als hätte man sie geohrfeigt. Sie hatte Zweifel an seiner Treue, das stimmt, aber dann hatte sie sein Handy und seine E-Mails überprüft und noch einiges mehr (schließlich änderte James nie sein Passwort).

»Aber ich habe nachgesehen«, sie weiß nicht, was sie sonst sagen soll. Schnell fügt sie hinzu: »Du weißt doch was.« Es ist keine Frage.

Lucy steht leicht breitbeinig vor ihr und starrt Jo an. Trotz des pinken Onesies ist Lucy eine imponierende Gestalt. »*Alle* wussten es, Jo! Zumindest hat Jemima mir das erzählt. Er hat es drauf angelegt, sich um die Trainees zu kümmern, und hat es als Ausrede benutzt, um Nicky nachzustellen. Warum sollte er ihr E-Mails schreiben? Jemima sagt, sie haben sich jeden Tag gesehen. Und das muss ich ihm lassen, er ist ein Mistkerl, aber er ist nicht dumm. Er hat es erst Monate später auf Instagram herausposaunt. Als ihr noch zusammen wart, wusste er vermutlich, dass du durch sein Handy und seine E-Mails gehst. Du wusstest doch schon immer mehr über IT als er. Um Himmels willen, er hat dich sogar dazu gebracht, den Computer seiner Mutter aufzuräumen. Nachdem sein Vater gestorben ist, bist du doch andauernd eingesprungen.«

Jo schafft es nicht, diese ganzen Informationen zu verarbeiten. Ja, sie hatte seiner Mutter geholfen. Hatte so viel für sie und James getan. Aber machte man das als Partnerin nicht? Wieso warf Lucy ihr das vor, wenn sie nur versucht hatte, umsichtig zu sein? Die Stimme, die *aber was hat er je für dich getan, Jo?* ruft, wird vom nächsten Gedanken, der sich ihr aufdrängt, weggespült.

»Du wusstest davon und hast mir nichts gesagt?« Jo ist überrascht davon, wie laut sie auf einmal wird.

In Gedanken spielt sie die Szene mit James wie einen alten Film ein weiteres Mal durch: *Es gibt keine andere*.

Sie hatte ihn nicht einmal gefragt.

Lucy wird blass, wippt aber ungeduldig von einem

Bein aufs andere. »Verdammt noch mal, Jo, eine Menge Leute wussten es. Nicht nur ich.«

Schmerz und Demütigung überkommen Jo, und dann bricht aus ihr der Zorn raus.

»Aber du bist meine beste Freundin! Warum hast du es mir nicht gesagt?«

Lucy stößt so lange den Atem aus, dass Jo fast erwartet, dass sie in sich zusammenfällt. »Das wollte ich, Jo. Aber wie hätte ich das machen sollen? Wir waren nicht … es war nicht so wie früher … Ich war mir nicht sicher, ob du mir glauben würdest.«

»Also haben du und Jemima euch richtig schön über die dumme kleine Jo lustig gemacht«, blafft sie zurück.

Lucy legt die Hände auf die Augen. »Nein, so war das nicht.«

»Wie war es denn dann? Ich habe versucht, es diesem Scheißkerl James recht zu machen, und dir, und seiner Familie … und du sitzt rum und zerreißt dir das Maul hinter meinem Rücken?«

»Nein!« Lucy ist nun fast so laut wie Jo. »Ich habe mich mit dem Scheißkerl getroffen.«

»Hattet ihr eine nette Unterhaltung?« Jos Worte triefen vor Sarkasmus.

Lucys Stimme wird leiser. »Oh, Jo, es war fürchterlich. Ich habe ihm gesagt, wenn er es dir nicht sagt, mach ich es.«

»Aber das hast du nicht, Lucy«, Jo unterdrückt ein Schluchzen, »und du hast mich weitermachen lassen, davon reden lassen, ihn heiraten zu wollen. Ich habe über Kinder geredet …« Ihre Stimme versagt. »Wie *konntest* du nur?«

Auf einmal scheint es, als hätte Jo einen Schalter bei

Lucy umgelegt. Sie dreht sich zu Jo. »Wie konnte ich nur?! Scheiße, Jo, wir haben uns ja kaum gesehen. Du hast dir *Zeit für mich genommen*, als wäre ich ein Termin, den du lieber vermieden hättest.«

Jo denkt, jetzt kommt alles raus … jetzt geht das Gewitter los.

»Ich habe zwar gesagt, dass du keine schlechte Freundin warst. Aber ich habe gelogen. Du warst eine echt beschissene Freundin. Als ich zurückgekommen bin, wollte ich einfach nur normale Sachen mit dir machen. Aber du konntest nur von den supercoolen Events reden, auf die ihr gegangen seid. Du hast mich zwar eingeladen, aber du wusstest, dass ich mir das nicht leisten konnte. Und was hast du dann gemacht? Du hast angeboten, für mich zu zahlen. Was meinst du, hat mir das für ein Gefühl gegeben, Jo? Ein verdammt beschissenes. Scheiße hat sich das angefühlt!« Lucy brüllt sie an. Und ihr Bauch wippt vor Erregung.

Für eine Sekunde sorgt Jo sich um das Baby, und Scham überkommt sie. James hatte immer gesagt *lad Lucy nicht ein, Lucy passt nicht rein*, und sie wollte ihn vom Gegenteil überzeugen. Aber warum hatte sie gedacht, Lucy müsse sich mit Leuten anfreunden, von denen sie heute nichts mehr hörte und die ihr eigentlich immer egal waren?

Sie möchte ihr sagen, wie leid es ihr tut, aber ein einzelner Gedanke hindert sie daran. *Du wusstest, dass James mich betrügt, und hast mir nichts gesagt.*

Sie starren einander zornig an.

Lucy rauscht an ihr vorbei in Onkel Wilburs Zimmer. »Ich pack das nicht. Ich muss schlafen«, murmelt sie. Dann formen sich Worte. Diese spuckt sie Jo entgegen. »Du hättest nach Hause kommen können. Du hättest mich jederzeit besuchen können, hast du aber nicht. Ich habe versucht, mir einzureden, dass mir das nichts ausmacht, schließlich war ich vier Jahre weg. Aber du hättest zu mir kommen können, Jo.« Ihre Worte klingen traurig und zutiefst verbittert. »Aber warum solltest du auch? Du hast ja neue Freunde, und jetzt dreht sich alles nur noch um die verfluchte Vikarin und einen alten Typen namens Malcolm. Viel Vergnügen mit ihnen, Jo.« Und damit wirft sie die Tür hinter sich zu.

Instinktiv macht Jo einen Schritt auf die geschlossene Tür zu, aber die kommt ihr unüberwindbar wie die Mauern von Fort Knox vor. Ihrem zweiten Instinkt folgt sie. Mit zittriger Hand schreibt sie der verfluchten Vikarin und dem alten Typen namens Malcolm eine Nachricht.

Nachdem sie fünf Minuten unschlüssig vor der Tür zu Onkel Wilburs Zimmer gestanden hat, verlässt Jo die Wohnung. Sie hat einen Zettel unter der Tür durchgeschoben und Lucy mitgeteilt, dass sie etwas zu essen holen geht. Sie will etwas Versöhnliches hinzufügen, aber ausnahmsweise findet ihr Füller nicht die richtigen Worte.

Jo schlüpft aus der Ladentür und kommt sich wie eine Verbrecherin vor, die einen Tatort verlässt. Sie biegt links ab und geht schnell in Richtung High Street.

Zehn Minuten später sind Eric und Ferdy fertig. Die Pappkartons sind nun miteinander verbunden, und aus der Kiste in der Mitte ragt ein Besenstil hervor. Ein Laken ist wie ein Segel daran befestigt. Ferdy sitzt in der vordersten Kiste. Er trägt einen übergroßen Helm mit Hörnern. Um die Schultern hat er ein Schaffell gewickelt, das ihn fast vollständig umhüllt und von einer gelben Manuskriptklammer zusammengehalten wird.

»Bist du bereit?«, fragt Eric.

Ferdy nickt, er hält ein Schwert aus Pappkarton in der Hand.

Eric beginnt das »Schiff« die Seitenstraße hinunterzuschieben und an Jos Schaufenster vorbei. Der Mann und der Junge kichern.

Als sie an dem Ladentisch hinter dem Fenster vorbeikommen, sagt Ferdy: »Wo ist sie? Sie ist nicht da?«

Eric hört auf zu schieben und richtet sich auf.

Im Laden ist es dunkel.

»Wo ist sie?«, fragt Ferdy erneut, seine Stimme zittert vor Enttäuschung. Kurz bevor er anfängt zu schluchzen, hebt Eric ihn aus dem »Schiff«. Er setzt ihn sich auf die Hüfte und zeigt durch das Fenster.

»Wie schade, Kleiner. Sie musste wohl schon los. Aber, hey, schau, da ist deine Zeichnung des Seehundes. Sie hat ihn an die beste Stelle an der Pinnwand gehängt. Er muss ihr wirklich gut gefallen. Wem auch nicht?«, sagt er und umarmt Ferdy. »Und hey, wir können das auch ein andermal machen. Dieses Schiff ist für die Ewigkeit gebaut«, fügt er ermutigend hinzu.

Ferdy murmelt etwas.

»Was meinst du?« Eric lehnt sich näher an den Jungen heran.

»Das ist kein Seehund. Es ist ein Salamander.«

»Oh, natürlich, Kleiner!« Dann flüstert Eric verschwörerisch: »Sollen wir in den Laden von deinem Vater segeln und ihn richtig erschrecken?

»Jaa«, ruft Ferdy, und seine Laune steigt, »noko.«

33

Guter Rat von Reverend Ruth

»Oh, Jo«, sagt Ruth.

»Oh, Joanne«, stimmt Malcolm mit ein.

Darauf hatte Jo gehofft. Sie sitzen an einem kleinen Tisch am Fenster in dem kleinen Café im Deli.

»Ach, die arme Lucy«, sagt Reverend Ruth mitfühlend.

»Ja, in der Tat, arme, arme Lucy«, fügt Malcolm hinzu.

Jo denkt, *nein, nicht* arme Lucy. *Was ist mit mir? Ihr solltet auf meiner Seite sein.*

Ruth scheint ihre Haltung aufzuschnappen und stößt ihr liebevoll gegen die Schulter. »Ja, *und* arme Jo.«

Jo kommt sich ertappt vor, wie ein kleines verzogenes Kind, das nach Aufmerksamkeit heischt.

»Sie hätte es mir sagen müssen.« Etwas anderes fällt ihr nicht ein.

»Das hat sie sicher versucht«, meint Ruth.

»Und sie hat sich mit diesem Idioten James getroffen, und das hat sicher viel Überwindung gekostet«, bestätigt Malcolm.

Jo gibt auf und fängt an, zittrig zu lachen. »Ihr seid auf ihrer Seite, nicht wahr?«

»Das hat mit Seiten nichts zu tun, Joanne«, sagt Malcolm beruhigend.

»Was hättest du an ihrer Stelle gemacht?«, wirft Ruth ein.

»Sanjeev würde Lucy niemals betrügen«, erklärt Jo ihnen überzeugt.

»Aber wenn?«, fragt Ruth weiter.

»Ich schätze, ich würde mit ihm reden ...«

»Und wenn er nicht den Mut hätte, es ihr selbst zu gestehen ...?« Ruth lässt das so stehen.

Hätte sie es Lucy gesagt? Sie denkt schon. Aber hätte Lucy ihr geglaubt, und falls ja, hätte das nicht ihre Freundschaft aufs Spiel gesetzt?

»Oh, ich habe alles falsch gemacht«, seufzt Jo und sieht von einem zur anderen. »Nur die Vorstellung, dass die beiden, Lucy und Jemima, über mich reden. Das habe ich nicht ertragen.« Sie weiß, dass das Ausreden sind.

»Oh, mach dir keinen Kopf«, sagt Ruth aufmunternd. »Du bist nur auf das grünäugige Monster hereingefallen.«

»Ich dachte, dem wäre ich entwachsen«, antwortet Jo.

Ruth lacht laut auf. »Das denkst du!« Sie schüttelt den Kopf, und Malcolm stimmt mit ein. Das erinnert sie an ihre Vorstellung von Lucy, Wilbur, Jemima und Finn, die mit verschränkten Armen vor ihr stehen und den Kopf schütteln über sie und James. Immerhin kommt mit dieser Erinnerung ein klarer Gedanke. *Ich werde* niemals *zu diesem Mann zurückgehen*. Wieder denkt sie an Malcolms Worte ... *Joanne, er war nie dein Freund.*

»Okay«, sagt sie zu ihren Freunden, »was soll ich machen?«

»Ich glaube, für den Anfang«, schlägt Ruth vor, »musst du dich in Lucy hineinversetzen. *Du* bist eifersüchtig? Wie meinst du, muss es *ihr* gehen?«

»Genau, das habe ich mir auch gedacht«, stimmt Malcolm mit ein und übernimmt. »Sie war sicher eifersüchtig, dass du so viel Zeit mit James' Freunden verbracht hast«, dann fügt er noch hinzu, »auch wenn ich Schwierigkeiten habe, sie ›Freunde‹ zu nennen, nennen wir sie eher seine Entourage …«

»Oh, nein, bitte nicht, Malcolm«, sagt Ruth und grinst, »aber du hast recht, Lucy hat dich an sie verloren. Dann hat sie dich an London verloren. Und jetzt fürchtet sie, dass du hierbleiben wirst und sie dich an uns verlieren wird.«

»Vermutlich hat sich gedacht, sie darf nichts sagen, da sie mit ihrem Mann ja auch im Ausland war«, fügt Malcolm aufmerksam hinzu.

»Aber ich hatte immer vor, wieder heimzukommen«, sagt Jo überrascht.

»Bist du da sicher?«, fragt Malcolm, und Jo kann das Bedauern in seiner Stimme hören.

»Ja, irgendwann«, antwortet sie und denkt an die Male, in denen sie sich gefragt hat, ob Onkel Wilburs Laden ihre Zukunft sein könnte. Da hatte sie Zweifel. Aber jetzt wusste sie, dass London nicht ihr Zuhause war.

»Weiß Lucy das auch?«, fragt Ruth schlicht.

»Oh.« Jo atmet fast so lange aus wie Lucy in Wilburs Wohnzimmer. Sie versteht nun, warum Lucy nicht auf ihre Briefe geantwortet hat, in denen sie von Ruth, Malcom und dem Laden erzählt hat. Ihren spitzen Kommentar zu ihren neuen Freunden. Jos »Oh« wird zu einem »Ah«.

Jo verkündet: »Ich muss zurück zu Lucy.«

Ruth legt eine Hand auf ihre, um sie zurückzuhalten. »Bevor du gehst, muss ich dir etwas erzählen.«

Jo hält inne und sieht Ruth ins Gesicht, das zur Abwechslung traurig wirkt und ohne ihren üblichen Schelm.

Sie fragt sich *ist es jetzt so weit?* Erfahren sie jetzt das Geheimnis der flüchtigen Vikarin?

»Meine beste Freundin Julie ist gestorben, als wir beiden Anfang vierzig waren. Sie hatte Brustkrebs.«

Jo und Malcolm kommen instinktiv näher.

Damit hatte Jo nicht gerechnet.

»Es war natürlich eine Katastrophe für ihren Mann und ihre Familie, aber nur sehr wenig Leute haben verstanden, wie ich mich als ihre Freundin fühlte. Ich glaube, wir machen uns nicht klar, was diese Art Freundschaft bedeuten kann. Sie hat keinen Stellenwert in unserer Gesellschaft, wenn es ums Trauern geht.« Sie lächelt Jo traurig an. »Julies Tod ist über fünfzehn Jahre her, aber ich denke noch fast jeden Tag an sie. Ich habe mir oft gedacht, dass wir zu viel Zeit damit verbringen, den ›Einen‹ zu finden, und dabei vergessen, dass eine beste Freundin eine lebenslange Liebesgeschichte sein kann. Eine beste Freundin zu haben bringt fundamentale Wahrheit, Sicherheit und Freude in unser Leben.« Jetzt lächelt Ruth etwas verklärt. »Manchmal denke ich mir, überall gibt es diese unbemerkten Liebesgeschichten, die die Welt zu einem besseren Ort machen. Ich persönlich glaube, das ist eines der bestgehüteten Geheimnisse der Menschheit.« Ruth sieht zu Jo. »Du musst dich mit Lucy versöhnen.«

Jo antwortet nicht. Das muss sie auch nicht.

Mittlerweile sitzen die drei so nah beieinander, dass sie sich beinahe berühren, und Jo muss an ihren Abend im Pub zurückdenken. Da hatten sie zum ersten Mal das Thema von Ruths Flucht angesprochen. Jo glaubt nicht, dass das der Grund dafür war. Aber mehr denn je will sie verstehen, was die Vikarin so umtreibt.

»Man darf seine Freunde nie aufgeben«, drängt Malcolm, und Jo muss daran denken, als auch er ihr einen guten Rat gegeben und angedeutet hat, was *er am meisten bereut im Leben*. Ihr wird klar, wie viel sie von diesen Freunden noch lernen kann, und sie hofft, dafür bleibt ihr genügend Zeit. Sie hat den Eindruck, dass sie bald eine Entscheidung über ihre Zukunft treffen muss.

Bevor sie sich verabschieden, bestätigen sie ihre Verabredung für Freitagabend zum Essen bei Jo. Malcolm versucht, seine Begeisterung, ihnen davon zu erzählen, worüber George Eliot und Abraham Lincolns Fußpfleger Issachar sich unterhalten hätten, zu zügeln. Jo fragt sich, ob sie dabei etwas über Malcolms Leben und Bedauern erfahren würden. Ihr ist es auf jeden Fall so gegangen, dass William Foyle und John Lobb sie sehr eindeutig auf die Bedeutung von Freundschaft hingewiesen hatten. Und mit diesem Gedanken weiß sie, dass sie zurück zu Lucy muss.

Als sie das Deli verlässt (mit einer Tüte voll von Dingen, die Lucy mögen könnte), überlegt sie, warum weder sie noch Ruth Malcolms Kleidung kommentiert haben. Er trug ein gestricktes Oberteil in strahlendem Orange mit hellgrünen Quasten am Saum.

Waren sie zu sehr mit Jos Problemen beschäftigt gewesen?

Zu überrascht?

Oder vielleicht, denkt sie, gewöhnen sie sich auch einfach und die Verwandlung des Malcolm Buswell.

Dieses Mal lässt Jo sich nicht von der verschlossenen Tür aufhalten. Sie klopft leise an, dann öffnet sie die Tür zu

Onkel Wilburs Schlafzimmer. Sie stößt die Tür mit dem Fuß auf, weil sie zwei Tassen heiße Schokolade in den Händen trägt. Die liebt Lucy besonders.

Lucy liegt halb angelehnt im Bett und starrt auf ihr Telefon.

»Keine Sorge, ich nehme einen Zug früher. Ich bin dir so schnell wie möglich aus dem Weg.«

Jo ignoriert sie und stellt die Tassen auf den Nachtkasten. »Rutsch rüber«, sagt sie und setzt sich neben Lucy aufs Bett. »Ich habe dir eine heiße Schokolade gemacht.«

Widerstrebend nimmt Lucy die Tasse von ihr entgegen.

Bevor Lucy noch etwas sagen kann, und bevor Jo der Mut verlässt, fängt sie an.

»Lucy, du bist meine beste Freundin. Das warst du schon immer, und das wirst du auch immer bleiben.« Jo merkt, wie ihr die Stimme versagt, aber sie redet weiter. »Es ist nun mal so, dass man nur eine beste Freundin haben kann. Das sagt ja schon der Name, und das bedeutet, wir sind miteinander verbunden. Du bist mein, und ich bin dein. Jemand hat mir heute erzählt, dass die Freude, eine beste Freundin zu haben, eines der bestgehüteten Geheimnisse der Menschheit sei.« Dann wiederholt Jo, was Reverend Ruth gesagt hat. »Überall gibt es diese unbemerkten Liebesgeschichten, die die Welt zu einem besseren Ort machen.«

Jo spricht, ohne dabei ihre Freundin anzusehen. Sie hört, wie Lucy ihre Tasse abstellt.

»Und ich muss dir etwas erzählen.« Jo holt zitternd Luft.

»Kurz bevor James mich verlassen hat, dachte ich, ich wäre schwanger.« Jo spürt, wie Lucy sich neben ihr anspannt. Sie kann sie noch immer nicht ansehen, also redet sie zu der gegenüberliegenden Wand, an der ein Aquarell hängt, das den Ullswater zeigt. »Ich war nur eine Woche zu spät dran, nach zehn Tagen habe ich einen Test gemacht. Ich war, er war ...« Jo kann den Satz nicht beenden, und sie glaubt, wenn sie jetzt anfängt zu weinen, dann würden die Tränen sie davonspülen. »Drei Tage später habe ich meine Tage bekommen, und ... das war es dann.« Lucy greift nach Jos Hand. »Ich habe versucht, mir einzureden, dass der Test ein falsches Positiv angezeigt hat. Vielleicht habe ich mich verlesen und war gar nicht wirklich schwanger.«

Nun hält sie die Hand ihrer Freundin ganz fest, konzentriert sich auf die Wärme, versucht, nur das zu spüren. »Aber ich war schwanger, Lucy, und als ... also danach konnte ich nur noch daran denken, wie sehr ich mir ein Baby wünsche. Der verzweifelte Wunsch, Mutter zu werden, ist zu einem Teil von mir geworden. Ich habe überlegt, mit James darüber zu reden, aber ich konnte nicht.«

»Oh, Jo.«

»Da hätte ich es schon wissen müssen. Ich habe mich nicht getraut, es ihm zu sagen. Wusste nicht, ob es ihn freuen würde. Aber ich habe mir eingeredet, eines Tages würde er sich freuen. Wenn die Zeit reif wäre.« Jos verkrampftes Lachen wird zu einem Schluchzen. »Also habe ich mir weiter eingeredet, dass ich gar nicht schwanger war, dass es nicht zählte, dass es sich nicht lohnt, sich darüber aufzuregen.«

Einen Moment lang muss Jo an die Gewitterwolken denken und merkt, ah, *da* ist er, der Sturm. Sie lehnt sich vor und fasst sich an den Bauch, der einmal das Versprechen eines Babys gehalten hatte, und sie wiegt sich auf dem Bett vor und zurück. Nun kann sie die Tränen nicht mehr zurückhalten, und sie kann nicht aufhören zu schluchzen, sie spürt sie wie einen schmerzhaften Rhythmus, der sich mit ihr wiegt. Dann legt Lucy die Arme um sie und wird auch Teil davon. Jo spürt die Sicherheit in ihrer Umarmung, die gemeinsame Bewegung der beiden, wie Lucy sie tröstet, sogar als beide den Tränen freien Lauf lassen.

34
Mindy aus Hot Springs

Jetzt sitzen sie wieder in Onkel Wilburs Wohnzimmer. Lucy in seinem Sessel, Jo auf dem Boden mit dem Rücken an den Sessel gelehnt. Auf dem Couchtisch liegen die Überreste ihres improvisierten Picknicks.

»Kommst du Weihnachten nach Hause?«, fragt Lucy.

»Natürlich. Du weißt doch, dass ich immer nach Hause kommen wollte, Lucy. Ich hatte nie vor, in London zu bleiben.« Jo meint, was sie sagt, aber sie merkt, dass es sie etwas Überwindung kostet.

»Und wenn das Baby im Februar kommt ...«

Jo dreht sich auf dem Kissen, auf dem sie sitzt, um und sieht zu ihrer besten Freundin auf. »Ich habe das ernst gemeint, was ich gesagt habe. Ich werde die beste Tante Jo sein, die sich dein Baby wünschen kann.«

»Aber wird es ...? Ich weiß nicht. Jo, wird es dir gut gehen?«

Jo denkt an das Gespräch, das sie vorhin geführt haben, als sie sich umarmten und die Zehen unter die tulpenbedeckte Bettdecke steckten. »Natürlich. Das Baby wird mich schnell satthaben.« Während sie das sagt, weiß Jo, dass sie wirklich alles geben wird, aber sie fragt sich, wie ihr Leben weitergeht. Wer wird sie sein, abgesehen von Tante Jo? Sie würde nicht wieder in einer Bank arbeiten wollen, das weiß sie. Sie denkt an Eric den Wikinger der sie Schreibwaren-Girl nennt. Was wird aus ihr werden?

Als ob sie ihre Gedanken lesen könnte (nun ja, denkt Jo zufrieden, beste Freundinnen tun das), fragt Lucy: »Was ist mit diesem Eric? Du hast ziemlich viel über ihn geschrieben. Ich habe den Wikinger aber noch nicht gesehen.«

Jo will gerade erklären, dass Eric mit einer anderen zusammen ist, und alles über Karamellkonfekt-Clare erzählen. Dann wird ihr klar, dass sie mit der Erwähnung des Doppeldates auf Finn zu sprechen kommen würde, und das will sie nicht. Also sagt sie stattdessen: »Er steht nicht auf mich, na ja, nur als Freund. Es hätte ohnehin nie funktioniert. Er ist zu jung für mich.«

»Was ist das mit dir und dem Alter immer? Du redest ständig davon.«

»Na ja, James ...«

»Nicht alle Männer sind wie James. Gott sei Dank.«

Jo denkt an all das, was sie Lucy verheimlicht hat. Es gibt eine letzte Sache, die sie mit ihr teilen muss.

»Als ich James gegenüber misstrauisch wurde, habe ich seine Telefondaten und so weiter durchsucht, aber ich habe mir auch seine sozialen Medien angesehen. Und abgesehen von seinen abfälligen Kommentaren habe ich mich wirklich beschissen gefühlt, weil er auf Social Media auf jüngere Frauen steht.«

»Wie jung?«, will Lucy wissen.

»Oh, Anfang zwanzig, nichts Abartiges, Lucy, nur, na ja, definitiv viel jünger als ich.«

»Klingt für mich ziemlich abartig«, erklärt Lucy. »Weißt du, Jemima meint, er bekommt eine Glatze«, fügt sie genüsslich hinzu, »obenrum wird es definitiv dünn.«

Das bringt Jo zum Lächeln.

»Und was hast du herausgefunden?«, fragt Lucy weiter.

»Es war sein Instagram«, sagt Jo, und sie fühlt sich kalt und klamm, wie damals, als sie zum ersten Mal durch all die Frauen gescrollt hat, denen James folgt.

»Was? Seltsame Sachen?«, fragt Lucy.

»Na ja, nicht wirklich. Es waren Frauen, die sich als Finanzexperten ausgaben oder so etwas in der Art. Alle blond, alle um die zwanzig. Und sie kamen aus der ganzen Welt. Sie hießen so was wie Brandi, und auf eine war er besonders scharf, Mindy aus Hot Springs, Arkansas. Sie postete ständig so cheesy Sachen. Wir hätten uns totgelacht.« Aber damals war Jo wirklich nicht zum Lachen zumute.

»Was für ein Zeug?« Lucy klingt fasziniert.

»Oh, Sachen wie: ›Brand Me is rockin it. Und darauf kannst du Gift nehmen‹, und eine ganze Menge über Self Care.«

Lucy schnaubt verächtlich. »Was für ein Quatsch!«, erklärt sie. »Und James stand auf so etwas?« Sie klingt nicht überrascht.

»Scheint so. Und dann waren da noch die Bilder, die sie gepostet haben. Sie haben alle in die Kamera geschmollt. Du weißt schon, die Blusen etwas zu weit aufgeknöpft. Zurückgelehnt an einem Schreibtisch sitzend. Und das hat ihm was gegeben. Zumindest wenn man von seinen Kommentaren ausgeht.«

»Was hat er denn geschrieben?«

»Oh, nur, dass sie wunderschön sind, inspirierend und dass sie ihn wirklich zum Nachdenken gebracht haben …«

»Warum zum Teufel hast du nichts zu ihm gesagt?«

»Ich dachte immer, ich hätte ja gar nicht herumschnüffeln sollen. Außerdem würde ich nur unnötig einen Aufstand machen. Es war ja nur Instagram.«

»Glatzköpfiger Bastard!«, schimpft Lucy. »Warum hast du mir nichts davon erzählt?«

»Es hat mich wirklich getroffen, Lucy, ich glaube, es war einfacher, so zu tun, als ob nichts wäre. Es nicht ernst zu nehmen.« Sie hält inne. »Ich wusste auch, dass er darüber nur lachen und ich mich am Ende im Unrecht fühlen würde.«

»Oh, Jo«, sagt Lucy viel leiser.

Jo sitzt nun zusammengekauert auf dem Kissen auf dem Boden. Die Arme hat sie fest um die Knie geschlungen. »Ich dachte nur, diese Frauen sind nicht ich. Ich bin zu alt für ihn. Ich werde ihn verlieren.« Jo spürt die Hand ihrer besten Freundin auf der Schulter.

»Du bist so viel mehr wert, weißt du das?«

Jo denkt zurück an Malcolms Geschichte vom Fuchs auf dem Friedhof und an seine Worte. *Du, Jo Sorsby, bist genug.* »Ja«, sagt sie zu Lucy und meint es ehrlich.

Eine Stunde später, bei Kaffee beziehungsweise Pfefferminztee für Lucy, greift Lucy zu ihrem Telefon. »Ich muss mir ansehen, wem mein Mann auf Insta folgt.«

Jo dreht sich schnell um. Warum macht sie sich Sorgen? Sie *kennt* Sanjeev.

Lucy schweigt einige Augenblicke, dann lacht sie.

»Was?«

»Völlig normal, denke ich. Freunde, zu viel Fußball, Katzen, die dummes Zeug machen, überraschendes Interesse an Gärten und Vögeln. Ha, wer hätte das gedacht?

Aber sieh dir das an.« Sie zeigt Jo ihr Handy. Sanjeev hat offensichtlich einige Beiträge über die Dekoration von Kinderzimmern gelikt.

Jo entspannt sich.

Lucy sieht zu ihr hinunter. »Du hast dir doch nicht wirklich Sorgen gemacht, oder?«

»Nein, natürlich nicht. Aber es macht einen fertig, wenn man merkt, dass man jemanden nicht so gut kennt, wie man dachte. Dass man sechs Jahre seines Lebens an einen totalen Wichser verschwendet hat. Einen manipulativen Wichser«, fügt sie zu Lucys Gunsten hinzu.

Lucy ist für einige Momente untypisch still.

»Jo, ich weiß, dass ich den Mann nicht mochte, aber es war nicht alles schlecht, das weiß ich. Als ihr euch kennengelernt habt, verdammt, ihr habt ein Feuerwerk entfacht, ihr beide. Ich war sogar ein wenig neidisch. So eine Chemie habe ich noch nie gesehen. Ich glaube, es war klar, dass ihr zusammenkommen würdet, und ihr musstet es ausprobieren.«

Jo ist überrascht. Sie weiß, dass es Lucy viel gekostet haben muss, das zu sagen. Sie wendet sich an Lucy. »Glaubst du an so etwas wie Chemie, die für immer hält?«

»Du meinst Liebe?«

»Nein, das meine ich nicht. Ich glaube, ich meine, wenn man sich zu jemandem so sehr hingezogen fühlt, als hätte man eine starke Verbindung.« Das Bild von Eric dem Wikinger, der mit den Händen ein Blatt, auf dem »Liebe Lucy« steht, glättet, schießt Jo durch den Kopf.

»Ja, natürlich«, antwortet ihre Freundin schlicht. »Ich weiß, dass mein Mann furzt und im Auto zu viele Süßigkeiten isst und denkt, dass ich das nicht mitbekomme. Aber trotzdem, wenn er durch die Tür kommt …«

»Aber woher weißt du, dass es für immer hält?«, hakt Jo nach.

Lucy lächelt. »Nun, ich denke, es ist ein wenig wie mit Gott. Man trifft keine bewusste Entscheidung. Entweder man glaubt an ihn oder nicht.«

35

Abendessen bei Durchschnitts-Jo

Das Erste, was Jo auffällt, ist Malcolms Halstuch. Nun, es ist kaum zu übersehen. Es ist mit einer Reihe von psychedelischen Kreisen verziert, ein wirbelnder Farbtupfer aus Lila, Lindgrün und Orange in einer ansonsten grauen Landschaft (abgesehen von seinen türkisfarbenen Wildlederschuhen). »Du siehst gut aus«, kommentiert Jo, als sie ihm den Mantel abnimmt. Malcolm berührt nervös sein Halstuch.

Jo denkt, dass Lucy recht gehabt hatte. Bevor sie sich heute Morgen verabschiedeten, erzählte Jo ihr von Malcolm. Lucy stellte detaillierte Fragen zu seiner farbenfrohen Kleidungswahl und kam zu dem Schluss: »Das sind Vintage-Stücke. Wir reden hier von den Sechziger- und Siebzigerjahren. Da steckt mehr dahinter als nur ein Mann, der einfach etwas Farbe in seine Garderobe bringen will.«

»Groovy Baby!«, kommentiert die flüchtige Vikarin und umarmt den großen, unbeholfenen, schlaksigen Mann. Dann dreht sie sich zu Jo und wiederholt das Manöver, wobei Ruth sie mit einer Welle aus Kaschmir und Gardenienduft umhüllt. »Schickes Kleid«, fügt sie anerkennend hinzu. Jo hat wieder einmal die Latzhose abgelegt und ihr grünes Wickelkleid angezogen.

Sobald Ruth mit dem Umarmen und Malcolm mit dem

Erröten fertig sind, dreht sich das Gespräch um Lucy. »Und?«, fragt Ruth.

»Alles in Ordnung«, versichert ihr Jo, und sie ist zufrieden, es dabei zu belassen. Manche Dinge gehören in eine andere Zeit, ein anderes Leben. Ihre Londoner Freunde nicken zustimmend, drängen sie aber nicht, mehr zu sagen.

Sie sitzen im Wohnzimmer von Onkel Wilbur, jeder mit einem Glas Champagner in der Hand. Jo wollte den Abend zu etwas Besonderem machen und hat in guten Wein, Essen, von dem sie weiß, dass sie es kochen kann, und einige weihnachtliche Servietten und Kerzen für Onkel Wilburs Tisch investiert. Jetzt, da ihre Gäste da sind, ist sie aufgeregt, und ihr ist heiß, aber sie glaubt, dass sie alles gut vorbereitet hat.

Ruth erzählt ihnen, dass ihre Hausverwaltung sich bei ihr gemeldet hat. Anscheinend läuft der Mietvertrag für ihre kleine Einzimmerwohnung aus. »Ach ja«, sagt Ruth langsam, »vielleicht ist es an der Zeit weiterzuziehen.«

»Nein!« Jo ist von ihrem eigenen Schreck überrascht. Malcolm wendet sich mit einem verzweifelten Gesichtsausdruck an Ruth.

Ruth sieht ihre Freunde an. »Irgendwann muss ich gehen.« Dann seufzt sie. »Jo, du wirst doch auch nicht ewig hier sein, oder?«

Jo weiß, dass das stimmt, aber bevor sie antworten kann, sagt Malcolm: »Und ich? Muss ich auch weiterziehen?«

Die drei sehen einander an. Ihre lockere Kameradschaft zeigt erste schwache Anzeichen von Rissen. Das kann nicht ewig so weitergehen. Als Jo aus dem Fenster auf die

Dunkelheit jenseits der Lichter der Stadt blickt, spürt sie, dass ein großer Verlust auf sie zukommt.

Malcolm erholt sich als Erster. »Wir greifen zu weit voraus. Wir sind im Hier und Jetzt, in diesem wunderschönen Wohnzimmer ... und ich muss sagen, Joanne, das ist der bequemste Sessel ...«, Jo hat ihm Onkel Wilburs Sessel am Kamin angeboten, »... aus der Küche kommen sehr verlockende Gerüche, und wir drei sind zusammen.« Er wendet sich an Ruth. »Ich mag nicht deinen Glauben haben, Reverend Ruth, aber würde dein Gott uns nicht sagen, dass wir für diese reichen Gaben dankbar sein sollten?«

»Das würde er in der Tat, Malcolm. Und er würde mir auch einen Tritt in den Hintern verpassen, weil ich eine taktlose Närrin bin.«

Sie lehnen sich in ihren Sesseln zurück und nippen an ihren Getränken, aber Jo spürt, dass sich etwas verändert hat. Sie denkt an ihre Mutter, die an dem Glauben festhält, dass Onkel Wilbur wieder gesund wird. Ist es so falsch, die Dinge so belassen zu wollen, wie sie sind?

Sie beschließt, erst im neuen Jahr eine Entscheidung über ihre Zukunft zu treffen. Sie ist sich ziemlich sicher, dass sie weiß, wo sie hinwill, aber bis jetzt hat sie noch keine Ahnung, was sie tun wird (oder wer sie sein wird, außer Tante Jo). Aber jetzt kann sie genauso gut erst einmal die Vorweihnachtszeit genießen (es sind nur noch zwei Wochen bis Heiligabend) und sich um alles andere danach kümmern. Gerade will sie Ruth und Malcolm davon erzählen, als Malcolm sein Glas abstellt.

»Ich muss zugeben, ich habe mich so auf diesen Abend gefreut«, sagt er, und an Jo gewandt fügt er hinzu: »Und das Tüpfelchen auf dem i ist, dass du dich mit der armen Lucy versöhnt hast.«

»Ja, arme, *arme* Lucy«, stimmt Ruth zu.

Als Jo sie konsterniert anschaut, zwinkert Ruth ihr zu, und Jo wird an ihre erste Begegnung erinnert und an den Kommentar, dass niemand mehr an Gott glaubt. Es scheint schon so lange her zu sein. »Nun, genug von der armen Lucy«, sagt Jo mit Nachdruck. »Was wolltest du sagen, Malcolm?«

»Nun, ich würde euch gerne beim Abendessen von George Eliot und Issachar erzählen. Ich glaube wirklich, wenn ich mir diese beiden zum Vorbild nehme, könnte ich lernen, ein anderer Mensch zu werden. Meine Güte, wenn ich an den Mut von George Eliot denke und, na ja …«, er hebt die Hände, »… den Mut von Issachar. Ich glaube, diese Kombination könnte mich wirklich dazu inspirieren, mutiger zu sein.«

Ruth lächelt und mustert das Halstuch. »Ich kann es kaum erwarten.«

Bevor Malcolm oder Ruth mehr sagen können, klatscht Jo plötzlich in die Hände: »Ich hab's!« Etwas ist ihr blitzartig eingefallen.

Ruth und Malcolm schrecken auf, Ruth verschüttet etwas von ihrem Getränk, und beide starren Jo an.

Vielleicht war es der Kommentar von Lucy, aber plötzlich ist ihr etwas klar geworden. Jo beugt sich vor und lächelt: »Darf ich dich etwas fragen, Malcolm?«

Er nickt, sieht sie aber misstrauisch an.

»Warst du vielleicht mal ein Hippie?« Auf einmal scheint ihr das so eindeutig zu sein. Der Mann in Grau sehnt sich nach einer psychedelischen Ära. Jetzt fällt ihr auf, dass Malcolm sich in den letzten Wochen vor ihren Augen in einen Hippie verwandelt hat, zuerst nur flüchtig, aber die modischen Entscheidungen werden immer deutlicher.

»Aha!« Ruth stimmt dem offensichtlich zu, dann wiederholt sie ihre Bemerkung von vorhin. »Groovy Baby.«

Malcolm senkt den Kopf und schüttelt ihn. »Nein«, sagt er, gefolgt von einem lang gezogenen »Oh, nein«.

Jo und Ruth sehen einander besorgt an.

Jo versucht es mit einem anderen Ansatz. Sie spürt instinktiv, dass sie auf der richtigen Spur ist. Sie sagt, nicht ganz so strahlend, aber immer noch voller Zuversicht: »Nun, hast du vielleicht früher einmal davon geträumt, ein Hippie zu sein?«

Zu ihrem Entsetzen legt Malcolm Buswell den Kopf in die Hände und stößt ein langes, gutturales Stöhnen aus. Einige Augenblicke lang sitzt er so da, dann löst sich aus seinem Inneren ein Schluchzen, das seinen ganzen Körper zum Zittern bringt. Es folgt ein weiteres Schluchzen und noch eines. Jo fühlt sich schmerzlich daran erinnert, wie sie mit Lucy auf Onkel Wilburs Bett saß. Wie Lucy beugt sie sich vor und schlingt ihre Arme um Malcolm. Ihre Hände treffen auf Ruths Arme, die ihn gleichzeitig von der anderen Seite her umarmt.

»Es tut mir so leid, Malcolm, es tut mir so, so leid«, fleht Jo fast, ohne auch nur die geringste Ahnung zu haben, was ihr leidtut.

Es dauert eine Weile, bis Malcolm aufhört zu weinen, Ruth reicht ihm ein Taschentuch nach dem anderen, Jo sitzt auf der Armlehne des Sessels und reibt ihm den

Rücken. Nach einer Weile wirkt er gefasster, und dann beginnen die Entschuldigungen.

»Ich hätte wirklich nicht ...«

»Diesen schönen Abend verderben sollen ...«

»Ein sentimentaler alter Narr ...«

Reverend Ruth fällt ihm ins Wort. »Genug davon, Malcolm Buswell. Du bist hier unter Freunden. Und ich glaube, du wolltest uns etwas erzählen.«

Malcolm wendet sich Ruth zu, und sie schenken einander einen Blick. Das erinnert Jo an den stummen Austausch auf dem Highgate Cemetery, und ihr wird klar, dass Ruth auf diesen Moment gewartet hat, denn sie hat gespürt, dass Malcolm eine Geschichte in sich trägt, die er eines Tages mit ihnen teilen möchte.

»Du hast ganz ...«

Jo glaubt, er wolle »recht« sagen, aber Malcolm findet nicht einmal dieses einfache Wort. Was auch immer er ihnen sagen will, es ist ihm nicht möglich. Stattdessen sitzt er schweigend mit gesenktem Kopf da.

Jo erinnert sich plötzlich an das Abendessen, das gleich fertig sein sollte, und da kommt ihr eine Idee. »Malcolm«, sagt sie und fängt wieder an, ihm über den Rücken zu streichen, »würde es dir etwas ausmachen, wenn du uns das nach dem Essen erzählst? Ich glaube, es ist alles fertig, und ich möchte nicht, dass das Essen verdirbt.«

Das funktioniert.

Malcolm sieht auf. »Natürlich, natürlich, Joanne.« Er zieht die Schultern zurück und ist wieder ganz der Alte. »Du hast dir so viel Mühe gegeben.«

Ruth sieht Jo an und nickt anerkennend.

Dann fährt Jo fort: »Meinst du, du könntest Ruth und

mir beim Abendessen von George Eliot und Issachar erzählen?« Jo hofft, dass Malcolm beim Erzählen ihrer Geschichte Seite an Seite mit seinen Geistern geht und sie ihm vielleicht den Mut geben, seine eigene Geschichte zu erzählen.

Malcolm setzt sich aufrechter in den Sessel. »Das könnte ich durchaus tun, Joanne.« Und Jo meint, eine gewisse Erleichterung in seiner Stimme zu hören.

Sie reicht Malcolm eine Flasche Rotwein, die er öffnen soll, weist ihm den Weg zu den Gläsern im Schrank und geht in die Küche, dicht gefolgt von Reverend Ruth.

Dort sehen sie einander schweigend an. Jo will gerade etwas sagen, als Reverend Ruth den Kopf zur Seite neigt. »Gute Idee, ihn zu seinen Geistern zurückzubringen.«

Jo lächelt und erinnert sich an etwas, das Lucy ihr während ihres Gesprächs am Abend zuvor gesagt hat. So wie sich Jo von ihrer besten Freundin bestimmte Züge ausleiht, borgt auch Lucy etwas von ihr. Denn Lucy hatte ihr etwas gestanden. »Wenn ich nicht weiterkomme und eine Idee brauche, um etwas zu erledigen oder ein Problem zu lösen, denke ich immer: ›Was würde Jo tun?‹«

»Es riecht wunderbar«, kommentiert Ruth, als Jo einen großen Steinguttopf aus dem kleinen Ofen holt. Sie öffnet den Deckel und schaut vorsichtig hinein. Alles sieht gut aus. Sie hat ein altes Lieblingsgericht gekocht. Langsam geschmortes Lamm mit Ingwer und Aprikosen und dazu gebratenes Gemüse. Sie stellt die Teller in den Ofen, dazu das Fladenbrot. »Ich wärme das kurz auf.«

Sie sieht zu Ruth. »Übrigens, wie war der Adventsgottesdienst?«

»Es war wunderbar. Ich glaube, die Predigt von Reverend Abayomrunkoje hätte dir gefallen. Es ging um die Farbe Lila.« Ruth sieht sie schmunzelnd an.

Jo beschließt, ihr etwas zu gestehen. »Ich bin doch noch hingegangen.«

»Wirklich?! Ich habe dich nicht gesehen.«

»Na ja, der Gottesdienst hatte schon angefangen, also wollte ich nicht hineinkommen.«

»Oh, Jo, das hättest du aber machen sollen.«

»Ich habe von draußen zugesehen und zugehört. Es klang wunderschön und sah toll aus mit den flackernden Kerzen in den Fenstern.«

»Ich habe eine Kerze für deinen Kunden angezündet, dessen Frau im Sterben liegt«, erzählt ihr Ruth.

Jo glaubt nicht an Gott, aber sie ist überzeugt davon, dass es nicht schaden kann, Reverend Ruth Hamilton auf seiner Seite zu haben.

36

George Eliot und Issachar Zacharie

Malcolm legt Messer und Gabel weg und lässt sich mit einem zufriedenen Seufzer in seinen Stuhl zurückfallen. Jo und Ruth sehen ihn erwartungsvoll an.

»Ich glaube, bei George Eliot müssen wir noch einmal ganz von vorn anfangen. Sie stammte aus bürgerlichen, aber keineswegs wohlhabenden Verhältnissen, und ihre Kindheit war, glaube ich, eher traurig.« Er nickt langsam. »Mit fünf Jahren wurde sie auf ein Internat geschickt. Ihre Mutter war eine distanzierte Frau und starb früh. Ich glaube, George Eliot hat sich dann auf ihren Vater konzentriert und in ihrer Vorstellung versucht, ihn zu dem guten und liebevollen Elternteil zu machen, den sie so sehr brauchte.« Malcolm macht eine Pause. »Aber er ließ viel zu wünschen übrig. Und ich glaube, dass der Rest ihrer Familie nicht viel besser war.«

»Inwiefern?«, fragt Jo, schiebt den leeren Teller beiseite und greift nach ihrem Weinglas.

»Nun, sicherlich in ihrer Reaktion auf ihre Entscheidungen.«

»Ihre Beziehung zu einem verheirateten Mann«, erinnert sich Jo.

»Ja, und ihre Zweifel an Gott«, fügt Malcolm hinzu, lächelt schief und hebt sein Glas zum ironischen Gruß an Reverend Ruth. »Außerdem weigerte sie sich, nach dem

Tod ihres Vaters in das Haus der Familie zurückzukehren und ihr Leben so zu leben, wie es sich für eine gute Jungfer gehörte. Sich um die Familie zu kümmern und als unbezahlte Haushälterin zu fungieren.«

»Also wollte sie weder dem Haushalt noch dem Glauben dienen«, kommentiert Ruth, und ihre Augen leuchten ironisch. Sie sitzt, einen Ellbogen auf den Tisch gestützt, mit dem Kinn in der Hand und gerötetem Gesicht da.

»Genau«, bestätigt Malcolm, »als junge Frau hatte George Eliot den denkbar schlechtesten Geschmack, was Männer angeht. Sie hatte eine Reihe von unwürdigen, fehlgeleiteten Schwärmereien für hauptsächlich verheiratete, ältere Männer. Ich nehme an, sie suchte nach einem Ersatz für ihre Mutter, ihren Vater ... oh, wenn ich an das arme Kind denke, das mit fünf Jahren weggeschickt wurde.« Malcolm schüttelt den Kopf. (Jo bemerkt, dass Ruths Blick an Malcolms Halstuch hängen bleibt.) »Kein Wunder, dass sie sich nach einem Beschützer, einem Mentor und vor allem nach bedingungsloser Liebe sehnte.«

»Und hat sie das gefunden?«, fragt Jo mitfühlend.

»Ja, das hat sie. Zwar erst etwas später im Leben, aber sie und George Lewes waren sehr glücklich miteinander. Es war zweifellos ein Treffen der Herzen und des Verstandes. Und Lewes beschützte sie, gab ihr den geistigen Freiraum und das Vertrauen zum Schreiben. Sie war schon immer eine mutige Frau, aber ich glaube, er hat sie noch mutiger gemacht und es ihr ermöglicht, ihr Potenzial auszuschöpfen.«

Malcolm schließt: »Ja, George Eliot: eine geschundene Frau, ein schwieriger Charakter, eine Frau mit erstaunlichem Talent und, meine Güte, was für eine mutige Frau, die mit ihren Dämonen und der Gesellschaft kämpfte, um ihr Leben so zu leben, wie sie es wollte.«

»Eine Frau, die anderen Mut macht«, schlägt Ruth vor und wirft Malcolm einen vielsagenden Blick zu.

»Hm«, antwortet er und erwidert den Blick. »Dazu werde ich noch kommen, Reverend Ruth«, sagt er, »aber zuerst Issachar.«

»O ja«, antwortet Ruth und setzt sich etwas aufrechter hin, »Abraham Lincolns Fußpfleger. Ich möchte alles über ihn erfahren.«

Malcolm lächelt spitzbübisch. »Oh, er war nicht nur Fußpfleger, Reverend Ruth, sondern auch ein Spion.«

»Was!«, ruft Ruth aus.

»Davon musst du uns mehr erzählen«, sagt Jo.

Malcolm schenkt ihnen allen ein weiteres Glas Wein ein und beginnt. »Issachar kam in Kent zur Welt. Er war sechs Jahre jünger als George Eliot.«

Jo und Ruth lauschen gespannt.

»Sein Vater, ein polnischer Jude, hatte einen Laden in der Nähe der Docks, aber die Familie wanderte nach Amerika aus, als Issachar sieben Jahre alt war. Als Issachar sechzehn wurde, gab er eine Anzeige auf, in der er sich als ›Fußpfleger‹ bezeichnete. Ich kann mir nicht vorstellen, dass er eine Ausbildung hatte, aber das hat ihn nicht abgeschreckt. Fußpflege wurde von den Ärzten damals vernachlässigt, doch Issachar erkannte das Potenzial. Die Menschen waren den ganzen Tag auf den Beinen, oft in schlechtsitzenden Stiefeln …«

»Ah, die brauchten John Lobbs«, wirft Jo ein.

»Ja, in der Tat«, stimmt Malcolm zu. »Damals machte schlechtes Schuhwerk den Menschen oft das Leben zur

Hölle. Zwei Monate nachdem er sich als Fußpfleger niedergelassen hatte, begann Issachar, sich ›Doktor‹ zu nennen.«

»Ich könnte mir vorstellen, dass auch er Bertie um eine königliche Urkunde gebeten hat«, scherzt Ruth.

»Reverend Ruth, du hast nicht ganz unrecht. Tatsächlich hängte Issachar in seiner ›Praxis‹ ein Zeugnis des Leibarztes von Königin Victoria auf, in dem stand, was für ein großartiger Kerl Dr. Issachar war. Natürlich war das gefälscht. Wie auch immer, so verlief sein Leben. Er zog von Stadt zu Stadt, und jedes Mal, wenn er umzog, wurden seine Zeugnisse besser und besser. Er veröffentlichte auch ein Buch über Fußpflege, das er ganz unverhohlen von einem anderen Arzt abgeschrieben hatte.«

»Hat ihn denn niemand ertappt?«, fragt Jo.

»Nein, irgendwie nicht. Issachar war nämlich wirklich ein guter Fußpfleger, und einige seiner Zeugnisse stimmten auch. Und ähnlich wie John Lobb hatte er nie Angst, nach Empfehlungsschreiben zu fragen. Er war ein Mann, der reden konnte. Ein extravaganter Mann, der es draufhatte.«

»Wie hat er Lincoln kennengelernt?«, fragt Ruth.

»Oh, durch andere Politiker, die ihm Referenzen gegeben haben. Ich glaube, er ist einfach aufgetaucht. Abraham Lincoln hatte große Füße, Größe neunundvierzig, und litt furchtbar unter Hühneraugen. Und ich denke, man kann mit Sicherheit sagen, dass Issachar ihm geholfen hat. Lincoln stellte fest, dass er sich gerne mit seinem Fußpfleger unterhielt, und so entstand eine Art Freundschaft. Ich hätte sie gerne zusammen gesehen. Lincoln, schlaksig, ein Meter achtzig groß, Issachar, putzmunter, ein Meter siebzig groß. O ja, in der Tat.« Malcolm stellt das Weinglas, das er in der Hand hielt, unangetastet zurück. Er fährt mit Begeisterung fort. »Und Issachar war kein Narr. Er übergoss Lincolns Frau mit seinem ausladenden Charme. Manche nannten Lincolns Frau ›Ihre satanische Majestät‹ …«

»Vermutlich nicht in ihrer Anwesenheit«, schätzt Ruth.

»Nein, natürlich nicht.« Malcolm lacht. Und Jo wird ganz warm ums Herz, als sie das hört.

»Issachar schickte ihr Ananas als Geschenk und schloss sie in seine besten Wünsche an den Präsidenten ein.« Malcolm macht eine Pause für den dramatischen Effekt. »Während des Bürgerkriegs wurde Issachar jedoch von Lincolns Fußpfleger zum persönlichen Spion des Präsidenten.«

»Du meine Güte!«, ruft Ruth aus.

»Lincoln sah, dass Issachar überall hinkam und mit jedem ins Gespräch kam. Also nutzte der Präsident diese Fähigkeiten für seine eigenen Zwecke. Er schickte ihn zu einem seiner wichtigsten Offiziere, General Banks, mit der Behauptung, er habe Nachrichten für ihn. Aber in Wirklichkeit bat er Issachar, sich den General genau anzuschauen und seine Loyalität zu testen. Nach einer Weile wurde Issachar mit Mitteln des Geheimdienstes bezahlt.«

»Das ist unglaublich«, sagt Jo und schüttelt den Kopf. Einen Moment lang denkt sie darüber nach, wie gerne sie Eric von Issachar erzählen würde. Dann hört sie in Gedanken wieder, wie laut ihre Ladentür nach seinem letzten Besuch ins Schloss gefallen ist.

»Wie um alles in der Welt ist er dann auf dem Highgate Cemetery gelandet?«, will Ruth erstaunt wissen.

»Nun, 1874 beschloss Issachar, nach England zurückzukehren und sich in London niederzulassen. Er kaufte ein großes Haus in der Brook Street und richtete dort eine Praxis ein, in der er sich als Dr. Zacharie, Fußpfleger der US-Armee, vorstellte«, erklärt Malcolm mit unterdrückter Freude.

»1874? Könnte er seine Stiefel bei Lobb gekauft haben?«, fragt Jo sich laut.

»Möglicherweise«, überlegt Malcolm. »Ich habe mich auch gefragt, ob er jemals George Eliot getroffen haben könnte. Er war ein Mann, der das gehobene Leben genossen hat. Er gab üppige Dinnerpartys und verkehrte gern in der höheren Gesellschaft. Er hatte auch ein Interesse an Literatur. Ich habe vergessen, euch zu erzählen, dass er noch ein weiteres Buch über Fußpflege plagiiert hat, aber in diesem waren auch Auszüge aus Shakespeares Werken enthalten. Die Rezensenten nannten es ›Die Poesie des Fußes‹.«

Jo lacht, dann fragt sie sich, warum sie überrascht ist. Immerhin kennt sie einen Optiker, der leidenschaftlich Gedichte liest.

»Und warum Highgate Cemetery?«, wiederholt Ruth.

»Ich habe eine Theorie, warum Highgate Cemetery, und darauf werde ich gleich eingehen.« Er wendet sich an Jo. »Aber zuerst wollen wir dir helfen, die Teller in die Küche zu tragen, Joanne«, und mit diesen Worten erhebt er sich. »Das war eine wunderbare Mahlzeit, Joanne«, sagt er und neigt den Kopf leicht zu ihr, das Kinn in die Falten seines psychedelischen Halstuchs gelegt.

37

Malcolm Buswells guter Freund

Jo hat einen Teller mit Mince Pies auf den Couchtisch gestellt und die Sektgläser nachgefüllt. Sie haben sich in Onkel Wilburs Sesseln vor dem Gasofen niedergelassen.

Jo hebt ihr Sektglas auf Malcolm und sagt: »Auf den Mut.«

Ruth tut es ihr gleich.

Dann warten sie ab.

Malcolm atmet tief durch, und obwohl seine Schultern schlaff sind, wirkt er entschlossen. »Nun«, fängt er an, »ich habe dieses Halstuch vor vielen, vielen Jahren von meinem lieben Freund Rupert geschenkt bekommen. Ich habe ihn kennengelernt, als ich achtzehn war.« Er sieht die beiden an und nickt. »Er hatte sich an das Geländer am Berkeley Square gekettet, wo ich oft zu Mittag aß. Irgendwann habe ich meine Sandwiches mit ihm geteilt.«

Jo kann nicht anders, sie muss lachen.

»Oh, bitte nicht lachen«, fleht Malcolm, und Jo hält sich instinktiv die Hand vor den Mund.

»Oh, Malcolm, ich wollte das nicht auf die leichte Schulter nehmen.«

Malcolm seufzt und tätschelt ihren Arm. »O ja, ich weiß, dass du das nicht wolltest, Joanne. Es hat mich nur daran erinnert, dass ich damals auch gelacht habe. Ich habe mich darüber lustig gemacht, was er da vorhatte. Ich wünschte, ich hätte mir auf die Zunge gebissen.«

»Was *hatte* Rupert denn vor?«, fragt Ruth.

»Er wollte sein Leben und die Welt, in der er lebte, verändern. Er wollte eine gerechtere Welt, eine Welt ohne Vorurteile. Das war gegen Ende der Sechzigerjahre. Rupert hat die Sechzigerjahre sehr genossen, während ich leider ein Junge war, der in den Fünfzigerjahren geschmiedet wurde, und manchmal denke ich, dass ich dort stecken geblieben bin.« Malcolm hält inne, offenbar in Gedanken versunken. »Wie dem auch sei«, wendet er sich wieder an seine Zuhörerinnen, »Rupert hat an vielen Demonstrationen in London teilgenommen. Wir wurden enge Freunde, auch wenn ich ihn wegen seiner hoffnungslosen Unterfangen aufzog.«

»Wie lange wart ihr befreundet?«, fragt Jo.

»Etwa zwei Jahre«, antwortet Malcolm. »Ja, in diesen Monaten haben wir viel Zeit miteinander verbracht. Aber am Ende dachte er, nach Amerika zu gehen wäre die Lösung. Es war die Zeit des Vietnamkriegs, und er wollte sich der Friedensbewegung anschließen.«

»Du warst nicht in Versuchung, mit ihm zu gehen?«, fragt Ruth.

Malcolms Gesicht wird zu einer Maske der Traurigkeit. Er weint nicht, aber vielleicht, denkt Jo, hat er schon so viele Tränen für Rupert vergossen, dass keine mehr übrig sind.

»Er hat es mir angeboten. Ich kann ihn immer noch vor mir sehen. Er wollte, dass ich mit ihm gehe. Aber ich war jung und ängstlich, und der Gedanke daran, was die Leute sagen könnten, bedrückte mich. Oh, wie dumm ich war.«

Er schüttelt ungläubig den Kopf. »Also habe ich mich abgewendet. Meine Mutter, diese tapfere Frau, drängte mich, mit ihm zu gehen. Sie verstand, was Rupert mir wirklich bedeutete.«

Jo denkt an das, was Malcolm zu ihr gesagt hatte, ein Liebhaber, der auch ein Freund ist. Kein Wunder, dass Malcolm das Problem mit James so gut verstand.

»Sie wäre mit ihm gegangen«, sagt Malcolm. »Eine Frau, die einen Bomber über die Wolken lotste und ihn blind flog. Sie hatte keine Angst. Oh, was für eine Enttäuschung ich gewesen sein muss.«

Jo will ihn unterbrechen, ihm widersprechen, aber inmitten der Trauer spürt sie die Erleichterung, die Malcolm beim Erzählen seiner Geschichte empfindet.

»Als ich dann von George Eliot las, einer anderen unkonventionellen, aber mutigen Seele, wurde ich von ihrer Stärke angezogen wie eine Motte von der Flamme.« Malcolm blickt auf die Weihnachtskerze, die Jo auf dem Couchtisch angezündet hat. »Doch selbst jetzt fürchte ich das Feuer, fürchte, dass ich mich verbrennen könnte. Selbst jetzt, als stumpfer und altersschwacher Mann, habe ich Angst.« Er sieht zu ihnen auf. »Damals hatte ich solche Angst, ein anderes Leben zu leben. Ich habe so viel Zeit damit verbracht, Angst vor dem Scheitern zu haben, dass ich nie darüber nachgedacht habe, was wäre, wenn ich es schaffen würde.«

Er sieht sich im Raum um, als wäre er unsicher, wo er sich befindet, verloren in der Erinnerung an eine ganz andere Zeit. »Mit Rupert an meiner Seite hätte ich den Absprung vielleicht schaffen können.« Er blickt zu den beiden Frauen, die zu beiden Seiten von ihm sitzen. »Oh, meine Lieben, ich habe so viel von meinem Leben vergeudet.«

Jo glaubt, sie hat noch nie eine so trostlose Stimme gehört. »Wie ist es Rupert ergangen?«, fragt Ruth sanft.

»Er ist nach Amerika gegangen. Ohne mich. Er hat getan, was er konnte. Die Welt hat sich nicht verändert, zumindest nicht sofort, aber ich glaube fest daran, dass er Teil der Geschichte war.«

Jo bemerkt die Vergangenheitsform.

»Und Rupert?«, wiederholt Ruth leise.

»Wir hatten keinen Kontakt mehr. Ich glaube, dafür hatte ich ihn zu sehr verletzt.« Er wendet sich an Jo. »Verstehst du, ich habe ihn gehen lassen.«

Die nächsten Worte sind schwer zu verstehen, und Jo weiß, dass es Malcolm viel Kraft kosten muss, sie auszusprechen. »Ich habe gehört, dass Rupert 1984 in New York gestorben ist. Seine Freunde haben mich nach seinem Tod kontaktiert. Er hatte meine Adresse noch und einen Gedichtband, den ich ihm geschenkt habe.«

Malcolm versucht zu lächeln, und Jo glaubt, dass ihr das Herz bricht.

Er zieht sie näher an sich heran. »Oh, Joanne, keine Tränen. Das ist lange Zeit her.«

Malcolm zupft mit der anderen Hand an seinem Halstuch und versucht vergeblich, es vom Hals zu ziehen. Sein Kummer hat sich in Frustration und Wut verwandelt. »Und jetzt versuche ich, etwas zurückzuerobern, in der Zeit zurückzugehen und der Hippie zu sein, der ich immer sein wollte.« Er hört auf, an sich herumzuzupfen, und legt die Hände in den Schoß. »Rupert, er wusste, was ich wirklich wollte. Er hat immer gesagt, wenn er das

Grau entfernen könnte, würde er sicher eine psychedelische Seele finden.«

Ruth ist ungewöhnlich still. Sowohl Jo als auch Malcolm beobachten sie. Sie sitzen einige Minuten schweigend da. Ruth nimmt ihr Sektglas und schwenkt es scheinbar in Gedanken versunken. Das Schweigen zieht sich hin.

Schließlich spricht sie. Ihre Worte sind langsam und bedächtig. »Die Sache ist die, Malcolm, vielleicht reicht es nicht aus, sich wie ein Hippie zu kleiden. Um wirklich in Ruperts Fußstapfen zu treten, musst du etwas finden, wofür es sich zu kämpfen lohnt.«

Malcolm antwortet nicht, aber Jo ist erschrocken über seinen Gesichtsausdruck. Sie fragt sich, ob sie denselben Gesichtsausdruck hatte, als Malcolm sagte *er war nie dein Freund, Joanne*. Es ist ein Ausdruck erschrockener Erkenntnis.

Als Jo Reverend Ruth ansieht, kann sie einen Schatten von Traurigkeit in ihrem Gesichtsausdruck erkennen, dann zeigt sie den Anflug eines Lächelns und zwinkert. Währenddessen starrt Malcolm wie in Trance auf die Weihnachtskerze, die auf dem Couchtisch brennt.

Nach einer Weile stupst Ruth ihn an. »Also, Malcolm, hast du Lust, uns zu erzählen, worüber deine Geister deiner Meinung nach reden würden?«

»Was? Oh, ich bitte um Verzeihung.« Malcolm reißt sich zusammen. »Nun, ja, ich denke schon. Falls es euch noch interessiert?«

»Machst du Witze?«, fragt Jo. »Natürlich tut es das.«

Malcolm lächelt die beiden an. »Jetzt lasst mich mal sehen … Ich muss meine Gedanken ordnen. Um ehrlich zu sein, ich glaube, George Eliot hätte Issachar gern kennengelernt. Er wäre genau ihr Typ gewesen. George Lewes war selbst ein extravaganter Mann.« Malcolm reibt sich die Hände, und Jo freut sich über das Funkeln in seinen Augen. »Und George Eliot hatte das, was Issachar am meisten wollte.«

»Und das war?«, fragt Ruth.

»Er wollte unbedingt berühmt sein. Und ich glaube, *das* ist der Grund, warum er auf dem Highgate Cemetery begraben werden wollte. Es war eine Ruhestätte von großem Ansehen.« Er nickt, als wolle er den Punkt unterstreichen.

»Was glaubst du, worüber sie geredet hätten?«, fragt Jo.

»Wir sprechen von einem Mann, der Shakespeare in ein Lehrbuch über Füße aufgenommen hat. Sie würden ganz sicher über Literatur sprechen. Ich stelle mir vor, wie Issachar George Eliot durch die Highgate High Street begleitet und in den Buchläden viel Aufhebens darum macht, ihre Bücher zu finden. Ich glaube, er würde vor allem dafür sorgen, dass sie sich gut amüsiert, denn er hatte offenbar einen guten Sinn für Humor und ließ sich nicht von den Leuten auf den Arm nehmen. Und während er sie begleitet und sich um sie bemüht, würde er sicher dafür sorgen, dass so viele Leute wie möglich sie zusammen sehen. Dr. Issachar Zacharie, der mit der berühmten George Eliot am Arm spazieren geht.« Malcolm lehnt sich, erschöpft von der Anstrengung, zurück.

»Und du, Malcolm Buswell, hast behauptet, dass du ein fader Hund bist, wenn es um Konversation geht. Ich finde das brillant«, sagt Ruth und klopft ihm spielerisch auf das Knie.

»Das ist es auch. Das klingt wunderbar.« Während Jo das sagt, weiß sie, dass Malcolms Geister ihm wirklich Mut gemacht haben und ihm in gewisser Weise auch Trost spenden. Sie weiß, dass der heutige Abend die Jahre der Trauer und des Bedauerns nicht weggespült hat, aber sie glaubt, dass sich durch den Spaziergang mit seinen Geistern etwas für Ruperts alten Freund verändert hat.

Malcolm unterbricht ihre Überlegungen. »Ich erinnere mich noch an etwas anderes. An einige Worte von George Eliot, die mich sehr berühren.«

Ruth und Jo sehen ihn erwartungsvoll an.

»George Eliot hat einmal diese Worte geschrieben: ›Es ist nie zu spät, das zu werden, was man hätte sein können.‹«

38

Der Mashed Potato

Das Aufräumen läuft nicht ganz nach Plan.

Was als Hintergrundmusik für den Abwasch beginnt (Ruth und Malcolm bestehen darauf, dass sie mithelfen, anstatt alles Jo zu überlassen), hat sich zu einem Shuffle durch die Lieder der Sechziger- und Siebzigerjahre entwickelt, bis sie nun (laut) alle ihre Lieblingstanzlieder spielen.

Teller werden gewaschen und abgetrocknet, während sie zu The Supremes und The Kinks schunkeln. Dann werden die Geschirrtücher beiseitegelegt, während Malcolm den Mashed Potato vorführt und Reverend Ruth den Twist vormacht. Danach ist es nur noch ein kleiner Schritt, bis Jo ihnen ihre Beyoncé-Moves beibringt. Als Jo das Spiegelbild der drei im Fenster sieht, wie sie mit gesenkten Köpfen und geballten Fäusten in einer Reihe herumstolzieren, glaubt sie, sich vor Lachen verschlucken zu müssen.

Eine halbe Stunde später sitzen sie erschöpft am Couchtisch, auf dem Kaffee und Pralinen stehen. Das Gespräch dreht sich um Dinge, die Malcolm am Herzen liegen und für die Ruth ihn ermutigt, sich einzusetzen und zu kämpfen. Es läuft nicht gut.

»Kampagnen für die Erhaltung alter Chormusik reichen nicht aus, Malcolm.« (Ping)

»Aber es ist wirklich notwendig, dass …«

»Nein, Malcolm! Denk noch einmal nach.« (Pong)

»Nun, für den Schutz der Tierwelt könnte ich mich durchaus einsetzen. Die Nachtigall ist nur einer von vielen britischen Vögeln, die heute vom Aussterben bedroht sind.«

Ruth überlegt. »Vielleicht …«, aber sie klingt nicht überzeugt, und Jo hat Bilder von Malcolm, dem Hippie, vor Augen, der für ein viel radikaleres Anliegen zu Number Ten Downing Street, dem Haus des Premierministers, marschiert. Ruths nächste Worte überzeugen sie davon, dass sie recht hat.

»Aber würdest du dich wirklich für eine Nachtigall an das Geländer vor Number Ten ketten?« (Ping)

»Vielleicht nicht, aber vielleicht an das Geländer des Berkeley Square?«, schlägt Jo vor.

»O ja, Joanne«, sagt Malcolm, der von dieser Idee offenbar beeindruckt ist, und ein entrückter Ausdruck huscht über sein Gesicht.

Jo sieht, dass auch Ruth nickt.

Sie schweigen, während sie an ihrem Kaffee nippen und die Pralinen herumreichen. Jo fragt sich, was aus den dreien werden soll. Ruths Worte über ihr Weggehen kommen ihr wieder in den Sinn. Der Gedanke tut ihr weh.

»Glaubst du, dass Freundschaften für immer halten können?«, fragt sie nicht direkt an einen der beiden gerichtet. Vielleicht macht sie der Alkohol melancholisch.

»Oh, ich glaube, manche schon«, antwortet Ruth, »aber andere … nein.«

Jo fragt sich, ob sie an ihre beste Freundin Julie denkt.

In der letzten Woche hat Jo begonnen, alte Freunde über die sozialen Medien zu kontaktieren. Viele der Antworten waren freundlich (viel freundlicher, als sie glaubt, dass sie es verdient hat), aber zwei oder drei Leute haben sich nicht zurückgemeldet, und ihre Schuldgefühle haben sie erneut durchbohrt.

Ruth fährt mit leiser, nachdenklicher Stimme fort. »Manchmal versuchen wir, an Freundschaften festzuhalten, obwohl sie in Wirklichkeit nur für diesen einen bestimmten Teil unseres Lebens da waren.«

Jo fragt sich, ob Ruth damit sie drei meint.

»Ich betrachte es als eine Bühne. Manchmal sind andere Leute mit dir auf der Bühne, und manchmal verlassen sie sie wieder. Und wie in einem Theaterstück, nehme ich an, fühlt sich das richtig an. Sie waren für diesen Akt oder diese Szene in deinem Leben da. Zu versuchen, sie auf die Bühne zurückzuholen, wäre falsch.« Sie sieht Jo an. »Es ist besser, sie gehen zu lassen und sich an die Freude zu erinnern, mit denen man in dieser herrlichen Szene auf der Bühne gestanden hat.«

Jo wird den heutigen Abend nie vergessen, wie die drei in der Küche ihres Onkels Wilbur getanzt haben. Ist es falsch, dass sie diese Menschen zu einem festen Bestandteil ihres Lebens machen will? Und noch ein Gedanke kommt ihr in den Sinn. Bei den Freunden, die sie kontaktiert hat und die ihr nicht antworten, ist es vielleicht besser, sie gehen zu lassen und sich an das zu erinnern, was sie einmal hatten. Sie denkt an die Gruppe der Datenbanknerds in der Bank. Ein seltsamer Haufen von Charakteren, gute Freunde, mit denen es Spaß gemacht hatte zu arbeiten. Damals.

Ein Platz für alles, und alles an seinem Platz, sagt sie sich leise, und etwas in ihr beruhigt sich.

Ruth lehnt sich näher heran, um besser hören zu können.

Von Malcolm kommt ein leises Schnarchen.

~

Jo lässt Ruth und Malcolm durch die Vordertür des Ladens hinaus und beobachtet, wie sie Arm in Arm die Gasse hinuntergehen, Malcolm hat den Kopf nach unten gebeugt, um Ruth zuzuhören, und wieder überkommt sie ein Gefühl der Melancholie.

Sie schließt die Tür und bleibt in der Stille stehen, während die Lichter des kleinen Weihnachtsbaums (die einzige Beleuchtung) einen gespenstischen Schein auf die Regale mit Schreibwaren und den alten Eichenschrank werfen. Sie geht zum Fenster und atmet den Geruch von Politur ein, der sich jetzt mit dem Duft von Tannennadeln vermischt. Sie streicht mit einer Hand über die glatte, geschwungene Kante des Tresens und hebt dann eine Weihnachtskarte von ihrer Mutter auf, die darauf liegt. Sie hängt sie auf.

Damit füllt sie die letzte Lücke an ihrer Pinnwand.

Ist das nun das Ende ihrer Zeit hier, oder hat sie in diesen Monaten etwas geschaffen, das etwas wert ist? Vielleicht, denkt sie, aber sie weiß, dass dies nicht ihr Herzensanliegen ist. Und was wird aus ihrer Zukunft? Sie könnte nach Hause zurückkehren und leicht einen Job in einer Firma bekommen, die mit Datenbanken arbeitet. Mit den Fingerspitzen fährt sie die Umrisse einiger Zettel ihrer wertvollen Sammlungen nach: die Wörter, die Zeichnungen, die Karten. Dann legt sie die Hände flach auf die

Wand des Ladens, als ob sie etwas von der Person spüren könnte, die auf der anderen Seite dieser Wand arbeitet.

Aber sie kann Eric den Wikinger nicht spüren, nur das Gefühl von kaltem Putz unter ihren Handflächen.

Der Klang ihres Telefons, das in der Tasche ihres Kleides steckt, lässt sie aufspringen. Malcolm oder Ruth? Oder, sie strahlt bei dem Gedanken, vielleicht ist es ja eine Nachricht von Lucy?

Sie holt ihr Handy heraus und braucht ein paar Sekunden, um die Worte zu verarbeiten.

Sie starrt einfach auf den Bildschirm, ihr Verstand ist leer.

Es ist fast Weihnachten (und zu Weihnachten sagt man die Wahrheit). Und die Wahrheit ist, ich vermisse dich, Babe, und ich will dich zurück. Komm nach Hause, wo du hingehörst. James x

Ihr Gehirn scheint in weniger als einer Sekunde von völlig leer auf übervoll umzuschalten, als ob ein ganzer Schwall von Gedanken auf einmal auf sie einprasselt.

Ist das nicht ein Zitat aus dem Film *Tatsächlich Liebe*?

James hasst diesen Film.

Komm *nach Hause*? Sie hat keine Ahnung, wo zu Hause ist.

Er will sie zurück.

Er will sie zurück.

Ist das nicht die Nachricht, von der sie all die Wochen geträumt hat?

Babe?

Er hat sie nie Babe genannt.

Hat er das an die falsche Person geschickt?

Aber sie weiß, das hat er nicht. Das ist für sie bestimmt, Jo Sorsby.

Dann kommen die langsameren Gedanken. Sie lässt sich auf den Hocker hinter dem Ladentisch fallen, unsicher, ob ihre Beine sie tragen. Es ist, als könnten sie das Gewicht all ihrer Gedanken nicht aushalten.

Wäre das nicht ein Ausweg? Ein Weg zurück?

Ein Weg zu einer Familie?

Darüber denkt sie ganze dreißig Sekunden lang nach.

Aber James?

James?

Wenn sie daran zurückdenkt, wie es war, als sie mit ihm zusammen war, ist sie sich nicht sicher, ob sie diese Frau wiedererkennt. Oder ob sie sie wiedererkennen möchte.

Ihr kommen Worte in den Sinn, die von George Eliot geschrieben und von dem freundlichen und sanften Malcolm Buswell gesprochen wurden: *Es ist nie zu spät, das zu werden, was man hätte sein können.*

Sie ist sich nicht sicher, was sie hätte sein können oder was sie sein will. Aber bei einer Sache ist sie sich absolut sicher. Sie will nicht die Frau sein, die sie war, als sie mit James zusammen war.

Und *Babe*?

Was zum Teufel denkt er sich?

Keine Entschuldigung. Kein *Tut mir leid, Jo, dass ich dich abserviert habe*. Kein *Entschuldigung wegen Nickyyy (die ich übrigens nebenbei gevögelt habe).*

Sie nimmt ihr Telefon wieder in die Hand.

Es gibt nur eine mögliche Antwort.

Nein danke, James. Ich will dich nicht zurück.
Es liegt nicht an mir, sondern an dir.

Sie will gerade auf Senden drücken, als ihr noch etwas einfällt.

Mindy aus Hot Springs ist übrigens in Wirklichkeit ein 52-jähriger Wachmann aus Scunthorpe namens Dave.

Sie glaubt, dass ihre Freundin, die Vikarin, ihr diese Lüge verzeihen würde. Außerdem ist sie sich ziemlich sicher, dass James ihr das glauben wird. Immerhin ist sie diejenige, die sich mit IT auskennt. Er ist ein Mann, der nie sein Passwort ändert.

Als Jo wieder nach oben in die Wohnung geht, kommt ihr ein Bild in den Sinn. Lucy, Finn, Onkel Wilbur und Jemima stehen in einer Reihe und geben sich ein High Five. Dazu gesellen sich in ihrer Vorstellung Malcolm und Ruth. Sie alle strahlen sie an.

39

Meine Freundin, die Vikarin

Vor ihr steht ein Vikar, der die Reihe der Füllfederhalter zum Testen studiert, und sie möchte zu ihm sagen: »Meine Freundin ist auch Vikarin.« Das Bedürfnis ist fast überwältigend.

Jo beobachtet, wie der Vikar, ein Mann um die vierzig, mit kastanienbraunem Haar und blassem, rundem Gesicht, zwei der schwarzen Teststifte in die Hand nimmt und sie nacheinander untersucht. Er hält die Federn gegen das Licht, schraubt die Stifte auf, betrachtet die Tintenpatronen und die Fässer und versucht, in sie hineinzuschauen. In diesem Moment wird Jo klar, dass er kein Vikar ist, sondern ein Mann. Das tun viele Männer. Manche Frauen auch, aber meistens sind es Männer, die die Stifte auseinandernehmen. Sie interessieren sich für das Innenleben, die Mechanismen und die Federn.

»Woraus sind die Federn?«, fragt er freundlich, während er sie noch einmal gegen das Licht hält.

»Die auf der rechten Seite ist aus rostfreiem Stahl, die andere ist vergoldet.«

»Aha«, sagt er. »Danke. Ich glaube, ich nehme den hier. Der wird meinem Partner gefallen. Er hat sich gerade einen neuen Schreibtisch gekauft, und der wird gut dazu passen.«

Der Vikar verlässt den Laden, und Jo bleibt mit ihren Gedanken zurück.

Er weiß es nicht, aber sie weiß es. Sie hat sich schuldig gemacht. Sie hat diesen Kunden als Vikar und nicht als Person betrachtet. Gerade sie hätte es besser wissen müssen.

Ruth hat so viel für Malcolm und für sie getan, aber haben sie Ruth nur wie eine Vikarin behandelt? Angenommen, dass ihre Probleme immer Vorrang haben? Jo wird von einem Gefühl der Scham übermannt. Sie wissen immer noch nicht, warum Reverend Ruth zur flüchtigen Vikarin wurde. Sie haben sie zwar im Pub darauf angesprochen, aber haben sie seitdem versucht, ihr zu helfen? Und jetzt sieht es so aus, als würde Ruth gehen.

Jo greift zum Telefon und beginnt, eine Nachricht zu tippen. Eigentlich zwei Nachrichten.

Einen Moment später, als sie von ihrem Bildschirm aufblickt, sieht sie Eric am Fenster vorbeigehen. Er winkt ihr weder zu noch lächelt er sie an. Als er in Richtung Highgate High Street weitergeht, bemerkt sie, dass er etwas von seinem üblichen Wikingerschwung verloren hat.

Jo schaut auf die Wand neben der überquellenden Pinnwand und kann fast das Gefühl von kühlem Putz unter den Handflächen spüren.

Am nächsten Tag trifft Jo als Erste auf dem Highgate Cemetery ein. Es ist noch früh, und sie hat einen Zettel an die Ladentür gehängt, auf dem steht, dass sie später als sonst öffnet.

Sie wartet auf einer Bank in der Nähe von Karl Marx' Grabstein.

Der Friedhof ist still, abgesehen vom Rascheln der Vögel, die aus dem Gewirr der blattlosen Äste über ihr auftauchen. Unter diesem skelettartigen Blätterdach sind die Sträucher und der Efeu in eine weiße Decke gehüllt, nur die größeren Blätter zeigen ein dunkles Grün, umrandet von einem unscharfen Frostrand. Ein Knacken auf dem Weg kündigt die Ankunft von Malcolm an. Er ist in einen dunkelgrauen Mantel gehüllt, ähnlich dem, den Jo trägt (sie hat sich den langen Wintermantel von Onkel Wilbur geliehen). Doch um seinen Kopf warmzuhalten, trägt Malcolm eine grün-orange-gold gestreifte Wollmütze.

Bevor sie etwas sagen kann, kommt eine andere Gestalt hinter ihm hergelaufen, halb rennend, mit gerötetem Gesicht. »Tut mir leid, dass ich zu spät komme«, keucht Reverend Ruth.

»Setz dich, Ruth«, sagt Malcolm fürsorglich.

»Nein, nein, nimm du Platz, Malcolm. Ich stehe lieber.«

»Aber du siehst außer Atem aus. Setz dich doch bitte«, beharrt Malcolm.

Reverend Ruth nimmt Malcolm an beiden Armen und manövriert ihn auf die Bank neben Jo. »Nein, Malcolm, da liegst du falsch.«

Jo und Malcolm sehen zu ihr auf.

»Auf dem Weg hierher bin ich hinter einem jungen Mann hergelaufen, der einen sehr starken Joint geraucht hat. Ich war *so* genervt«, erklärt sie. »Er ging so schnell, dass ich wirklich sehr zügig laufen musste, um mit ihm Schritt zu halten.« Sie atmet tief ein und lächelt. »Und jetzt«, schließt sie und schwankt von einem Fuß auf den anderen, »fühle ich mich ziemlich angeheitert.« Ruth wendet sich an die lachende Jo. »Also, leg los, Jo. Warum wolltest du, dass wir uns treffen?«

Da die beiden nun hier sind, fällt es Jo schwer anzufangen. Malcolm legt ihren Arm in den seinen und streichelt ihn ermutigend. Aus den Texten, die er und Jo ausgetauscht haben, ahnt er bereits, was als Nächstes kommt.

»Nun, also, es geht um dich, Ruth«, beginnt sie.

Ruth hört auf, hin und her zu wippen.

»Du hast so viel für uns getan, und Malcolm und ich haben uns gefragt, ob wir irgendetwas machen können, um dir zu helfen.« Als Ruth nichts sagt, fügt sie hinzu: »Ich meine, was ist mit deinen Geistern? Möchtest du uns von ihnen erzählen?«

Jo ist sich nicht sicher, warum sie so viel Vertrauen in die Geister des Highgate Cemetery setzt, aber jetzt, da sie zwischen den frostbedeckten Gräbern sitzt, fühlt es sich richtig an, auf sie zu zählen. Sie haben Malcolm und sie nicht im Stich gelassen. Und, so überlegt sie, passen Pfarrer und Friedhöfe nicht zusammen wie … nun ja, wie Blut, Kacke und Erbrochenes?

Ruth geht vor ihnen auf und ab. »Ich möchte euch von Karl Marx und Hutch erzählen. Und ich habe eine Idee gehabt, worüber sie an Heiligabend plaudern könnten. Ich glaube, die kam mir, weil ich in letzter Zeit sehr viel über mein eigenes Leben nachgedacht habe.« Sie dreht sich zu den beiden um. »Vor allem über meine Familie.«

Malcolm drückt Jos Arm.

»Aber, oje …« Ruth hält inne und tritt mit dem Fuß in den Kies. »Ich habe das Gefühl, dass ich etwas vor euch verheimliche«, sagt sie schließlich.

Das glaube ich auch, denkt Jo.

Aber es scheint, dass Ruth nicht dem gleichen Gedankengang folgt wie Jo. »Die Sache ist die, es hat so viel Spaß gemacht, diese Leute zu recherchieren.« Ruth wendet sich abrupt an Malcolm. »Das hat es wirklich, Malcolm. Es war ein Geschenk des Himmels.« Sie lächelt, und Jo ist froh, dass ihre Besorgnis ein wenig nachlässt. »Ich kann genauso gut reinen Tisch machen«, verkündet sie. »Ich mochte weder Karl noch Hutch, ja, ich habe sie sogar richtiggehend gehasst.«

Jo lacht erleichtert, und Malcolm ruft: »Warum sollte dich das so stören? Wir können nicht jeden mögen, den wir treffen.«

»Ich wollte, dass es so unterhaltsam wird wie damals, als du über deine Geister gesprochen hast«, sagt Ruth ein wenig enttäuscht, »ich weiß, dass es für dich nicht leicht war, dorthin zu kommen, aber als du von Issachar und George Eliot erzählt hast und wie sie durch London spazieren, klang das so lustig.« Sie lächelt halb. »Aber man bekommt, was man bekommt. Und ich glaube, am Ende wurde mir gegeben, was ich gebraucht habe.«

So funktioniert das also?, fragt sich Jo. Wird ihr gegeben, was sie braucht? Hier und jetzt?

Sie bekommt es fast nicht mit, als Malcolm wiederholt: »Aber, Reverend Ruth, wir können nicht jeden mögen.«

»Das weiß ich, aber ich habe eine andere Perspektive als du. Wenn ich es ausspreche, weiß ich, was du dazu sagen wirst, Malcolm«, behauptet Ruth angespannt.

»Sprich weiter«, fordert Malcolm sie auf.

»Es ist mir wichtig, das Gute in ihnen zu finden, weil ich das Antlitz Christi in jedem sehe, den ich treffe.«

Malcolm bleibt still, was ihn, wie Jo meint, einige Mühe kostet. Aber er kann sich ein Kopfschütteln nicht verkneifen.

»Siehst du«, sagt Ruth fast fröhlich.

»Wir werden in dieser Frage nie einer Meinung sein, Reverend Ruth. Ich sehe, was in der Welt vor sich geht, und es überzeugt mich, dass es keinen Gott gibt.« Er öffnet die Handflächen in einem stummen Appell nach außen. »Ich habe Geschichte studiert, und mir ist klar, woher die Religion kommt: aus den Umständen, aus der Not und aus dem Wunsch der Mächtigen, die Schwachen dort zu halten, wo sie sind.« Malcolm wirft einen Blick auf das Grab von Karl Marx.

»Ich glaube, wir sind uns in vielem einig«, erwidert Ruth nachdenklich, »aber ich möchte jetzt nicht darüber sprechen. Und, Malcolm, wahrscheinlich werde ich das auch nie tun.«

Malcolm sieht verblüfft aus, und Jo wird wieder daran erinnert, dass Ruth nicht diejenige ist, die normalerweise anfängt, über Religion zu reden. Sie hat jedenfalls nie versucht, sie zu bekehren. Aber gleichzeitig scheut Ruth nicht davor zurück zu sagen, was sie glaubt. Jo ist hin- und hergerissen, die Durchschnitts-Jo, in der Mitte gefangen. Sie stimmt dem zu, was Malcolm sagt, aber Ruths Glaube und ihr Glaube an die Menschen haben auch etwas Anziehendes.

Ruth will etwas sagen, aber Malcolm unterbricht sie. »Ich denke, wir sollten versuchen, in jedem Menschen das Beste zu sehen.«

In der Ferne hört Jo ein knackendes Geräusch. Ein Stein, der sich in der Kälte zusammenzieht? Jemand, der auf dem Friedhof auf einen heruntergefallenen Ast tritt?

Ruths Lächeln ist freundlich und warm. »Siehst du, wir

sind uns schon einig«, sagt sie und fängt wieder an, auf und ab zu gehen.

»Was du nicht willst, das man dir tut?«, schlägt Malcolm vor.

»Genau. Ich habe zwei Leitgedanken, nach denen ich versuche, mein Leben zu leben. Das ist einer davon«, erklärt Ruth über die Schulter hinweg.

»Was ist der zweite?«, fragt Malcolm.

Ruth hält noch einmal inne. »Oh, dafür haben wir jetzt keine Zeit. Und ich habe keine Lust auf einen Streit, und ich weiß, dass es darauf hinauslaufen würde, Malcolm Buswell.« Bevor Malcolm antworten kann, kommt Ruth auf sie zu. »Okay, dann macht mal Platz«, und sie zwängt sich zwischen Malcolm und Jo. Ruth ergreift Malcolms Arm, verschränkt ihren anderen Arm mit dem von Jo und zieht sie beide an sich. »Jetzt ist es gemütlicher. Meine Güte«, sagt sie und sieht sich um, »es ist so schön hier. Und wenn man bedenkt, dass London um uns herum vor sich geht.«

Eine Weile sitzen sie schweigend so da. Jo nimmt einen Hauch von Gardenienduft in der stillen, kalten Luft wahr (Ruths Parfüm). Sie denkt an eine Bühne, an Freunde, die kommen und gehen, und hält Ruths Arm instinktiv ein wenig fester. Sie möchte sie nicht verlieren. Aber was ist die Alternative? Jo weiß, dass sie bald nach Hause gehen wird. Sie ist nur zu Gast in London, in ihrem geliehenen Leben. Vielleicht werden sie sich nach ihrer Abreise Briefe schreiben. Aber es wird nicht dasselbe sein.

Noch einmal nimmt sie den süßen Duft der Gardenie wahr. Was auch immer als Nächstes passiert, sie weiß, dass die Begegnung mit Ruth und Malcolm sie verändert hat, und vielleicht ist die Erfahrung ihrer Freundschaft so, als würde man ein wenig von ihrem Duft einatmen. Man atmet ihn ein, und dann werden sie ein Teil von einem selbst.

Ruth stößt einen langen Seufzer aus. »Ich würde euch gerne von Karl und Hutch erzählen und davon, worüber sie wohl reden würden, aber ich habe jetzt etwas vor. Wie wäre es mit heute Abend?«

»In diesem Fall würde ich euch gerne auf etwas zu trinken und zu knabbern zu mir nach Hause einladen«, schlägt Malcolm vor. »Meine Güte, ist es lange her, dass ich jemanden auf einen Weihnachtsumtrunk eingeladen habe. Ich würde mich sehr freuen, wenn ihr beide mir die Ehre erweist.«

»Natürlich«, sagt Jo, und Ruth stimmt ein. »Das wäre wunderschön.«

Als sie sich von der Bank erheben, wendet sich Malcolm an Ruth. »Es tut mir so leid, dass dir deine Geister keine Freude bereitet haben, Reverend Ruth, und ich bin traurig, dass sie dir keinen Trost spenden konnten.« Er neigt den Kopf leicht zu ihr.

»Oh, Malcolm, ich bin nicht mit ihnen warm geworden, das stimmt zwar, aber war nicht ich diejenige, die gesagt hat, dass es oft dem Umstand geschuldet ist, wem wir begegnen? Du darfst also nicht denken, dass es deine Schuld ist. Und schließlich glaube ich, dass sie mich herausgefordert haben, und wer weiß …« Sie blickt um sich. »… vielleicht habe ich genau das gebraucht.«

Jo hat den Eindruck, dass Reverend Ruths Sorge wieder aufkeimt, und dieses Mal ist sie mit Traurigkeit vermischt.

»Oje«, murmelt Malcolm.

Sie wollen sich gerade zum Gehen wenden, als Malcolm an Reverend Ruths Ärmel zupft. »Einen Moment. Es gibt etwas, das ich dir zeigen muss.« Auf ihr Zögern hin fügt er hinzu: »Wirklich, es wird sich lohnen. Es ist gleich da drüben.« Er nickt in Richtung des Grabes von Karl Marx.

Sie folgen ihm zu einer schlichten rechteckigen Tafel, die links neben dem Denkmal von Karl Marx in den Boden eingelassen ist. Darauf steht:

Claudia Vera Jones
Geboren Trinidad 1915
Gestorben London 1964

»Wer ist sie?«, fragt Jo, und ihr fällt auf, dass sie nun immer öfter von den Geistern auf dem Friedhof in der Gegenwart spricht.

»Ich präsentiere euch Claudia Jones«, dann wendet er sich an Ruth. »Ich weiß, dass Karl und Hutch vielleicht keine Menschen waren, zu denen du eine natürliche Affinität hast, aber bitte lass mich dir noch Claudia vorstellen. Sie war eine wirklich erstaunliche Frau …«

Er hakt sich bei Ruth und Jo unter, und auf dem Rückweg zu den Friedhofstoren erzählt er ihnen die Geschichte von Claudia Jones, der Frau, die den Notting Hill Carnival mitbegründet und für die Gerechtigkeit gekämpft hat.

Als sie sich trennen, bedankt sich Ruth bei ihm, und er lächelt sie an und sagt förmlich: »Betrachte Claudia als Weihnachtsgeschenk.«

Jo kann sich nicht helfen zu denken *vielleicht auch als Abschiedsgeschenk*.

Zurück im Laden ist Jo sehr beschäftigt, und es ist schon Nachmittag, als endlich etwas Ruhe einkehrt. Bei einer Tasse Tee greift sie zum Telefon und beginnt, Claudia Jones zu recherchieren. Bei ihrem Rundgang über den Friedhof hatte Malcolm erklärt, dass Claudia passenderweise *links* von Karl Marx begraben wurde. Claudia war Schriftstellerin, Journalistin und Aktivistin (sie saß mehrmals im Gefängnis). Sie war eine inspirierende Führungspersönlichkeit, eine Kommunistin, und sie war Schwarz. Jo ist sich sicher, dass sie den Machthabern Angst einjagte. Sie fragt sich, ob auch Karl Marx Angst vor ihr gehabt hätte.

Beim Scrollen auf dem Bildschirm liest Jo Auszüge aus ihren Schriften. Eine bestimmte Passage sticht ihr ins Auge. Sie stammt aus einem ihrer letzten Briefe. Es ist ein melancholischer Brief, in dem Claudia darüber nachdenkt, dass sie mit ihren ständigen Kampagnen fürchtet, die Leute zu langweilen, und gesteht, dass sie sich sogar selbst langweilt. Sie starb, nicht lange nachdem sie diesen Brief geschrieben hat, und Jo ist traurig, dass diese großartige Frau am Ende ihrer Tage von solchen Selbstzweifeln erfüllt war.

Ihre Gedanken kehren zu ihrer Freundin der Vikarin zurück, die manchmal auch fürchterlich besorgt zu sein scheint und voller Selbstzweifel. Und sie fragt sich, ob sie den Grund je erfahren wird, weshalb die flüchtige Vikarin davongelaufen ist.

40
Karl Marx und Hutch

Sie sind zurück im Wohnzimmer, das sie immer noch an einen Wald erinnert, aber dieses Mal ist er mit Lichterketten und Kerzen geschmückt. Dank der Beleuchtung und des grünen Scheins von der Tischlampe hat Jo den Eindruck, in einen verzauberten Wald zu treten. Sie sitzen an ihren üblichen Plätzen vor dem Kamin, und ein Tablett mit Getränken steht vorbereitet auf der Ottomane.

Malcolm sieht zu, wie Jo und Ruth das Zimmer bewundern. Auf den Brettern der Bücherregale stehen Kerzen in kleinen Laternen, und Lichterketten sind um den Kamin drapiert. Im Erkerfenster neben der Eingangstür steht ein Weihnachtsbaum, der auch mit Lichterketten geschmückt ist. An den Zweigen hängen durchsichtige Glaskugeln, auf denen Winterlandschaften zu sehen sind. Sie scheinen das Licht anzuziehen und dann wieder wie kleine Lichtsterne, die an den Wänden funkeln, in den Raum zurückzuwerfen.

»Es sieht wunderschön aus, Malcolm«, sagt Jo, und zum ersten Mal überkommt sie die Vorfreude auf Weihnachten.

»Ich muss zugeben, es hat mir große Freude bereitet, mich auf Weihnachten vorzubereiten. Mutter und ich haben es geliebt, diesen Raum zu schmücken, aber leider habe ich mir seit ihrem Tod nicht mehr oft die Mühe gemacht.«

Jo fällt auf, dass Malcolm sich herausgeputzt hat. Er

trägt ein Paar auberginefarbene Samthosen (mit Schlag), seine marokkanischen Pantoffeln und einen himbeerfarbenen Pullover mit Rentieren.

»Schicker Pulli«, kommentiert Ruth von ihrem Platz beim Feuer.

Malcolm zupft etwas nervös an seinem Ärmel. »Du findest nicht, er ist etwas übertrieben?«

»Überhaupt nicht, sehr elegant und subtil«, und nun fängt Ruth an, an den Ärmeln ihres Pullovers zu hantieren, einem dunkelgrünen Exemplar mit der Silhouette eines Rotkehlchens. Bevor Jo etwas sagen kann, scheint das Rotkehlchen zum Leben zu erwachen, rote und grüne Lichter funkeln über Reverend Ruths beeindruckender Oberweite, und eine verzerrte Version von »Jingle Bells« schallt durch den Raum. Ruth steht auf, damit alle das volle Ausmaß ihres Weihnachtspullovers bewundern können. Sie dreht sich um, um ihnen den leuchtenden Weihnachtsbaum auf ihrem Rücken zu zeigen.

»Schick. Sehr dezent«, ruft Jo über das quakende Weihnachtslied.

Malcolm bekommt vor Lachen kein Wort raus.

»Aber genug davon«, sagt Ruth, fummelt an ihren Ärmeln nach dem Schalter, und es wird wieder still. »Und damit ist es viel zu warm.« Sie schlüpft aus ihrem Pullover, und darunter kommt eine schlichte marineblaue Bluse zum Vorschein. Überrascht stellt Jo fest, dass sie am Kragen ein Kollar trägt.

»Du bist ja wirklich Vikarin«, sagt Jo. Sie fragt sich, warum sie so verwundert klingt.

»Ja, das bin ich«, erwidert Ruth milde. Jo hat den Eindruck, sie sagt das mehr zu sich selbst als zu ihnen. Ruth setzt sich wieder in ihren Sessel und betrachtet die beiden. »Ich habe meinem Bischof geschrieben und hoffe, im nächsten Jahr …« Sie beendet den Satz nicht.

Jo möchte fragen: Zurückzugehen? Weiterzuziehen?

Malcolm sieht aus, als hätte ihm jemand die Luft abgelassen, und er setzt sich niedergeschlagen in seinen Sessel. Sein Blick ist fest auf ihren Kollar gerichtet.

Ruth wendet sich ihm zu. »Malcolm, du hast einmal zu mir gesagt, dass wir das Hier und Jetzt haben.« Sie sieht sich im Raum um. »Und das hier erscheint mir als ein ganz besonderes Hier und Jetzt.« Sie tätschelt ihm das Knie, dann fragt sie: »Und was sind das für Drinks?« Jo merkt, dass ihre Stimme leicht zittert.

Malcolm holt tief Luft und lächelt sie ein wenig traurig an. Dann steht er auf. »Du hast vollkommen recht, Ruth.« Jo fällt auf, dass er sie ausnahmsweise nicht mit »Reverend« anspricht. »Ich dachte, ich mache uns den Weihnachtscocktail, den meine Mutter und ich immer getrunken haben.« Er lächelt sie schief an und reibt sich dann die Hände. »Und dann müssen wir uns Gedanken über einen Weihnachtspullover für Joanne machen.«

Sein Versuch, heiter und humorvoll zu sein, berührt Jo, und sie fragt sich, wie Malcolms Leben wohl aussehen wird, wenn sie und Ruth nicht mehr hier sein werden.

Aber sie will nicht bleiben. Die Vorfreude auf Weihnachten wirkt wie der sehnsüchtige Ruf ihrer alten Heimat nach ihr. Eine Fanfare ihrer Familie. Sie möchte bei ihnen sein, bei ihnen am Kamin sitzen. Freut sich auf eine der festen Umarmungen ihrer Mutter. Sie sehnt sich danach, ins Moor hinauszugehen und das Gesicht zu einem tintenschwarzen Himmel, der übersät von tausend Sternen ist, emporzustrecken. Den eisigen Wind auf den Wangen zu spüren.

Aber was ist hiermit? Was wird aus Malcolm? Werden sie einen Eindruck in seinem Leben hinterlassen haben? Wird Malcolm zurück zu seinen alten Routinen kehren, ein Buch recherchieren, das er nie schreiben wird? Oder wird er etwas finden, für das es sich lohnt zu kämpfen?

Und was ist mit Ruth? Sie versucht, sich die drei auf einer Bühne vorzustellen, kurz bevor die Szene wechselt. Das trägt jedoch wenig zu ihrer Beruhigung bei.

»Nein! Das kann es doch nicht einfach gewesen sein!« Sie ist auf den Beinen, und Ruth und Malcolm starren sie verwirrt an. So schnell, wie sie aufgestanden ist, setzt sie sich wieder.

»Was ist los, Joanne?« Malcolm ist wieder ganz sein beflissenes Selbst.

Sie kann nicht alles aussprechen, was ihr durch den Kopf geht, also sagt sie nur: »Aber wir bleiben doch in Kontakt, oder?« Sie klingt flehentlich.

»Wir werden einen Weg finden.«

Es ist Ruth, die das sagt. Und mit einem Mal wird Jo klar, was Ruth den Leuten gibt. Was sie wie ein wertvolles Geschenk, wie eine Flasche Wein, mitbringt, wenn sie Kranke oder Sterbende, Trauernde oder Verängstigte besucht. Es ist nicht ihr Glaube an Gott. Es ist Hoffnung. Und im nächsten Augenblick wird Jo klar, dass das für Ruth ein und dasselbe ist.

»Es wird alles gut werden, Joanne.« Malcolm hat sich auf die Sofalehne gesetzt und streicht ihr über den Arm. Es klingt, als würde er nicht nur ihr, sondern auch sich selbst zureden.

»Es hat doch einen Unterschied gemacht, nicht wahr?« Sie weiß, dass das nicht viel Sinn ergibt. Sie ist sich nicht einmal sicher, was ihr die Begegnung mit den beiden in den letzten paar Wochen gebracht hat. Vielleicht wird ihr das noch klar werden. Aber irgendetwas hat sich verändert.

»Aber ja«, sagt Ruth beruhigend.

Bis auf das Knacken und Zischen des Feuers ist es still. Dann erhebt sich Malcolm. »Wie wäre es jetzt mit einem Cocktail?«, schlägt er vor und macht sich am Tablett mit den Gläsern und Flaschen zu schaffen.

Der Weihnachtscocktail von Malcolm und Eve ist ausgezeichnet, und Jo ist bereits bei ihrem dritten Glas. Er schmeckt ihr so gut, dass Malcolm ihr das Rezept aufgeschrieben hat. Beim ersten Glas erzählt sie ihnen von James' Textnachricht, und die Empörung und das Lachen der beiden wärmt ihr das Herz. »Dave aus Scunthorpe, hervorragend«, kichert Malcolm.

Bei ihrem dritten Glas breitet sich eine angenehme Wärme in Jos ganzem Körper bis zu den Fingerspitzen aus. Malcolm hat eine beeindruckende Menge an Snacks vorbereitet, alle selbstgemacht und allesamt köstlich.

»Oh, genug mit dem Geplapper«, sagt Ruth plötzlich. »Ich möchte über Karl und Hutch lästern.«

Jo sieht zu ihren rosigen Wangen über den Kollar und muss lachen.

Malcolm macht es sich wieder in seinem Sessel gemütlich und streckt die Beine aus. »Dann leg los. Joanne und ich sind ganz Ohr.«

»Ich erzähle euch erst von ihren positiven Seiten«, fängt

Ruth beflissentlich an. »Also, Karl Marx ... Er hat sich seiner Sache zweifellos hingebungsvoll gewidmet. Er hat viele Stunden warm und gemütlich in der British Library verbracht, über Kommunismus geschrieben, während seine Familie Hunger und Kälte litt ...«

»Reverend Ruth«, unterbricht sie Malcolm, »sind das die guten Seiten?«

»Na gut«, erwidert sie, zieht ihre Schuhe aus und legt die Füße auf der Ottomane ab. »Karl hat eindeutig großen Einfluss gehabt und die politische Landschaft verändert«, sagt sie schlicht.

»Und Hutch?«, fragt Jo.

»Er hatte offensichtlich großes Talent. Er war ein großartiger Pianist und Sänger. Uns kommt sein Stil heute vielleicht altmodisch vor, aber in den Dreißiger- und Vierzigerjahren war er ein weltberühmter Kabarettstar.« Sie zögert, als müsste sie nachdenken. »Ja, ich würde behaupten, er hat sich seiner Kunst aufrichtig gewidmet und hart daran gearbeitet. Ein armer Junge, der es zu etwas gebracht hat. Oh, und er war auch ein guter Linguist. Sein Leben begann zwar in Grenada, aber er ist nach Amerika, Frankreich und England gezogen. Dort hat er sich mit Reichen und Adligen vergnügt. Ja, Hutch konnte charmant sein, sehr unterhaltsam und gelegentlich auch großzügig.« Ruth zählt diese Eigenschaften an den Fingern ab. »Er war auch mutig. Ich glaube, es muss viel Anstrengung gekostet haben, die Vorurteile seiner Zeit zu überwinden.«

»Sonst noch gute Aspekte?«, will Jo wissen.

»Nun ja, er hatte ein enormes Glied, das er bei jeder Gelegenheit herausholte und allen präsentierte. Ich weiß nicht, ob das zählt.«

Malcolm verschluckt sich an seinem Cocktail, und Jo muss ihm wiederholt auf den Rücken klopfen, damit er aufhört zu husten.

»Du hast schließlich gefragt«, sagt Ruth mit einem Funkeln in den Augen. Nachdenklich fährt sie fort. »Er hatte Hunderte von Liebhabern, Männer und Frauen. Cole Porter schrieb ›I'm a Gigolo‹ über ihn.«

Jo nimmt einen Teller Kanapees in die Hand und reicht ihn herum. Das hier bereitet ihr Vergnügen, und sie sieht, dass es der guten Vikarin ebenso geht. »Jetzt zu den schlechten Seiten«, fordert Jo sie auf.

Das Funkeln in Ruths Augen wird immer strahlender, und sie hält ihr Glas hoch, damit Malcolm ihr nachschenkt.

Pflichtbewusst kommt der dieser Aufforderung nach. Leise flüstert er Jo zu: »Ich habe diese Runde etwas mit Wasser verdünnt, ich hoffe, das macht dir nichts aus.« Jo hat damit überhaupt kein Problem. Im Gegenteil, sie findet das eine ausgezeichnete Idee.

»Also Karl«, beginnt Ruth genüsslich, »war ein aufgeblasener, überheblicher Mann, der sich mit allen angelegt hat, die ihm je begegnet sind. Ein Flegel und, oh, mit seiner Doppelmoral möchte ich gar nicht erst anfangen.« Doch genau das tut sie. »Er behauptete, dass es nicht standesgemäß sei, dass er ein proletarisches Leben führte, also hat er bei allen geschnorrt, die er kannte. Er hat mit seiner Haushälterin geschlafen, und als sie ein Kind von ihm bekam, hat Karl seinen Sohn verleugnet, weil es seinem Ruf hätte schaden können.« Ruth sieht die beiden herausfordernd an. »Er war skandalös.«

Jo möchte lachen.

»Und Hutch?«, fragt Malcolm. Obwohl er das fragt, denkt Jo, muss er es ohnehin schon wissen. Schließlich zitieren sie beide aus seinen Notizen.

»Also Hutch.« Ruth reibt sich tatsächlich die Hände. »Er konnte gemein, misstrauisch, arrogant, extravagant, egoistisch und cholerisch sein.«

Malcolm möchte etwas einwerfen, aber Ruth redet weiter.

»Er konnte in Gesellschaft seiner heterosexuellen Freunde fürchterlich homophob sein, obwohl er selbst bisexuell war. Er war nachtragend und enorm herzlos. Er hat Gott weiß wie viele illegitime Kinder gezeugt, und sein einziger Kommentar dazu war, dass sich deren Mütter glücklich schätzen könnten.«

»Hat er ...?«, hebt Jo an.

Aber Ruth ist noch nicht fertig mit der Liste von Hutchs Verfehlungen.

»Als ein paar Schulfreunde aus Grenada nach England kamen und ihn im Palladium auftreten sehen wollten, konnten sie sich nicht einmal die billigsten Stehplätze leisten. Und half Hutch ihnen aus? Hat er ihnen bessere Plätze organisiert? Seinen alten Freunden Tickets ausgegeben? Oder sie auf einen Drink getroffen?«

Jo und Malcolm kennen die Antwort, ohne sie hören zu müssen.

»Nein, natürlich nicht«, verkündet Ruth.

Jo nippt an ihrem Cocktail und wartet ab, um sicherzugehen, dass Ruth auch wirklich fertig erzählt hat. »Und das sind also die Gründe, weshalb du nur ungern Zeit mit deinen Geistern verbracht hast. Jap, das kann ich verstehen«, stimmt sie zu.

»Oh, ich habe noch gar nicht erzählt, warum ich sie wirklich nicht leiden kann«, sagt Ruth gut gelaunt. Unbewusst fasst sie sich an den Kollar. »Ich muss zugeben, es fühlt sich gut an, mich zur Abwechslung mal nicht zurückhalten zu müssen.«

Jo fällt die Freude in ihrer Stimme auf. Sie hofft nur, dass ihre Geister keinen schlechten Einfluss auf die gute Vikarin hatten.

»Schenk uns nach, Malcolm«, weist Ruth ihn an und deutet auf ihr Glas, ihre Nase ist schon leicht rosa, »dann erzähle ich euch, was ich *wirklich* denke.«

41

Was Reverend Ruth wirklich denkt

Reverend Ruth lehnt sich in ihrem Sessel zurück. »Der wahre Grund, weshalb ich Karl und Hutch nicht leiden kann, liegt an der Art, wie sie ihre Familien behandelt haben«, erklärt sie und sieht von Jo zu Malcolm.

»Lasst uns mit Hutch beginnen. Man weiß leider nicht viel über seine Frau Ella, aber es gibt Fotos von ihr mit ihm in Paris. Sie war eine hübsche, schüchtern wirkende, junge Schwarze Frau. Völlig unbeholfen in der Fremde. Als sie nach London zogen, hat er ein Haus nicht weit von hier, südlich von Hampstead Heath, gekauft. Dort hat sie für ihn geputzt und gekocht und all seine vielen Hemden gewaschen. Dort hat sie ihre gemeinsame Tochter Leslie, die nach ihm benannt war, großgezogen. Dorthin lud Hutch aber auch seine Romanzen ein, manche wohnten sogar bei ihnen, ohne Rücksicht auf seine Frau und sein Kind. Er hat einen seiner Liebhaber sogar im Haus nebenan einquartiert. Wenn sie Ella begegneten, stellte er sie oft als seine Haushälterin vor.« Ruth sieht sie an, um zu überprüfen, welche Wirkung ihre Geschichte erzielt.

»Schockierend«, sagt Malcolm ermutigend.

»Ella starb allein in ihrem Haus in Hampstead im Alter von dreiundsechzig Jahren. Nachdem er sie tot aufgefunden hat, ist Hutch wie gewohnt zu seinem Auftritt gegangen. Es wurden drei weitere Tote mit ihr im selben Grab beigesetzt.«

Jo muss an den Highgate Cemetery denken. An die prächtigen Gräber und die würdevolle, dekorative Ruhe, die dort herrscht, und sie wundert sich nicht, warum Ruth Hutch so wenig ausstehen kann. Sie fürchtet sich fast, von Karl Marx zu hören, aber sie fragt dennoch nach. »Und Karl?«

»Ah, Karl Marx«, sagt Ruth und klingt trauriger. »Er hat von seinem Schreiben ein einigermaßen gutes Einkommen gehabt, aber er hat alles ausgegeben. Und auch, was er sich geliehen hat. Für sich selbst und um einen Lebensstil zu finanzieren, der jenseits seiner Möglichkeiten lag.« Sie seufzt. »Zwei seiner Kinder starben. Eines war ein kleiner Junge, der nach Guy Fawkes benannt war, da er am 5. November zur Welt kam. Das passte zu Karl, seinen Sohn nach dem Typen zu benennen, der versucht hat, das Parlament in die Luft zu jagen. Obwohl er Geld erwartete, ließ er seine Familie hungern, gab kein Geld für einen Arzt aus, wurde mehrfach aus seinem Haus hinausgeworfen und lebte oft nur in ein paar schäbigen Zimmern. Er hat es zugelassen, dass die Zwangsvollstrecker kamen und alles mitgenommen haben, sogar das Bett und die Spielsachen des kleinen Jungen. Währenddessen hat er in der warmen British Library geschrieben und darauf bestanden, einen Sekretär zu haben, und zum Trinken hat das Geld auch immer gereicht«, erklärt Ruth angewidert. »Der Spitzname seines Sohns war Fawksy«, fügt sie traurig hinzu. »Was für ein Vater kann so etwas zulassen?«

Malcolm spricht nach einer kurzen Stille als Erster.

»Worüber hätten Karl und Hutch sich also unterhalten?«, fragt er.

Jo ist sich nicht sicher, ob es die Wirkung des Alkohols ist, aber das Treffen dieser beiden brillanten, aber fehlerhaften Persönlichkeiten ist für sie real geworden, und ihr ist es wirklich wichtig, dass Ruth etwas findet, das die beiden miteinander verbindet.

Aber Ruths Antwort überrascht sie.

»Ich glaube, sie würden sich über die Bedeutung von Familie unterhalten.«

Malcolm spricht Jos Gedanken aus. »Das kann nicht dein *Ernst* sein, Reverend Ruth! Nach allem, was du uns gerade erzählt hast?«

Ruth lächelt ihn schläfrig an. »Es mag dir vielleicht nicht aufgefallen sein, Malcolm, aber ich bin Vikarin.« Sie wackelt mit dem Zeigefinger und berührt dann kurz ihr Kollar.

Malcolm sieht sie stirnrunzelnd an. »Das ist mir durchaus aufgefallen«, erwidert er spitz.

»Und es ist nun mal so, dass wir Vikare an die Erlösung glauben.«

Sein Stirnrunzeln vertieft sich.

»Das gehört zum Job«, fügt sie hinzu, »genauso wie Blut, Kacke und Erbrochenes.«

Es scheint, als hätten die Geister wirklich Einfluss auf Reverend Hamilton genommen. Sie »sagt nicht nur, was sie wirklich denkt«, sondern jetzt wettet sie auch noch. Ruth hat mit Malcolm gewettet, dass sie ihn davon überzeugen kann, dass Karl Marx und Hutch über ihre Familien sprechen. Und, so versichert sie ihm, nicht geheuchelt, sondern aufrichtig. Malcolm sagte, er werde Beweise dafür brauchen und das könne nicht nur etwas sein, das auf ihrem Glauben beruhe. (Jo meint, er wollte »Aberglauben« sagen, konnte sich aber gerade noch rechtzeitig zurückhalten.) Ruth hat den Bedingungen zugestimmt, und Malcolm konnte seine wachsende Irritation über ihre selbstgefällige Unerschütterlichkeit nur dadurch besänftigen, dass er die Reste der Drinks und Knabbereien lautstark wegräumte und ging, um Kaffee zu kochen.

Nach einer Dosis Koffein wird Ruth wieder munter. »Also, für meine Beweisführung werde ich mit dem Allgemeinen anfangen und dann zu den Einzelheiten übergehen«, verkündet sie.

Jos Vater hatte ihr das Kartenspielen beigebracht, als sie noch ein kleines Mädchen war, und sie hatten so manchen verregneten Sonntagnachmittag (bis er nach den Schafen sehen musste) damit verbracht, um Knöpfe zu spielen. Er sagte ihr immer: *Spiel deinen Trumpf zuerst aus.* Und genau das tut Ruth jetzt auch.

»Ich habe Menschen sterben sehen.«

Jo weiß, dass Ruth nichts weiter zu sagen braucht. Die kleine Gestalt vor ihnen hat den Tod auf eine Weise erlebt, wie Malcolm und sie es nie erfahren werden. Bis zu diesem Zeitpunkt hat sie sich nicht vorgestellt, wie Ruth an einem Bett, oder vielmehr an vielen Betten, steht und die Hände derer hält, deren Tage gezählt sind. Sie weiß besser als jede andere, welche Gedanken einem in den letzten Momenten durch den Kopf gehen.

Ruth lässt die Worte sinken und geht dann in aller Ruhe zu den Einzelheiten über. Sie zählt die Gründe auf, die sie davon überzeugen, dass Karl Marx, der Philosoph, und

Leslie Hutchinson, der Kabarettist, seit ihrem Tod und bis zu ihrer Begegnung an Heiligabend ausreichend Zeit gehabt hätten, mit großem Bedauern über ihre Familien nachzudenken.

»Ich fange mit Karl an«, sagt sie. »Ich glaube, er hat seine Familie wirklich geliebt. Er hat seiner Frau Jenny viele Liebesbriefe geschrieben, und seine Trauer über den Verlust der Kinder war echt. Trotz seiner Unzulänglichkeiten und seiner Beschäftigung mit sich selbst und dem Kommunismus war seine Familie also ein wichtiger Teil seines Lebens. Er wurde konstant von der Geheimpolizei beobachtet, und selbst in deren Berichten stand, wie liebevoll er zu seinen Kindern war und dass er ihnen stundenlang Geschichten erzählte.«

Malcolm nickt zustimmend. »Erzähl Joanne von seinem Vater«, ermutigt Malcolm sie. Es scheint, als hätte er kein Problem mehr damit, Ruth die Wette gewinnen zu lassen.

»Das ist *wirklich* interessant«, bestätigt Ruth und lächelt ihn freundlich an. Sie wendet sich an Jo. »Er hatte ein ziemlich schlechtes Verhältnis zu seinem Vater und war nicht einmal auf seiner Beerdigung ...«

Malcolm kann sich nicht helfen. »Aber als Karl Marx starb, stellte man fest, dass er ein Bild seines Vaters in der Brusttasche trug.«

»Man hat es mit ihm begraben«, ergänzt Ruth.

»Und Hutch?«, fragt Jo, die sich nun vorstellen kann, dass Karl Marx tatsächlich über den Friedhof spaziert, sich vielleicht auf die Bank setzt, auf der sie gesessen haben, und an seine Familie denkt.

»Einigen von Hutchs Freunden ist etwas sehr Merkwürdiges aufgefallen. Egal, wo er sich aufhielt, er rief immer seine Frau Ella an, oft täglich, und telefonierte stundenlang mit ihr. Vielleicht konnte er sich bei ihr entspannen und brauchte sich nicht so aufzuspielen«, überlegt Ruth. »Angeblich hat er mindestens vier verschiedene Akzente gesprochen, je nachdem, mit wem er sich unterhielt. Vielleicht konnte er nur bei Ella die Fassade fallen lassen.«

Ruth schweigt einige Augenblicke und streckt ihnen dann die Handflächen entgegen. »Ende der Beweisführung«, sagt sie.

»Also, Karl und Hutch reden an Heiligabend über ihre Familien und ihre Reue«, fasst Jo zusammen. »Ruth …«, fährt sie langsam fort, »du hast gesagt, Karl und Hutch hätten dich dazu gebracht, über dein eigenes Leben nachzudenken. Darf ich dich nach deiner Familie fragen?«

»Nun, es gibt nur noch mich und meinen Bruder Don. Er ist ein paar Jahre älter. Aber ja, du hast recht, ich habe über meine Familie nachgedacht. Meine Eltern waren strenge schottische Presbyterianer. Daran ist natürlich nichts auszusetzen. Aber es war kein großer Spaß, als ich aufwuchs.« Ruth starrt ins Feuer.

»Wie waren sie denn so?«, fragt Jo und versucht, sich Ruth als junges Mädchen vorzustellen.

»Scharf und streng … oh, sie haben ihre Regeln geliebt. Und das Schwierige daran war, dass sich diese Regeln änderten. An einem Tag war ich zu laut, an einem anderen wurde mir gesagt, dass ich nicht genug mitmache, und in jedem Fall war der Fehler immer derselbe: Ich war zu eingebildet.« Ruths Tonfall wird nachdenklich. »Mein Bruder hat alles richtig gemacht. Vielleicht war er sensibler als ich.« Ruth stößt ein kleines, schrilles Lachen aus und schüttelt den Kopf. »Nein, das kann nicht sein, wenn ich an Don denke, nein, ganz bestimmt nicht. Er besitzt keinen Funken Sensibilität.«

»Vielleicht kannte er das Regelwerk«, schlägt Malcolm mit einem liebevollen Lächeln vor.

Ruth seufzt. »Wer weiß? Aber so war es eben. Der eine machte immer alles richtig, die andere immer alles falsch. Ich ging, so schnell ich konnte.«

»Bist du jemals zurückkehrt?«, fragt Malcolm.

»Ja, das bin ich. Ich habe versucht, sie ein paarmal im Jahr zu besuchen, aber es wurde nur noch schwieriger, als ich mich entschloss, Pfarrerin zu werden. Und dann auch noch in der anglikanischen Kirche. Ihr könnt euch vorstellen, wie das bei zwei schottischen Presbyterianern ankam. Außerdem hatten sie sehr starke Ansichten über Frauen in der Kirche. Im Grunde waren sie der Meinung, dass es keinen Platz für sie gab, es sei denn, um zu putzen. Nach dem Tod meines Vaters dachte ich, es würde leichter werden, und ich bin zurückgezogen, um meiner Mutter zu helfen, als bei ihr Demenz diagnostiziert wurde, aber …«

»Was ist passiert?«, fragt Jo und denkt dabei an Onkel Wilbur.

»Don hat sie in ein Heim gesteckt, und das war's. Keine Diskussion. Was er sagt, gilt. Don hat eher altmodische Ansichten.«

»Und du hast in letzter Zeit über deine Familie nachgedacht?«, fragt Malcolm sanft.

»Das habe ich«, bestätigt Ruth. »Um ehrlich zu sein, wenn ich über Karl und Hutch lese, habe ich das Gefühl, dass meine Kindheit gar nicht so schlimm war. Ein Kinderspiel im Vergleich zu dem, was Fawksy erleiden musste.«

»Hast du noch Kontakt zu Don?«, will Jo wissen.

»Vereinzelt. Aber nicht oft. Und deshalb habe ich beschlossen, nach Glasgow zu fahren. Ich denke wirklich, ich sollte mich mit ihm treffen und versuchen, eine … oh, ich weiß nicht … eine Lösung für uns beide zu finden.«

»Erlösung?«, schlägt Malcolm vor, und Ruth sieht kurz zu ihm auf. »Ja«, sagt sie langsam. »Ich habe nun mal das Gefühl, dass ich auch schuld bin. Ich hätte mich mehr anstrengen müssen, mich mehr einfügen können, wer weiß?« Sie reibt sich mit dem Zeigefinger über die Stirn und sieht müde aus. »Es ist schwer zu beschreiben. Je mehr ich über die Vergangenheit nachdenke, desto mehr höre ich die alten Vorwürfe: zu schwierig, zu neugierig, zu aufdringlich, zu wichtigtuerisch …«

»Was für ein Unsinn«, ruft Jo und denkt dabei, dass diese Reise in die Vergangenheit Ruths plötzliche Angstzustände erklärt.

»Danke, Jo, aber ich muss mir darüber klar werden, wofür ich Vergebung brauche und was ich loslassen kann. Und wenn ich an Karl und Hutch denke, wird mir klar, dass man das nicht aufschieben sollte, bis es zu spät ist. Vielleicht klappt es nicht, aber ich muss es wenigstens versuchen.«

»Wann fährst du?«, fragt Malcolm, und Jo merkt, dass auch er müde wirkt.

»Morgen.«

»So bald?« Jo erschrickt.

Ruth nickt.

»Oh«, ist alles, was Jo herausbringt, und eine große Schwere macht sich in ihr breit. Voller Bedauern und Verlust.

Das Trio ist ermattet, als Malcolm ihnen in die Mäntel hilft. Ruth überreicht den beiden Weihnachtskarten, und das scheint ihren Abschied noch zu unterstreichen. Jo fragt sich, wann die drei sich wohl das nächste Mal wiedersehen.

Vielleicht fragt sie, weil sie das Gefühl hat, die Zeit zerrinnt ihr zwischen den Fingern. Jetzt oder nie.

»Was hat dich dazu gebracht, davonzulaufen, Ruth?«

»Sie ist nicht davongelaufen, sie ist nur nicht wieder …«, fängt Malcolm an.

Aber Ruth hält eine behandschuhte Hand hoch. »Ist schon gut, Malcolm.« Sie lächelt ihn an. »Und lieb von dir. Aber ich denke, wir alle wissen, dass ich davongelaufen bin.« Sie sieht zu Jo. »Und du willst wissen, warum?«

Jo senkt den Blick und zieht ihre eigenen Handschuhe an. Sie sollte etwas sagen, das Ganze beenden. Aber die Neugier überwiegt.

»Ich kann dir eine ganze Reihe von Gründen geben«, sagt Ruth, und in ihrer Stimme schwingt etwas mit, das Jo für Enttäuschung hält. »Wir könnten mit der ständigen Sorge um den Zustand der Gebäude anfangen.«

Jo sieht auf. Damit hatte sie nicht gerechnet.

Ruth lacht, als sie ihre Überraschung bemerkt. »Man muss endlos Spenden sammeln, um die Gebäude vor dem Verfall zu retten, und in der Zwischenzeit muss man Expertin für Heizkessel, Isolierung, Verfugung, Dachrinnen und Sicherungskästen werden. Dann sind da noch die Stapel von Verwaltungsunterlagen von der Diözese und der Pfarrgemeinde. So viel Papier, dass ich damit die ganze Kirche hätte tapezieren können. Dann kommen die Hochzeiten, die Taufen und Beerdigungen, die alle persönlich und besonders gestalten werden wollen. Und wenn das erledigt ist, gibt es immer noch mehr Briefe, mehr Predigten … ach, und die Theaterstücke. Ich kann mich nicht mehr erinnern, wie viele Krippenspiele ich im Laufe der Jahre geschrieben habe, und jedes musste anders sein als das letzte, sonst wurde das kommentiert. Etwas schwierig, wenn man jedes Jahr dieselbe Geschichte erzählt.« Ruth schnaubt. »Einmal habe ich die Könige zu drei Köchen mit großen Hüten gemacht. Das hat mir gut gefallen, aber Colin Will-kill-soon offensichtlich nicht.« Ruth redet weiter. »Und so kommen wir zu den Beschwerden: Warum habe ich Äthiopien nicht in meine Gebete einbezogen? Das ist eine Schande. Warum verwende ich nicht den alten Text, aber gleichzeitig bringe ich die jungen Leute nicht in die Kirche. Warum kann ich nicht mehr wie der letzte Pfarrer und seine Frau sein? Alan spielte so schön Fagott und Trish so wunderbar Gitarre …«

Ruth bemerkt Malcolms Gesichtsausdruck. »Du denkst, ich mache Witze, aber das tue ich nicht. Du musst eine Musikerin sein, oh, und Therapeutin, wenn der Organist seine wöchentliche Selbstwertkrise kriegt. Und dann muss man noch mit all den Persönlichkeiten im Gemeinderat, den Kirchenvorstehern und den Kaplanen klarkommen. Ein Kaplan, der früher einmal in der Stadt gearbeitet hat, meint, alles besser zu wissen, während die andere viel weiß, aber zu schüchtern ist, um etwas zu sagen. Also muss man zureden, zuhören, ermutigen, beschwichtigen.

Und das, ganz abgesehen von all den Menschen, denen man in der Gemeinde helfen will und die der Grund dafür sind, dass man überhaupt dort ist. Und das ist nicht nur deine Gemeinde, zu deiner Pfarrei gehören *alle*. Man verbringt also seine Zeit damit, im Dorfladen herumzulungern, im Pub zuzuhören und unauffällig an der Schule vorbeizugehen, wenn Unterrichtsschluss ist, weil man dann erfährt, wer in Schwierigkeiten ist oder wer eine harte Zeit durchmacht. Wenn diese armen Menschen sich dann an einen wenden, versucht man alles, um ihnen zu helfen.«

Ruth zieht ihren Mantel enger um sich. »Das alles hat mir nie etwas ausgemacht«, sagt sie, »auch wenn es anstrengend sein kann ... so viele Briefe, E-Mails, Anrufe ... so viel Bürokratie. Ich hatte immer das Gefühl, dass ich ja genau dafür da bin. Aber der Rest? Der Rest!« Jo sieht, dass Ruth zittert. »Und wisst ihr, was das Schlimmste war?« Sie wartet nicht auf eine Antwort, die Worte sprudeln nur so aus ihr heraus. »All diese persönlichen Kommentare, die man einfach so hinnehmen soll, weil man die vermaledeite Vikarin ist!« Sie sieht Jo an. »Du hast zugenommen. Deine Vorhänge sind zu auffällig. Dein neuer Haarschnitt ist schrecklich. Du solltest nicht so viel Zeit im Pub verbringen und mit Leuten reden. Und so weiter und so fort. Warum ich also davongelaufen bin? Du willst einen Grund? Jo, such dir einen aus.«

Die Aufregung schüttelt nun Ruths ganzen Körper. Jo muss an den Spaniel denken, den sie früher auf dem Bauernhof hatten und der sich schrecklich vor Gewitter fürchtete. Wie Ruth zitterte er am ganzen Leib vor Erregung.

Jo nimmt Ruth an beiden Armen, als ob sie sie beruhigen wollte. Malcolm macht einen Schritt auf sie zu. »Es tut mir so leid, Ruth«, sagt Jo.

Ruth atmet tief und zitternd ein.

Jo sagt noch einmal: »Ruth, es tut mir wirklich leid, ich fühle mich schrecklich, ich hätte dich das nicht fragen sollen.«

Ruth schüttelt den Kopf und atmet nun langsamer. »Nein, ich glaube, ich musste mir das von der Seele reden.« Sie schnieft und schenkt Jo ein schwermütiges Lächeln. »Mach dir keine Sorgen. An deiner Stelle hätte ich schon vor Wochen gefragt.«

Erst als Jo sich später in der Nacht im Bett zusammenrollt, kommen ihr Zweifel, und sie fragt sich, was der wahre Grund dafür ist, dass Reverend Ruth Hamilton davongelaufen ist. Denn sie ist sich jetzt sicher, Ruth hat ihnen heute nicht alles erzählt.

42

Berührungspunkt

Die folgenden Tage vergehen langsam, und Jo fühlt sich zunehmend an das Leben von Hutch, dem ultimativen Performer, erinnert. Sie hat das Gefühl, dass ihr Leben in ein öffentliches und ein privates geteilt ist. Im Laden, vor ihren Kunden, ist sie gesprächig und freundlich. Manchmal kommt ihr das nicht einmal wie eine Performance vor. Es gibt Momente, in denen sie Ruth und Malcolm vergisst und sich Gedanken über ihre Zukunft macht.

In anderen Momenten überkommt sie eine große Abgeschlagenheit. Sie würde gerne in den Laden nebenan gehen und versuchen, die Sache mit Eric zu klären, aber sie bringt den Mut nicht auf. Sie überlegt, schwimmen zu gehen, aber sie müsste ohne Ruth und ihr »Heilige Scheiiiße!« baden. Sie sagt sich, dass dort vielleicht andere sind, mit denen sie reden könnte. Sie erinnert sich an die nackte Freundlichkeit in der Umkleidekabine. Aber warum sollte sie sich die Mühe machen, Freunde zu finden? Sie wird bald abreisen. Sie hat sich bis zum neuen Jahr Zeit gegeben, aber bis Weihnachten ist es nur noch gut eine Woche.

Eines Nachmittags schließt sie den Laden früh und geht zum Highgate Cemetery. Sie wandert tief in den Friedhof hinein und erkundet Bereiche, die sie bisher noch nicht gesehen hat, da sie die Wege, die sie mit Malcolm und Ruth gegangen ist, nicht noch einmal beschreiten will. In dem Gewirr von Gewächsen findet sie neue Namen und neue Geschichten, die sie eine Zeit lang ablenken, bis sie sich an Malcolms Recherchen erinnert, und dann vermisst sie Ruth und ihn wieder. Sie vermisst sogar die Geister. Weder von Malcolm noch von Ruth hat sie etwas gehört, was bedeutet, dass sie sich in einem ständigen Zustand des Wartens befindet. In einer neuen Schwebe.

Jo setzt sich auf eine Mauer am Rande des Friedhofs und überlegt, was sie mit ihrem Leben anfangen soll. Sie gräbt die Fingerspitzen in das Moos, das in den Ritzen zwischen den Steinen wächst, findet dort aber keine Antworten. Sie starrt auf die unterschiedlich geformten Steine, auf die großen, die kleinen und die mittelgroßen Grabmale. Sie fragt sich, warum sie so viel Zeit damit verbracht hat, sich darüber Gedanken zu machen, was es heißt, durchschnittlich zu sein. Ist überhaupt jemand wirklich »durchschnittlich«? Vielleicht ist es das Gefühl, nicht ganz das eine oder das andere zu sein, sich fehl am Platz zu fühlen? (*Ein Platz für alles, und alles an seinem Platz.*)

Und dann denkt sie wieder an »zu Hause« und wo das sein könnte. Sie erinnert sich an ein Gespräch mit Eric im Laden, in dem sie ihm von den Menschen erzählte, die hier um sie herum begraben liegen. Das hat sich wie zu Hause angefühlt. Damals fühlte sie sich weder durchschnittlich noch langweilig.

Nun, es ist fast Weihnachten, und Neujahr rückt schnell näher, ihr Stichtag. Was dann? Ein Gefühl des überwältigenden Verlustes überkommt sie. Mit Eric hat sie etwas verloren, das ist ihr bewusst. Sie denkt an Lucy und ihre

Familie, zu der sie zurückkehren möchte, und an den kleinen Laden in London, den sie liebgewonnen hat und nicht mehr verlassen möchte.

Und Ruth? Wo war sie jetzt? Bei ihrem Bruder Don? Sie kann sich des Gefühls nicht erwehren, dass sie Ruth im Stich gelassen hat. Sie ist sich jetzt sicher, dass sie ihnen nicht alles anvertraut hat, was sie bedrückt, ihnen den wahren Grund, warum sie gegangen ist, nicht verraten hat. Sie fragt sich, ob sie mehr Druck hätte ausüben können, ob sie hätte helfen können.

Jo schaut sich um, und da dämmert es ihr. Es gibt noch jemanden, der zurückgeblieben ist. Sie ist nicht ganz allein. Jo springt von der Mauer und geht los.

Malcolm öffnet die Tür, bevor sie die Hand vom Türklopfer genommen hat.

»Oh, Joanne, du bist es!« Er schaut ihr über die Schulter.

»Erwartest du jemanden?«, fragt Jo und blickt den Weg hinunter. Für einen Moment fragt sie sich, ob es Ruth sein könnte.

»Nein. Nun, ja. Aber erst in zehn Minuten. Ich dachte, es wäre vielleicht zu früh. Komm doch herein.«

Verwirrt tritt Jo ein. Der Raum ist ganz anders als bei ihrem letzten Besuch. Weder Lichter noch Kerzen sind angezündet, der Kamin ist sauber gefegt, und die Weihnachtskarten sind weggeräumt. Neben dem Weihnachtsbaum steht ein kleiner Rollkoffer.

»Ich dachte, du wärst mein Taxi«, erklärt Malcolm, als er sieht, wie Jo den Koffer betrachtet.

»Du fährst weg?«, fragt Jo und stellt das Offensichtliche

fest. Eigentlich möchte sie sagen *du auch*. Es scheint eine traurige Ironie zu sein, dass sie die Einzige sein wird, die hier in London zurückbleibt. Zusammen mit den Geistern.

»Ja, aber wir haben zehn Minuten.« Er führt sie ins Wohnzimmer, bietet ihr aber nicht an, den Mantel abzulegen.

Malcolm trägt eine graue Hose und einen grauen Mantel. Jo rutscht das Herz in die Hose. Einen Moment lang zögert sie. Sie hat darüber nachgedacht, ob sie Malcolm fragen sollte, Weihnachten mit ihr nach Hause zu kommen, und jetzt dämmert ihr, dass sie nichts über seine anderen Freunde und seine restliche Familie weiß. Sie kennt diesen Mann kaum.

Dann lächelt er sie an, und er ist immer noch der alte Malcolm: der Mann, der Notizbücher kauft, der Kunde, der die Gasse zu ihrem Laden hinaufschreitet, der Gastgeber, der fantastische Weihnachtscocktails mixt, der sanfte Mann, der einen heimlichen Verlust in seinem Herzen trägt, der Mann, der sich mit einer Vikarin anlegt.

Die Worte sprudeln aus ihr heraus. »Ich weiß, es ist noch nicht lange her, aber ich vermisse sie, Malcolm. Hast du von ihr gehört?«

Malcolm sieht besorgt aus. »Nur eine kurze Textnachricht. Ich glaube nicht, dass das Treffen mit ihrem Bruder Donald gut gelaufen ist.«

»Fährst du … zu ihr?«, fragt Jo und wirft wieder einen Blick auf den Koffer.

»Nein. Nicht wirklich.«

Jo denkt, das ergibt wenig Sinn.

Anstatt Malcolm danach zu fragen, kommt ihr ein ganz anderer Gedanke. »Glaubst du, uns fehlt etwas, weil es heutzutage nicht mehr so viele Vikare gibt? Ich will andere Religionen nicht abwerten, aber es gab eine Zeit, in der jede Gemeinde einen Pfarrer hatte, und es fällt mir auf, dass Ruth so viel getan hat.«

»Oh, Joanne, es fällt mir schwer, das zu beantworten. Meine Sichtweise ist geprägt von dem Schaden, den die Religion der Gesellschaft im Laufe der Jahre zugefügt hat.« Er lächelt sanft. »Und von einigen Pfarrern, die ich getroffen habe. Aber ich gebe zu, dass es mehr Menschen wie Reverend Ruth braucht.«

Jo lächelt zurück. »Gibt es viele wie Ruth?«

Malcolm setzt sich auf die Armlehne des Sofas. »Vielleicht nicht ganz so wie sie, ich glaube, sie ist ein Einzelfall, aber es gibt immer Menschen, die anderen helfen wollen. Ich bin der festen Überzeugung, dass man nicht an Gott glauben muss, um einen moralischen Kompass oder einen Sinn für Gemeinschaft zu haben.«

»Aber wie viele Menschen tun tatsächlich etwas?«, überlegt Jo und denkt dabei vor allem an sich selbst. Könnte sie mehr tun? Natürlich könnte sie das.

»Und was hast du vor, Joanne?«, fragt Malcolm.

»Ich fahre über Weihnachten nach Hause, und dann …« Sie zuckt mit den Schultern. »Das war die seltsamste Zeit.« Sie lächelt ihn an. »Gut, in vielerlei Hinsicht.« Sie blickt zu seinen Bücherregalen. »Ich muss immer wieder an ein Gedicht denken. Es ist das Lieblingsgedicht meines Vaters. Ich weiß nicht mehr, wer es geschrieben hat, aber es gibt eine Zeile darin: *Die Zeit war dahin und anderswo.* Ich habe das Gefühl, dass alles auf Eis liegt. Aber jetzt bin ich nicht sicher, ob ich weiß, wie ich mein Leben neu beginnen soll.«

»Louis MacNeice.« Malcolm nickt.

»Du kennst es?«

»Ja, in der Tat. ›Berührungspunkt‹.«

Jo denkt über den Titel des Gedichts nach. War ihre Zeit mit Malcolm und Ruth ein Berührungspunkt in ihrem Leben?

Malcolm steht auf und geht zu seinem Bücherregal hinüber. »Ich glaube, ich habe es hier irgendwo.«

Jos Telefon pingt, und als sie es aus der Tasche zieht, will sie es gerade stumm schalten, als sie den Namen sieht. Ihr Magen verkrampft sich. Ihr Vater ruft sie sonst nie an.

»Tut mir leid, Malcolm«, murmelt sie, »da muss ich rangehen.«

»Dad?«

»Entschuldige, JoJo …« Dass er ihren Kosenamen verwendet, ist ein schlechtes Zeichen.

»Es geht um deinen Onkel Wilbur. Es tut mir leid, er ist heute Morgen gestorben. Er hatte einen Schlaganfall.«

Sie hält sich an ihrem Telefon fest und nickt. Sie blickt auf und sieht, dass Malcolm sie aufmerksam beobachtet.

»Wir haben ihr Zeit gelassen, Jo, aber ich glaube, deine Mutter braucht dich jetzt.«

43
Kerzen anzünden

Jo kann an nichts anderes denken, als zu ihrer Familie zu kommen. Jetzt wird sie zu Hause gebraucht. (*Ein Platz für alles, und alles an seinem Platz.*) Sie will sofort zum Bahnhof gehen und den ersten Zug nehmen, aber ihr Vater überredet sie, den Rest des Tages und des Abends zu nutzen, um die Wohnung und den Laden aufzuräumen und am nächsten Morgen einen Frühzug zu nehmen.

Dann reicht ihr Vater das Telefon an ihre Mutter weiter. Jo kämpft mit den Tränen, um ihre Mutter nicht noch trauriger zu machen, aber als sie den Hörer auflegt, bricht Jo völlig zusammen. Malcolm sitzt neben ihr und murmelt beruhigenden Unsinn, aber sie ist froh, dass sie einen alten Mann an ihrer Seite hat. Sie denkt an ihre Sehnsucht nach einem Baby, und ihr wird klar, dass es noch andere Beziehungen gibt, die wertvoll sind und die Menschen prägen. Sie erinnert sich an einen Onkel und eine Lieblingsnichte. Es wurde nie ausgesprochen, aber sie wusste immer, dass sie Onkel Wilburs Liebling war. Da muss sie noch mehr weinen.

Malcolm schlägt vor, seine Reise zu verschieben und ihr zu helfen, aber Jo lehnt ab. Sie hat nicht viel zu erledigen. Schließlich verschiebt er aber sein Taxi um eine Stunde und kocht ihnen Tee, heiß und süß. Er besteht auch darauf, dass sie Reverend Ruth Bescheid geben, und schickt ihr eine Nachricht. Warum er dieses Bedürfnis verspürt, das in ihr widerhallt, weiß sie allerdings nicht. Ruth antwortet sofort und schreibt, dass sie eine Kerze für Onkel Wilbur und auch für Jo und ihre Familie anzünden wird. Jo spürt einen Schimmer von Trost und denkt an die Zeiten, in denen sie in fremden Ländern Kerzen in Kirchen angezündet hat, ohne an einen Gott zu glauben, aber mit dem Gefühl, dass sie die Liebe, die sie an die Daheimgebliebenen sendet, zum Leuchten bringt, auch für ihren Onkel Wilbur. Nachdem er Ruths Text gelesen hat, nickt Malcolm mehrmals und sagt: »Das ist lieb. Das ist gut.«

Jo kann sich nicht verkneifen zu sagen: »Aber Malcolm, du glaubst doch nicht an Gott.«

Er antwortet abwehrend. »Du doch auch nicht.«

Hat sie ihm das jemals gesagt? Vielleicht hat er ihr Schweigen als das interpretiert, was es ist. Möglicherweise Unsicherheit oder doch klare Ablehnung.

Da kommt das Taxi, und es folgt ein hektisches Auf- und Abschließen und Verabschieden. Als er seinen hochgewachsenen Körper in das Auto faltet, kommt er auf ihr Gespräch von vorhin zurück und sagt: »Joanne, ich glaube vielleicht nicht an Gott. Aber ich glaube an Reverend Ruth Hamilton.«

Den Rest des Nachmittags und den frühen Abend verbringt sie mit Packen und Putzen. Jo hängt gerade einen Zettel ins Schaufenster, auf dem sie ihren Kunden mitteilt, dass sie verreisen wird, als eine große Gestalt in der Nische zur Eingangstür auftaucht. Sie dreht sich schnell um und sucht in der Dunkelheit nach einem zotteligen blonden Schopf und einem tätowierten Arm. Aber es ist der junge

Polizist. Er nickt in Richtung ihrer Notiz und schüttelt den Kopf. Jo schließt die Tür auf, und der junge Mann gibt ihr ein paar gute Ratschläge, wie sie Diebe fernhalten kann, während sie weg ist.

Dann hilft er ihr dabei, die großen Papierbögen aus den Schubladen des Eichentresens zu holen und über die Fenster zu kleben. In den Überresten der Eisenwaren findet er eine Steckdose mit Zeitschaltuhr und stellt sie zusammen mit einer Lampe im Flur von Onkel Wilburs Wohnung auf, damit es so aussieht, als würde dort noch jemand wohnen. Als Nächstes formuliert er sorgfältig eine Notiz, die besagt, dass der Laden geschlossen ist, aber auch andeutet, dass noch jemand da ist. Danach spielt er seine Trumpfkarte aus, als er ihr verspricht, dass er die Kollegen vom Revier darum bitten wird, den Laden im Auge zu behalten. Dann erfährt Jo, dass er achtundzwanzig (und nicht zwölf) und ein Inspektor namens Kendrick ist.

Nach Kendricks Besuch geht Jo die Highgate High Street hinunter, in der Hoffnung, ein paar Weihnachtsgeschenke zu finden. Sie weiß nicht, wie viel Zeit sie zum Einkaufen haben wird, wenn sie nach Hause kommt. Viele Geschäfte haben noch geöffnet, und auf den Straßen tummeln sich die Leute bis spät in die Nacht. Die Luft ist frisch und kalt, gelegentlich riecht es nach Gewürzen und Kaffee. Die Schaufenster der Geschäfte leuchten freundlich im Vergleich zur Dunkelheit der oberen Stockwerke. Jo muss um eine Menschenmenge herumgehen, die sich vor einem Blumenladen versammelt hat, wo Paare Weihnachtskränze aussuchen, die mit Tannenzapfen, Beeren, Rosen und glitzernden Bändern überladen sind. Das sind prächtige, raffinierte Konfektionen. Ganz anders als der Kranz, den ihre Mutter an die Tür hängen wird. Sie macht ihn aus Laub von Hecken und Sträuchern aus dem Garten.

Jo flüchtet in die offene Tür des Ladens daneben, um den Gedanken an den Kummer ihrer Mutter zu entkommen und sich von den glücklichen Paaren zu distanzieren. Es ist ein Gemüseladen, und sie beschließt, ein paar Clementinen für die Heimfahrt mit dem Zug zu kaufen.

Als die junge Frau ihr eine braune Papiertüte mit den Früchten reicht, fängt sie an zu weinen. Sie verlässt den Laden ohne das Obst, da sie der Frau schlecht erklären kann, dass ihr soeben klar geworden ist, dass sie Onkel Wilbur nie wieder sehen wird.

Jo geht die High Street zurück und hält nur noch einmal inne, um eine Buchhandlung zu betreten. Sie geht direkt zur Abteilung »Klassiker« und zieht einen Roman von George Eliot aus dem Regal. Mit dem Gewicht des Buches in der Hand fühlt sie sich besser

Schließlich kehrt sie mit drei Büchern in Onkel Wilburs Laden zurück. Eines davon, *Middlemarch* von George Eliot, packt sie zusammen mit einer Auswahl an Füllfederhaltern und Schreibwaren aus dem Laden in ihren Koffer (sie wird sich später überlegen, wer was zu Weihnachten bekommt), dann packt sie die beiden anderen Bücher als Geschenk ein. Das Erste ist ein Bildband des Künstlers Banksy. Sie hängt es zusammen mit einer Weihnachtskarte, in der sie erklärt, was mit Onkel Wilbur passiert ist, an Landos Ladentür. Sie verabschiedet sich mit dem Hinweis, dass sie hofft, ihn im neuen Jahr zu sehen, wenn sie kommt, um den Laden auszuräumen. Das zweite

Buch, ein schmaler Band mit Gedichten von Louis MacNeice, legt sie Eric zusammen mit ihrem Ersatzschlüssel vor die Tür (Kendrick hatte gesagt, es sei wichtig, einen Schlüssel bei einem Nachbarn zu lassen). Ihr Brief an Eric den Wikinger ist kurz und bündig. Ihr Wunsch, mehr zu schreiben, raubt ihr die Worte. Bevor sie den Gedichtband einpackt, findet sie das Gedicht, über das sie mit Malcolm gesprochen hat, und legt ein Lesezeichen ein.

Beim Einpacken der Weihnachtsgeschenke muss sie an Malcolm und Ruth denken. Malcolm hat ihr gestanden, dass er Textnachrichten nicht mag, und hat sich die Adresse ihrer Eltern notiert und versprochen, dass er ihr bald schreibt.

Kurz bevor die Kälte im Laden sie nach oben treibt, um die letzte Nacht in Onkel Wilburs Wohnung zu verbringen, kommt ihr eine Idee. Sie weiß, was sie Malcolm schenken möchte, und holt ein großes grünes Notizbuch aus dem Regal. Aber Ruth? Nun, über Ruth wird sie länger nachdenken müssen.

Jo hat alles gepackt, und es ist fast Zeit, zum Bahnhof zu fahren. Sie sitzt auf dem Hocker neben dem Tresen, den Rollkoffer zu ihren Füßen. Wie viele Stunden hat sie hier gesessen und die Welt vorbeiziehen sehen? Es fühlt sich richtig an, dass sie nun nicht aus dem Fenster sehen kann, es ist mit weißem Papier verkleidet und gibt keinen Hinweis darauf, was dahinter liegt oder was die Zukunft bringt.

Jo studiert die Bodenfliesen, die den Eingang zu Onkel Wilburs Laden markieren. An sonnigen Tagen, wenn Lichtstrahlen in den vorderen Teil des Ladens scheinen und auf die indigoblauen und bronzenen Bodenfliesen fallen, könnte Jo meinen, dass sie Mosaike betrachtet, die aus einem indischen Palast gestohlen wurden. Zu anderen Zeiten, wenn der Himmel draußen grau ist oder, wie jetzt, wenn das Licht gedämpft ist, verschmelzen die Farben der Fliesen miteinander, und sie kann nicht erkennen, wo die Fliesen enden und die Holzdielen beginnen. So wie das Leben ihres Onkels verblasst ist, hat sie das Gefühl, dass das Leben, das sie hier geführt hat, nun auch verblasst. Doch die Erinnerung an die Menschen, denen sie in den letzten Monaten begegnet ist, ist immer noch sehr präsent.

Als Jo die Ladentür schließt, fällt ihr Blick auf die Pinnwand, die nun vollständig mit der Sammlung der letzten Monate bedeckt ist. Jo fragt sich, wann sie sie wiedersehen wird.

44

Die Götter

Ihr Vater wartet am Bahnhof auf sie. Er trägt ihre Taschen zum Auto und benutzt die Räder an ihrem Koffer nicht. Er ist ein kleiner Mann mit einer Hose, die an den Knien ausgebeult ist und den Eindruck einer lockeren Weichheit vermittelt, die im Widerspruch zu den starken, straffen Armen steht, mit denen er ihre Taschen mühelos in den Kofferraum wirft.

Als er rückwärts aus der Parklücke fährt und die Fäuste das Lenkrad umklammern, fallen Jo die Leberflecken an seinen Händen auf. Sie betrachtet das Profil ihres Vaters, dessen Blick sich auf den Rückspiegel konzentriert, und denkt, dass es nicht mehr lange dauern wird, bis ihr Bruder Chris der Sorsby ist, der den Hof leitet und sie zurück zum Cottage fährt anstatt zum Bauernhaus. Das ist der Lauf der Dinge. Die Dinge entwickeln sich weiter.

Warum schafft sie es dann nicht?

»Wie war London?«, fragt ihr Vater.

»Gut.«

»Wie läuft es auf dem Hof?«

»Gut.«

Es ist nicht so, als würden sie sich nicht für das Leben des anderen interessieren. Aber das macht nicht die Substanz dessen aus, was sie verbindet, das Kostbare. Das ist in einem Dutzend kleiner Handlungen enthalten: die Tassen Tee, die Jo kocht, die Dinge, die sie für ihn im Internet raussucht, die Videos aus dem Zweiten Weltkrieg, die sie aus der Zu-verschenken-Kiste ihrer Mutter rettet, weil sie weiß, dass ihr Vater noch einen alten Videorekorder im Büro des Bauernhofs hat. Im Gegenzug hat er ihr altes Pferd in einen Ruhestand geschickt, um den es andere Rentner beneiden würden, er sorgt dafür, dass sie ein Auto hat, das nie kaputtgeht, und wenn sie sich zu ihm ins Büro setzt, schenkt er ihr Sherry aus dem Vorrat ein, den er für sich und seine alte Sekretärin Ms Jennings aufbewahrt.

Sie schlängeln sich durch die vertrauten Straßen, weg von Northallerton, hin zu den Mooren North Yorks. Der Bauernhof ihrer Eltern liegt am Rande dieser Moore.

»Wie geht es Mum?«

»Ach, du weißt schon«, sagt er, und Jo glaubt, dass sie es weiß. Ihre Mutter wird traurig sein, aber schließlich damit klarkommen.

»Sie wird sich freuen, dich zu sehen.« Dann blinzelt ihr Vater in die tief stehende Wintersonne und fügt hinzu: »Es ist hart für sie, die Letzte in ihrer Familie zu sein. Und sie hat Wilbur unendlich gemocht. Das hat sie schwer getroffen. Trotzdem geht es ihr heute besser, weil sie weiß, dass du auf dem Weg bist.«

Das ist eine lange Rede für ihren Vater. Vielleicht kommt ihre Mutter doch nicht so gut zurecht. Im Auto wird es wieder still.

»Dad, glaubst du an Gott?«

»Nein.«

Ihr Vater ist wieder ganz der Alte.

»Was machst du dann, wenn du rausgehst und den Göttern dankst?«

Dies war eine wiederkehrende Erinnerung aus ihrer Kindheit. Ein Familienscherz. Ihr Vater nahm sein Glas Wein (immer rot), ging damit nach draußen und sagte, er wolle den Göttern danken. Normalerweise ging er durch den Garten zu der Steinmauer, die die Grenze zu seinem ersten Feld markiert. Manchmal kletterte er über die Mauer und ging zu der großen Eiche, die zwischen dem Feld und einem kleinen Bach wächst.

Als sie älter wurde, begann Jo zu glauben, dass er etwas Zeit für sich allein haben wollte. Vielleicht ein bisschen Ruhe von ihrer Mutter, die für sie beide sprechen konnte und es auch gern tat.

Ihr Vater fährt weiter, als ob er sie nicht gehört hätte.

»Ich dachte immer, es wäre, um eine Pause von Mum zu bekommen«, wirft sie ein.

»Könnte sein«, antwortet er schlicht.

»Aber dann habe ich gesehen, dass du Wein auf die Erde kippst. Was hat das zu bedeuten, Dad?«

»Aah«, sagt er.

Er biegt in den Feldweg ein, der zum Haus führt. »Warum der Wein?«

Ihr Vater verlangsamt den Wagen und bringt ihn kurz vor dem offenen Tor, das den Eingang zum Hof vor dem Haus bildet, zum Stehen. Das Bauernhaus, in dem beide, Jo und ihr Vater, aufgewachsen sind.

»Ich glaube nicht an den allmächtigen Gott. Und wenn man tot ist, ist man tot. Ich habe zu viel Tod gesehen, um anders zu denken. Aber man kann nicht so lange wie ich in den Hügeln und Mooren verbringen, ohne zu glauben, dass da noch mehr ist. Zwischen Sonnenaufgang und Sonnenuntergang.« Seine Stimme wird leiser. »Es raubt mir immer noch den Atem, JoJo.« Er verstummt, dann dreht er sich um und sieht sie an. »Also, nenn mich einen alten Narren, wenn du willst, aber ich danke dem, was da draußen ist, indem ich guten Wein auf die Erde schütte.« Er nickt in Richtung des Hauses. »Und wenn es einem von euch nicht gut geht«, Jo weiß, dass er an seine Frau denkt, »bitte ich die Götter um etwas Hilfe.«

Er wartet nicht auf eine Antwort, sondern legt den Gang wieder ein und fährt auf das Haus zu. Er hält abrupt an und springt heraus, um ihre Taschen zu holen. Ihr Vater hat alles gesagt, was er sagen wollte, und für ihn war das viel.

Die Tür zum Haus ist offen, bevor sie den Gurt gelöst hat. Eilig steuert Jo auf die große Gestalt ihrer Mutter zu. Sie umarmt so viel von ihr, wie sie kann, und ihre Mutter schlingt ihre breiten Arme um sie und zieht sie an sich.

Ihr Geruch bringt sie zum Weinen. In London hat sie einmal das Parfüm ihrer Mutter gerochen und ist einer völlig Fremden in ein Schuhgeschäft gefolgt.

Jo hatte sich vorgenommen, ihre Mutter zu trösten. Aber jetzt weint sie wie ein kleines Mädchen, und ihre Mutter flüstert ihr ins Haar. »Oh, meine Jo, es ist alles in Ordnung.«

Sie muss an den Spitznamen denken, den ihre Familie ihr gegeben hat, Durchschnitts-Jo. Sie flüstert: »Ich bin doch nicht nur Durchschnitts-Jo, oder, Mum?«

Ihre Mutter horcht auf und schiebt ihre Tochter ein wenig weg, damit sie ihr ins Gesicht sehen kann. »Wer hat das denn behauptet?«

Jo möchte sagen, *ihr alle*, aber sie denkt, die Wahrheit ist, *ich habe das getan.*

~

Jo tut alles, was ihr einfällt, um ihrer Mutter zu helfen. Sie fühlt sich schuldig, dass sie bei ihrer Ankunft auf dem Hof zusammengebrochen ist, anstatt ihre Mutter zu trösten. Es ist offensichtlich, wie sehr ihre Mutter vom Tod ihres Bruders erschüttert ist. Also hat Jo beim Kochen geholfen, mit Familienmitgliedern telefoniert, mit dem Bestatter, dem Floristen und der Druckerei gesprochen. Da es nur noch wenige Tage bis Weihnachten sind, soll die Beerdigung nach Neujahr stattfinden. Onkel Wilbur soll eingeäschert werden, und ihre Mutter wird im Frühjahr in den Lake District reisen, um seine Asche am Ufer des Ullswater zu verstreuen. Jo hat ihr versprochen, sie zu begleiten. Abends erzählt ihre Mutter von ihrer Kindheit mit Wilbur, und während sie diese alten Erinnerungen vor ihnen auffaltet und glättet, sieht Jo, wie sie sich wieder in ihr altes Selbst zurückverwandelt. Traurig, aber sie wird klarkommen.

Einen Tag nach ihrer Ankunft schleppt ihr Vater einen selbst geschlagenen Weihnachtsbaum ins Wohnzimmer, und ihre Mutter und sie verbringen den Abend damit, ihn zu schmücken. Ihre Brüder kommen zu Besuch, aber sie sind unangenehme Gäste, da sie wohl beschlossen haben, ihr übliches Kräftemessen für ihre Mutter auf Eis zu legen. Ihre Scheinheiligkeit ist schlimmer als ihr Gezanke.

Mehr als alles andere möchte Jo Lucy sehen, aber ihre beste Freundin ist bei Sanjeevs Familie in Hertfordshire zu Besuch. Aber Jo wird sie an Heiligabend sehen. Sie hat vor, sich mit Lucy und Sanjeev in einem ihrer Lieblingspubs zum Mittagessen zu treffen und über Weihnachten bei ihnen zu bleiben. Ihre Eltern verbringen die Zeit mit ihren Brüdern (an unterschiedlichen Tagen), und Jo wird vorbeischauen, aber ihre Mutter hat ihr versichert, dass sie nicht immerzu dort sein müsse. Ihr Vater hat ihr altes Auto mit Benzin, Öl und Scheibenklar gefüllt und in der Scheune direkt neben dem Haus geparkt.

Von Ruth und Malcolm hat sie nur wenig gehört. Wenn, dann ist sie diejenige, die Nachrichten schreibt. Ihre Antworten sagen nicht viel mehr aus, als dass es ihnen gut geht und sie an sie denken.

Es ist jetzt drei Tage vor Weihnachten, Jo liegt auf ihrem Kinderbett und schaut zum Fenster hinauf. Die Vorhänge sind zurückgezogen, und sie starrt in den grauen Himmel, der an manchen Stellen violett gesprenkelt ist, wie ein großer Bluterguss. Sie denkt an Ruth und Malcolm und an die Geister, deren Geschichten und Gespräche sie miteinander verwoben haben.

Sie wirft einen Blick auf das Notizbuch neben dem Bett. Es ist fast voll, und sie wird es bald an Malcolm schicken. Nun, sobald sie weiß, wo er ist. Bisher hat sie die angekündigte Post noch nicht erreicht.

Die Idee dazu kam ihr bei ihrem letzten Besuch auf dem Highgate Cemetery, wo sie hinter den reich verzierten Gräbern Grabsteine entdeckte, die eindeutig aus dem Ersten und Zweiten Weltkrieg stammten. Sie recherchierte im Internet und fand heraus, dass auf dem Friedhof Hunderte von Soldaten und Soldatinnen begraben liegen, häufig versteckt in zweiter Reihe, da viele Familien am Grab lieber für sich sein wollten. Die Männer und Frauen waren nicht in den Kämpfen im Ausland umgekommen, sondern oft erst Monate, manchmal Jahre später an ihren Verletzungen gestorben. Jo suchte nach Hinweisen auf eine Person, vorzugsweise eine Frau, aus der ATA, die dort begraben lag, aber ohne Erfolg. So recherchierte sie schließlich nach Piloten, die die Flugzeuge geflogen hätten, die Malcolms Mutter und ihre Freundinnen ausgeliefert hatten.

Sie hat diese Geschichten für Malcolm in eines der Notizbücher aus Onkel Wilburs Laden geschrieben. Sie will es ihm zu Weihnachten schicken.

Unter ihrem Notizbuch für Malcolm liegt ein Gedichtband, den sie sich von ihrem Vater geliehen hat. Sie glaubt, dass es der einzige Gedichtband im Haus ist, und schlägt ihn auf der Seite auf, wo das Gedicht »Berührungspunkt« von Louis MacNeice zu finden ist. Beim Durchblättern des restlichen Bandes bezweifelt sie, dass ihr Vater je eines der anderen Gedichte gelesen hat.

Es ist die fünfte Strophe, die sie an ihre Eltern denken lässt, die sich im Spätherbst außerhalb der Saison in Skegness kennengelernt hatten. Zwei Bauernfamilien, die sich eine Auszeit gönnten, während es auf den Höfen ruhig war. Ihre Mutter hat ihr oft erzählt, dass sie, nachdem sie sich im Speisesaal der Frühstückspension zufällig begegnet waren, ihre Tage in einem Café mit Blick auf die regennasse Strandpromenade verbrachten, Tee tranken und redeten. Ihr Vater hat also einmal die richtigen Worte gefunden. Sie glaubt, dass ihre Mutter ihn sehr beeindruckt haben muss.

Sie liest den Vers noch einmal, und stellt sich vor, wie die beiden sich über den Tisch hinweg an den Händen halten.

Die Zeit war dahin und anderswo
Der Kellner blieb fern und die Uhr
Hat sie vergessen, der Walzer klang
Fern aus dem Radio wie Wasser
Die Zeit war dahin und anderswo

Würde sie je eine solche Begegnung haben? Ist es nicht genau das, wonach sie sich sehnt? Nach einem Partner, einer Familie. Die Sehnsucht nach einem Baby rührt sich nur unauffällig zurzeit, aber ist nie ganz weg. Sie muss an Eric denken, wie er auf einem Hocker in Onkel Wilburs Laden sitzt, und an ihre Unterhaltungen über Geister. Natürlich wusste er nicht, dass es um Geister ging, sie wünschte jetzt, sie hätte ihm das erzählt.

Sie kniet sich auf ihr Bett und reißt das Fenster auf, atmet die Luft ein, die nach Moos und Heidekraut duftet. Die Kälte lässt ihre Augen tränen, aber sie lässt das Fenster offen und starrt in den großen, weiten Himmel über ihr. Das ist es, was sie vermisst hat. Und doch streckt ein Teil von ihr immer noch den Kopf aus ihrem Haus in London, auf der Suche nach dem Duft von Tabak und Gewürzen und dem Geruch des Asphalts nach dem Regen. Die Wahrheit ist, dass sie nicht weiß, was sie will. Sie schnappt sich die Kleider, die sie auf ihrem Schlafzimmersessel liegen gelassen hat, und zieht sich in aller Eile an, denn sie will raus in die Natur. Sie hat ihrer Mutter versprochen, Laub für einen Türkranz zu sammeln, und sie braucht Zeit zum Nachdenken.

Als sie müde und schlammig aus dem Moor zurückkommt und große Bündel Efeu, Stechpalmen, Schneebeeren und Weißdorn mit sich trägt, hat Jo eine Entscheidung getroffen.

In einem kleinen Schreibwarengeschäft im Norden Londons löst sich die Zeichnung eines Wikingers mit übergroßer Brille aus der Klammer und flattert zu Boden, wo sie im Staub unter einem Eichentresen zur Ruhe kommt.

45

Liebe Joanne

Liebe Joanne,
wie Du an der Adresse auf dem Briefkopf erkennen kannst, bin ich wieder zu Hause in Hampstead. Man sagt, nirgends ist es so schön wie zu Hause, aber ich bin mir nicht mehr sicher, ob ich dem zustimme. Nun ja, genug davon. Ich sende Dir meine besten Wünsche, und ich bin froh, dass die Vorbereitungen für die Beerdigung vorangehen.
Ich weiß, dass Dein Onkel ein guter Mann war und ohne Zweifel vermisst werden wird. Es ist bedauerlich, dass ich ihn nicht besser kennengelernt habe.
Jetzt sitze ich hier mit dem Stift in der Hand und frage mich, wie ich Dir die letzten Tage am besten beschreiben soll. Als wir uns verabschiedet haben, hatte ich wirklich keine Vorstellung davon, was ich mit meinem Vorhaben erreichen wollte, und bin daher nicht genauer darauf eingegangen. Ich war außerdem nicht ganz ehrlich zu Dir, als ich Dir von Reverend Ruths Gemütszustand berichtet habe. Nach ihrer Textnachricht habe ich sie angerufen, und sie war äußerst erschüttert.
Es war nicht schwer herauszufinden, weshalb sie solch düstere Gedanken quälten: Der Grund war ihr Bruder Donald. Sie hat mir sein Aussehen nicht

beschrieben, aber ich stelle ihn mir als einen großen Mann mit dickem Hals und flacher Stirn vor. Reine Fantasie, er könnte genauso gut klein und kümmerlich sein, aber Du wirst sehen, warum ich ihn mir als Rüpel vorstelle. Denn das ist Donald zweifellos. Nach ihrem Besuch, den sie, wie Du weißt, unternommen hat, um sich auszusöhnen, war sie am Boden zerstört. Es scheint, ihr Bruder Donald hat all die Vorwürfe, die ihre Eltern ihr in ihrer Kindheit gemacht haben, ausgegraben und noch ein paar seiner eigenen hinzugefügt. Ich glaube, was sie am meisten getroffen hat, war der Vorwurf, sie sei eine von Grund auf selbstsüchtige und unchristliche Frau. Kurz gesagt, sie sei ihrer Berufung nicht wert. Ich glaube, mit der Zeit hätte sie seine Kritik verwerfen können, aber es kommt mir so vor, als ob etwas in ihr dem Glauben geschenkt und seiner Sicht Gewicht verliehen hat.

Unser Gespräch hat keine zufriedenstellende Lösung gebracht, aber ich hoffe, ich konnte ihr ein wenig helfen. Dennoch hat mich unser Austausch besorgt zurückgelassen, weshalb ich diese kleine Reise unternommen habe. Du siehst, Joanne, ich habe mich entschlossen, ihre Gemeinde zu besuchen und herauszufinden, ob mehr hinter ihrem Entschluss davonzulaufen steckte. Ich hatte den Eindruck, dass sie uns nicht alles erzählt hat. Obwohl ich kein Interesse daran hatte, in die Privatsphäre von Reverend Ruth einzudringen, habe ich das starke Bedürfnis, ihr zu helfen. Und dafür brauchte ich alle Fakten.

Daher habe ich die letzten paar Tage in Warwickshire verbracht, mit den Bewohnern des Orts, Mitgliedern der Kirchengemeinde und ihren Mitarbeitern gesprochen. Ich habe sogar an einem Gottesdienst teilgenommen. Ich erzähle Dir das, weil ich weiß, es wird Dich zum Lachen bringen. Im Folgenden habe ich meine Erkenntnisse zusammengefasst. Da ich nun mal meinem bürokratischen Selbst nicht entkommen kann, habe ich sie thematisch sortiert.
1. Die Umgebung
Die Gemeinde liegt in hügeliger Landschaft und ist in vielerlei Hinsicht ausgesprochen hübsch. Ein kleiner Weiler, der sich im Laufe der Zeit zu etwas zwischen einem größeren Dorf und einem kleinen Städtchen entwickelt hat. Es gibt eine Reihe kleiner Läden und zwei Pubs. In einem, dem Fox and Hounds, habe ich übernachtet, und die Betreiber Mr und Mrs Barton waren ausgesprochen gastfreundlich. Die Kirche von Reverend Ruth steht im Zentrum der Ortschaft, und Teile davon stammen noch aus der Zeit der Normannen.
2. Die Kirchengemeinde
Ein Kaplan namens Gordon hat mich in der Kirche begrüßt. Ich glaube, das ist der Mann, der zuvor in der Stadt tätig war, von dem Ruth uns berichtet hat. Er hat viel von sich selbst geredet, mich aber schließlich auch den anderen vorgestellt. Die Gemeinde besteht hauptsächlich aus älteren Mitgliedern, und anhand von ein paar Kommentaren, die beim Kaffee fielen, scheint die Anzahl der Mitglieder deutlich

geschrumpft zu sein, seit Reverend Ruth die Gemeinde verlassen hat. Auch wenn hier in meinen Aufzeichnungen nicht der richtige Ort für persönliche Stellungnahmen sein mag, muss ich gestehen, Joanne, dass ich, ohne es mir anmerken zu lassen, sehr stolz auf unsere Freundin war.
Die Mitglieder der Gemeinde und der Kirche waren alle freundlich, bedauerlicherweise abgesehen vom neuen Vikar und dem Kirchenvorsteher Colin Wilkinson. Erst will ich Dir den Vikar beschreiben. Es handelt sich um einen kleinen, nervösen Mann, und es kam mir vor, als sei sein scheinbares Desinteresse an seinen Mitmenschen aus Schüchternheit entsprungen. Vor allem Colin Wilkinson scheint ihn zu verunsichern.
Während ich darüber nachdenke, was ich über Colin zu sagen habe (Dir wird auffallen, ich schweife von meinem klaren und präzisen Stil ab), sind mir Reverend Ruths Worte in Bezug auf »Mr. Will-kill-soon« wieder eingefallen, und ich weiß auch noch, dass sie über Hutch und Karl gesagt hat, sie könne die beiden wirklich nicht leiden. Mir geht es bei Colin Will-kill-soon genauso. Dieser Mann überschreitet die Grenze der Akzeptanz in seiner herrischen, übergriffigen Art, aber wenn man ihn darauf anspricht, wie es die mutige Kaplanin Angela (zu ihr später mehr) zwangsläufig getan hat, behauptet er, es habe sich nur um einen Scherz gehandelt. Das führt dazu, dass sich diejenigen wie Angela dumm vorkommen müssen und ihn sicher nicht konfrontieren werden. Nur nebenbei, ich hatte einst mit einem

solchen Charakter während der Arbeit zu tun, ein gewisser Mr Waddington. Ich habe ihn in eine kleine Dependance nach Henorsford versetzt. (Wo zum Teufel liegt Henorsford, magst du dich fragen? Und genau das wird ihn auch Mrs Waddington gefragt haben.)

Verzeih, Joanne, das hier wird immer weniger zu einem strukturierten Bericht. Ich muss zugeben, ich schreibe mit den Füßen auf der Ottomane und einem Glas von dem ausgezeichneten Whisky in der Hand, den ihr mir so freundlich geschenkt habt. Meine letzten Worte in diesem Absatz sollen sich um Angela Green drehen, die zweite Kaplanin. Bei ihr handelt es sich um eine schüchterne, aber charmante Frau, die sehr viel von unserer Freundin Ruth hält. Ich füge ihre E-Mail-Adresse am Ende des Briefs bei, da ich glaube, wir werden noch einmal Kontakt zu ihr aufnehmen wollen.

3. Der springende Punkt

Zuerst sollte ich Dir schreiben, dass aus meinen allgemeinen Begegnungen mit der Dorfgemeinde hervorgegangen ist, dass Reverend Ruth von allen sehr geschätzt und von vielen vermisst wird. Dennoch machen offensichtlich Gerüchte über ihr plötzliches Verschwinden die Runde. Es wurde angedeutet, dass sich so etwas wie ein Skandal ereignet hat, aber leider hat niemand, mit dem ich gesprochen habe, ins Detail gehen wollen. Es wurde eher hinter vorgehaltener Hand angedeutet. Mehr weiß ich leider nicht, Joanne, aber es scheint, als ob irgendein Ausrutscher, eine Indiskretion, dazu

beigetragen haben könnte, dass sich Reverend Ruth Zweifel an der Fähigkeit, ihre Berufung auszuüben, aufgedrängt haben.
Von der Resonanz in Bezug auf ihre Arbeit, die ich in der Gemeinde erhalten habe, hat sie wohl allerdings keinen Grund, sich schuldig zu fühlen. Das genau Gegenteil ist der Fall. Sie hat anscheinend viel Gutes getan. Daher glaube ich, es muss so etwas wie einen Auslöser gegeben haben, eine Verfehlung, die sie sich vorwirft.
Mein Dilemma ist Folgendes: Was können wir machen? Ich zögere, Ruth direkt darauf anzusprechen. Daher dieser Brief, Joanne. Ich habe das Bedürfnis, mich mit jemandem auszutauschen, der sich genauso um sie sorgt wie ich.
Und mit dieser eher unbefriedigenden Feststellung lasse ich dich zurück. Es ist bald Weihnachten, und Du wirst mit Deiner Familie allerhand zu tun haben. Ich hoffe jedoch, dass wir uns im kommenden Jahr dazu erneut austauschen können.
Bis dahin bleibe ich Dein ergebener Diener
und Freund
Malcolm Buswell

46
Ein verborgenes Leben

Jo liest den Brief von Malcolm zum dritten Mal. Einige Passagen bringen sie zum Schmunzeln, während andere sie beunruhigen. Wie um alles in der Welt könnten sie Reverend Ruth helfen? Zumal sie sich ihnen nicht anvertraut hat.

Sie liest den Brief zum vierten Mal und starrt dann aus ihrem Schlafzimmerfenster auf die Landschaft, das raue, schneebedeckte Moorland. Erst eine Stunde später, als das Nachmittagslicht schwindet und der Schnee in der Dunkelheit versinkt, fasst sie einen Plan. Kurz denkt sie an Lucy. Hatte sie nicht gesagt, dass Jo diejenige ist, die immer auf Ideen kommt? Nun, jetzt hat sie eine Idee. Sie greift zu ihrem Laptop und schickt eine E-Mail an die schüchterne, aber charmante Kaplanin Angela Green.

~

Jo hat beschlossen, mit ihrer Mutter zum Sternsingen zu gehen. Dafür gibt es drei Gründe. Erstens hat ihre Mutter sie darum gebeten. Zweitens hat sie das Gefühl, dass es ihr helfen könnte, mit Ruth in Kontakt zu kommen (sie überlegt sogar, ob sie eine Kerze für sie anzünden sollte), und drittens kann sie dann nicht mehr alle paar Minuten ihre E-Mails checken, in der Hoffnung, herauszufinden, was Angela von ihrer Idee hält.

Der Gottesdienst ist wunderschön und die Kirche voll. Jo kennt viele der Anwesenden und freut sich über die vielen freundlichen Begrüßungen. Der Schein des Kerzenlichts weckt Erinnerungen daran, wie sie an der Bushaltestelle stand und zusah, wie sich die Fenster einer anderen Kirche langsam mit Licht füllten. Die Kinder singen ein besonderes Lied, das sie zum Lächeln bringt, und der hohe Singsang des Kirchenchors rührt sie fast zu Tränen, als sie an ihren Lieblingsonkel denkt. Als sie sieht, wie die in Geschirrtücher und Morgenmäntel gekleideten Kinder eine Krippenszene nachspielen, weiß sie, dass sie mehr denn je eine eigene Familie haben möchte. Doch dann fällt ihr ein, dass Onkel Wilbur keine Kinder hatte und trotzdem eine besondere Beziehung zu seiner Nichte aufgebaut hat. Er hatte trotzdem eine Familie. Und bald wird sie »Tante Jo« für Lucys und Sanjeevs Baby sein. Vielleicht ist das schon genug? Als sich der Gottesdienst dem Ende zuneigt, findet sie Trost in der Nacherzählung der Weihnachtsgeschichte, atmet glücklich den Duft von Tannennadeln und Politur ein und erinnert sich an ihre Zeit in einem kleinen Laden im Norden Londons.

Trotzdem wird sie das Gefühl nicht los, scheinheilig zu sein. Sosehr sie Ruths Berufung auch bewundert, in Wahrheit kann sie sich nicht dazu durchringen zu glauben. Der Glaube ist ein schwer fassbares Phänomen und nicht einfach eine Entscheidung, die man treffen kann.

Als sie die Kirche verlässt, den Arm um ihre Mutter gelegt, wird ihr klar, dass die Geister auf dem Highgate Cemetery für sie realer sind als ein allwissender, allsehender Gott.

Es gibt Käse aus der Region, dazu das selbstgebackene Brot ihrer Mutter, und sie sitzen am Feuer. Ihr Vater hat bereits den Rotwein eingeschenkt. Nach dem Essen sehen sich ihre Eltern *Ist das Leben nicht schön?* an, einen der wenigen Weihnachtsfilme, zu denen ihre Mutter ihren Vater überreden kann. Jo schaut zum zehnten Mal auf ihr Handy. Diesmal hat sie eine E-Mail von Angela erhalten. Und die ist lang.

Sie eilt nach oben, um ihren Laptop zu holen, und verbringt den Rest des Abends auf dem Sofa, tippt und scrollt durch verschiedene Websites. Zwischendurch greift sie nach einer weiteren Schokolade aus der Porzellanschale auf dem Couchtisch und schickt Links an Angela, von der sie annimmt, dass sie bereits mit ihrem Hund Betty auf den Füßen im Bett liegt.

Es ist nach Mitternacht, als sie ihren Laptop zuklappt. Ihre Eltern sind längst nach oben verschwunden, und das Wohnzimmer wird nur noch von Kaminfeuer und Weihnachtsbaumkerzen erhellt. Jo steht auf, streckt sich, nimmt ihr halb leeres Glas Rotwein und geht zu den Fenstertüren. Sie zieht die langen moosgrünen Vorhänge zurück und blickt durch das Glas hinaus.

Ein Halbmond hängt am tiefschwarzen Nachthimmel. Der Rasen glänzt vor Frost, und die Kälte, die durch das Glas strömt, lässt ihren Atem kondensieren. Sie öffnet die Tür, geht hinaus und tritt, ihren Pullover eng an sich geschlungen, auf den Rasen. Ihre Füße hinterlassen Abdrücke auf dem Gras, während sie sich einen Weg zum Blumenbeet bahnt, in dem die Rosen ihrer Mutter wachsen. Die Pflanzen heben sich im Mondlicht scharf ab, die Erde darunter wirkt wie Holzkohle und Asche. Sie schaut zum Mond hinauf, kippt etwas Wein auf den Boden und bittet die Götter im Stillen um ihre Hilfe.

Die Götter haben sie nicht enttäuscht. Das Forum, das Jo und Angela eingerichtet haben, damit die Leute ihre Weihnachtswünsche für Reverend Ruth hinterlassen können, ist bereits voll mit Beiträgen. Und wie Jo gehofft hat, haben die Leute nicht nur Weihnachtsgrüße geschickt. Offensichtlich wollen sie Ruth für alles Mögliche danken, was sie für sie getan hat.

Jo macht einen kurzen Scan. Sie und Angela haben sich auf eine strenge Moderation geeinigt, und sollte Colin Will-kill-soon das Bedürfnis verspüren, etwas zu posten, haben sie beschlossen, es sofort zu löschen. Sie und Angela brauchten sich keine Sorgen zu machen. Es gibt nichts als positive Kommentare. Während Jo nach unten scrollt, kommen immer mehr Beiträge hinzu.

In ihrem Posteingang landet eine E-Mail von Angela mit dem Betreff: *Hast du das gesehen?*

Die E-Mail hat keinen Inhalt außer einer Reihe an Ausrufezeichen und Smileys. Jo hofft sehr, dass sie Angela Green eines Tages kennenlernen wird. Und ihren Hund Betty.

So viele Geschichten von hilfreicher Zuwendung tauchen in den Beiträgen auf. Es gibt gute Wünsche von Menschen, die Ruth besucht hat, als sie krank waren oder einen Trauerfall hatten. Da ist eine Nachricht von Joshs Eltern. Seit er ein Baby war, war ihr Sohn schwer krank und musste immer wieder ins Krankenhaus. Während dieser ganzen Zeit besuchte Ruth sie oft mit einer Flasche im Gepäck.

Es wurde anscheinend viel getrunken. George schreibt von dem Whisky, den er mit ihr in seinem Schrebergarten getrunken hat, als seine Frau June starb. Gina, eine Lehrerin, die entlassen wurde, erwähnt Prosecco. Und Joyce und Martin, deren Hund überfahren wurde, erinnern sich daran, dass sie zu dritt mit einem schönen Amontillado auf »Archie« angestoßen haben (Ruth hatte auch ein Gebet über seinem Grab bei der Trauerweide gesprochen).

Ein Handwerker aus einem abgelegenen Dorf bedankt sich bei Ruth für den besonderen Hochzeitsgottesdienst für seine Tochter (und fügt eine Notiz hinzu, dass er für Ausbauten und Umbauten zur Verfügung steht), was eine Flut von guten Wünschen und Danksagungen für Hochzeiten, Taufen und Beerdigungen auslöst. Jo findet die Beerdigungspost am berührendsten, denn es ist klar, dass Reverend Ruth viel Zeit mit den Sterbenden und ihren Familien verbracht hat. Außerdem erinnerte sie sich wohl auch an all die Jahrestage von Todesfällen. Auch hier werden viele Flaschen Wein erwähnt.

Ein ehemaliger Asylsuchender, der jetzt als Apotheker in Birmingham arbeitet (Jo dankt Angela im Stillen dafür, dass sie die Nachricht so erfolgreich verbreitet hat), schreibt, dass ihn bei seiner Ankunft aus Afghanistan mit seinen schlechten Englischkenntnissen niemand für einen gebildeten Mann gehalten hätte. Aber Ruth nahm ihn auf und ließ ihn einige Wochen lang im Pfarrhaus wohnen. Jo fragt sich, was Kirchenvorsteher Colin wohl dazu zu sagen hatte. Sie vermutet, eine ganze Menge.

Bald wird klar, dass es sich in der Schule herumgesprochen hat. Es gibt eine Flut von Posts, die Reverend Ruth ein frohes Weihnachtsfest wünschen (mit vielen Emojis).

Einige erwähnen ihr »lautes Gebet«, bei dem sie, wenn man den Emojis Glauben schenken darf, Gott durch lautes Auf-und-ab-Hüpfen und Rufen dankte. Jenny dankt Ruth dafür, dass sie ihr den ersten Preis im Gedichtwettbewerb der Schule überreicht hat, und Amir dankt ihr dafür, dass sie ihm, als er nicht gewonnen hat, gesagt hat, dass Fußballer ohnehin mehr Geld verdienen.

Ein Drehbuchautor berichtet auf sehr bewegende Weise vom Selbstmord seiner Frau und ein anonymes Ehepaar vom Kampf ihres Sohnes mit den Drogen und letztendlich seiner Überdosis. Jo fragt sich, ob es sich um das Paar handelt, von dem Ruth ihr erzählt hatte und dessen Sohn Paul tot im Garten gefunden wurde. In beiden Nachrichten wird Ruth dafür gedankt, dass sie über die Frau und den Sohn gesprochen hat, als andere es nicht taten, aus Angst, sie zu verletzen. Jo erinnert sich an Ruths Direktheit und denkt nicht zum ersten Mal, dass ihre Offenheit eine Form des Trosts darstellt.

Auch kleinere Freundlichkeiten werden erwähnt. Ruth brachte die Mülltonnen ihres Nachbarn raus, als der sich den Knöchel gebrochen hat. Sie half einer Frau namens Jill bei betrügerischen Anrufen (Jo lächelt bei dem Gedanken daran, wie Ruth in ihrem Laden einen solchen Anruf entgegengenommen hat), und sie ging mit Brendans Schäferhund Maximilian spazieren, als dieser sich von seiner Leistenbruchoperation erholte. Der Kapitän einer örtlichen Eishockeymannschaft berichtet, dass Ruth oft kam, um sie anzufeuern (und einmal einen der Mittelfeldspieler in die Notaufnahme brachte). All diese Menschen wollen Ruth Hamilton zu Weihnachten ihre besten Wünsche schicken. Und es werden immer mehr.

Jo schreibt eine kurze E-Mail an Angela und fragt sie, ob sie Ruth mitteilen möchte, was sie organisiert haben. Dann schickt sie Malcolm eine Textnachricht mit einem Link zum Forum.

Während sie auf die Antworten wartet, erscheint ein neuer Beitrag auf dem Bildschirm. Er stammt von Colin Wilkinson, dem Kirchenvorsteher (fett gedruckt), der darauf hinweist, dass diese Website nicht offiziell vom Kirchenvorstand genehmigt wurde (fett und kursiv gedruckt). Jo hat keine Chance, den Rest der Nachricht zu lesen, da ein neuer Kasten erscheint, der sie verdeckt.

Die Moderatoren dieser Website sind gegen Online-Missbrauch und falsche Darstellungen in all ihren Formen. Kommentare, die wir als unangemessen, schikanös oder beleidigend empfinden, werden sofort entfernt.

Jo grinst. Oh, wie Angela es genossen haben muss, das zu posten. Sie stellt sich vor, dass das die Rache für jahrelange Herabsetzungen ist.

Eine Nachricht von Malcolm erscheint auf ihrem Telefon zur gleichen Zeit, als eine E-Mail von Angela eintrifft.

Angelas Nachricht besteht nur aus einer Reihe von Vikarinnen, die die Hände in die Luft recken (wo zum Teufel hat sie dieses Emoji her?) und einer kurzen Nachricht: *Deine Idee, sag du es ihr, aber richte ihr Grüße aus.*

Malcolms Nachricht ist ebenso kurz: *Wundervoll, liebe Joanne. Fröhliche Weihnachten.*

Jo hofft, dass Ruth sich dadurch besser fühlt. Sie hat das Gefühl, dass es ihre Selbstzweifel lindern würde, wenn sie irgendwie für Ausgleich sorgen und sie daran erinnern könnten, was sie in ihrer Zeit in Warwickshire erreicht hat. Jo hat beschlossen, dass sie Reverend Ruth vor allem dieses Geschenk zu Weihnachten machen wollte. Also kopiert sie den Link, tippt eine Nachricht von sich und Angela an Ruth und schickt sie ab.

Als sie aus dem Fenster schaut, verspürt sie das Bedürfnis, wieder aufs Moor zu gehen. Weit wird sie nicht kommen, denn in der Nacht hat es weiter geschneit, und der Schnee ist liegen geblieben. Ein steifer Wind weht. Aber sie will da draußen sein unter dem weiten, grauen Himmel und ihre Lungen mit der rauen, sauberen Luft füllen.

Sie nimmt einen kleinen Flachmann mit, um etwas Rotwein auf die raue, dunkle Erde zu gießen, wo das grüne Gras dem Moor weicht. Sie weiß, ohne dass ihr Vater es ihr sagen muss, dass es wichtig ist, den Göttern zu danken, wenn sie einem geholfen haben. Das bestätigt sie darin, wie viel sie von ihrem Vater hat.

Es dauert eine Weile, bis sie wieder auf ihren Computer schaut. Nach ihrem Spaziergang ist sie zur Post geeilt, um Malcolm sein Notizbuch zu schicken. Morgen ist Heiligabend, aber mit einer Sonderzustellung kann sie es ihm noch rechtzeitig zum ersten Weihnachtstag zukommen lassen.

Als sie ihren Laptop aufklappt, sieht sie, dass noch mehr Nachrichten eingegangen sind. Ruth hat wohl auch beim Kuchenstand des Dorffestes geholfen und Essiggurken eingelegt, um Geld für das Weihnachtsessen der Senioren zu sammeln, und gegen den Rat einiger Wichtigtuer an einem Volkslauf teilgenommen. (Mr. »Will-kill-soon«, denkt Jo.)

Als sie gerade ihren Laptop schließen will, erscheint noch eine Nachricht. Es ist einfach ein Zitat aus George Eliots Buch *Middlemarch*:

Das wachsende Gedeihen der Welt hängt zum guten Teil von unhistorischen Tatsachen ab, und dass die Dinge für Euch und für mich nicht so schlimm stehen, wie es hätte der Fall sein können, verdanken wir zur Hälfte denen, welche ein verborgenes Leben treu gelebt haben und in unbesuchten Gräbern ruhen.

Darunter steht:

Mit den allerbesten Wünschen für Weihnachten von Deinem Freund Malcolm Buswell und den Geistern, die auf dem Highgate Cemetery ruhen.

47
Guter Rat von Lucy

Es ist Heiligabend, und Lucy ist zurück aus Hertfordshire. Sie ist immer noch mit Sanjeev verheiratet, und das ist laut ihrer Aussage eine beachtliche Leistung nach dem Aufenthalt bei seiner Familie. Sie sind zum Mittagessen im Pub verabredet, und Jo kann es kaum erwarten. Sanjeev wird sie erst später bei ihnen zu Hause sehen, so haben Lucy und sie Zeit, sich auf den neusten Stand zu bringen. Außerdem gibt das der besten Freundin seiner Frau die Gelegenheit, sie an all seine guten Seiten zu erinnern, und er weiß, da kann er sich auf Jo verlassen.

Das Pub strahlt Wärme und sanftes Licht aus, und überall wird sich lautstark unterhalten. Von den Deckenbalken hängen Stechpalmenzweige und Efeu, und im Kamin in der Ecke lodern große Holzscheite. Jo entdeckt Lucy an einem kleinen Tisch in einer Nische neben dem Kamin. Sie strahlt, hat eine Latzhose an und ein grünes Tuch um den Kopf gewickelt. Wie immer trägt sie scharlachroten Lippenstift. Jo bahnt sich einen Weg zu ihr und nimmt sie fest in den Arm. Sie überkommt ein überwältigendes Gefühl der Zuneigung zu ihrer Freundin. Wie konnte sie je denken, dass sie davor floh? Sie kleben für ein paar Sekunden wie Kletten aneinander.

»Ah, so schön, dich zu sehen, BF«, flüstert ihr Lucy ins Ohr.

»Was zum Teufel!« Die Worte poltern aus Jo heraus, und Lucy macht überrascht einen Schritt zurück.

Über Lucys Schulter hinweg, entdeckt Jo eine Fahrradjacke. »Da ist Finn.« Mehr bringt sie nicht heraus.

Lucy dreht sich zur Bar um. »Ja, und?« Sie sieht Jo verwirrt an. »Oh, und seine Freundin ...«, fügt Lucy hinzu, dabei sieht sie Jo weiterhin irritiert an.

Finn hat den Arm um die Hüfte einer jungen Frau gelegt. Ihre Locken haben die Farbe von Karamellkonfekt, sie fallen ihr locker über die Schultern.

»Was zum ...?« Jo fehlen immer noch die Worte.

»Ich kann dir nicht folgen«, sagt Lucy langsam. »Also, das ist Finns neue Freundin.«

Jetzt stürzen die Worte nur so aus ihr heraus. »Aber sie ist mit Eric dem Optiker zusammen. »Was zum ...?«

»Das reicht! Wovon redest du?«, will Lucy wissen und fängt an zu lachen. »Kennst du sie etwa? Ich dachte, er hätte sie hier in der Gegend kennengelernt, aber anscheinend ist sie aus London.«

Karamellkonfekt-Clare dreht sich um und sieht Jo, winkt kurz und lehnt sich dann an Finn. Sie hat denselben Gesichtsausdruck wie die Male, als sie bei Jo am Schaufenster vorbeigelaufen ist. Sie wirkt verlegen.

»O mein Gott!« Jo greift nach der Stuhllehne und setzt sich hin. Besser gesagt, sie lässt sich fallen.

Lucy setzt sich auf den anderen Stuhl. »Spuck's aus. Jetzt bin ich aber gespannt.«

»Ich dachte ... aber wie haben die beiden sich kennengelernt? ... O mein Gott ... der Ersatzschlüssel ... Mrs Patmore.«

»Nope, keine Ahnung, wovon du redest«, sagt Lucy

und lacht. Sie schenkt Jo ein Glas Wein ein und sich ein Mineralwasser.

Jo versucht es noch einmal. »Also, ich dachte …«

Aber sie kann den Satz nicht beenden. Clare kommt mit Finn im Schlepptau an ihren Tisch.

»Hey, Jo. Schön, dich zu sehen, Schwester«, sagt Finn fröhlich. Er bekommt überhaupt nicht mit, was da gerade passiert. Er ist verliebt. Und wie könnte man sich in diese Frau nicht verlieben?, denkt Jo und sieht zu Clare.

Sie bringt nur raus: »Aber ich dachte … Was ist mit Eric dem Wikinger?«

Jetzt müssen alle lachen, aber Jo will, dass sie aufhören, sie will eine Erklärung.

Es ist die freundliche, sommersprossige Clare, die zuerst das Wort ergreift. Und Jo denkt, nach Lucy (selbstverständlich) könnte diese Frau ihre zweite beste Freundin werden. »Eric?«, fragt sie und runzelt verwirrt die Stirn. »Hast du mit ihm gesprochen, seit du aus London weg bist? Oh, er findet dich wirklich, *wirklich* toll, Jo. Er dachte, er hätte es versaut, als er dich auf das Doppeldate eingeladen hat, aber ich hatte gehofft … Ich hab mir schon Vorwürfe gemacht. Er wollte eigentlich nur dich fragen …« Leiser fährt sie fort und wendet sich ein wenig von den anderen ab. »… aber ich wusste, dass du Lucys beste Freundin bist, und sie ist Finn so wichtig, also dachte ich mir, wenn ich dich schon kenne, dann ist es vielleicht nicht mehr so einschüchternd, Lucy an Weihnachten kennenzulernen.« Sie macht eine Pause. »Es ist so offensichtlich, dass Eric und du … nun ja, also, ich konnte es sehen, aber er war sich nicht sicher, und als du Nein gesagt hast …«

Jo spielt den *Was? O Gott, nein!*-Moment noch einmal im Kopf durch. Erinnert sich an das sarkastische *Nette Idee*, das dem folgte.

O Gott. Was hat sie nur gemacht?

»Er hat gedacht, das war's«, sagt Clare.

Aber Jo kann nur daran denken, dass Eric sie gefragt hat, ob sie etwas gegen Clare hätte. Was hatte es damit auf sich? »Aber warum ...?«, fängt sie an, kommt aber nicht weiter.

»Warum hat er dich nicht früher gefragt?«, schlägt Clare hilfreich vor. Sie senkt die Stimme und sieht wieder sehr verlegen aus. »Um ehrlich zu sein, dachte er, du stehst auf Finn. Er ist am Laden vorbeigelaufen, als ihr euch umarmt habt, und ... Anfangs war er besorgt, dass ich mich in eure Beziehung dränge. Bis ich ihm erzählt habe, dass Finn der Bruder deiner besten Freundin ist.« Sie fährt etwas entspannter fort. »Eric war dabei, als wir uns kennengelernt haben. Ich hatte gerade den Sehtest gemacht, und Finn kam rein wegen des Schlüssels ... und, na ja.« Lächelnd sieht sie zu Finn auf.

»Liebe auf den ersten Blick. Sie hat mich umgehauen«, sagt Finn. Jo könnte das etwas unpassend finden, wenn es nicht gerade Musik in ihren Ohren wäre. »Es war so ein Zufallsmoment. Sie wollte zur Tür raus. Ich stehe mit offenem Mund davor. Dann habe ich mir gedacht, jetzt oder nie. Also habe ich sie gefragt, ob sie was mit mir trinken gehen will.«

Clare lacht. »Hast du Jo erzählt, dass wir uns kennengelernt haben? Dass wir miteinander ausgehen?«

Er blinzelt. »Ähm ... Nein.« Sein Gesichtsausdruck sagt alles. Ich bin ein Mann, warum sollte ich?

»Aha«, erwidert Clare, als sei ihr gerade etwas klar geworden, »du hast also gedacht, Eric und ich …«

»Du meinst, er will wirklich mit mir ausgehen?« Jo will das unbedingt noch einmal bestätigt haben.

»Ja, natürlich. Er kann von nichts anderem reden. Er dachte nur … du hättest absolut kein Interesse.«

»Ich dachte ihr zwei …«

Clare lacht auf. »Das habe ich mir jetzt schon gedacht. Nein, wir verstehen uns nur sehr gut. Als Freunde.«

Jo weiß nicht mehr weiter. »O mein Gott«, sagt sie nur und legt den Kopf in die Hände. Was muss er von ihr gedacht haben? Aber dann sieht sie auf und strahlt Lucy an. »Eric der Wikinger will mit mir ausgehen.«

Clare berührt sie am Arm und lächelt. »Also, habt ein schönes Mittagessen, ihr zwei. Und frohe Weihnachten, Jo.« Sie lehnt sich schüchtern vor und gibt Jo einen Kuss auf die Wange.

Jo bemerkt es kaum. Sie weiß, dass sie unhöflich ist (und gleich noch viel unhöflicher werden wird), aber sie kann nur an eines denken.

»Lucy, es tut mir so leid. Ich muss zurück nach London.«

»Natürlich musst du das«, sagt Lucy und grinst sie an.

Und Jo weiß, genau deshalb wird nie jemand anderes als Lucy ihre beste Freundin sein.

Jo steht auf. Setzt sich wieder hin. Steht erneut auf.

Lucy beobachtet sie grinsend. »Was machst du da, du Idiotin?«

»Bin ich völlig verrückt? Was ist dann mit euch? Und ob er überhaupt da ist?«

Lucy packt sie am Arm und zieht sie zurück auf ihren

Stuhl. »Hör zu, es ist noch nicht mal eins. Man braucht – was? – viereinhalb Stunden nach London? Um wie viel Uhr macht er den Laden zu?«

Jo sucht in ihrer Handtasche nach ihrem Handy. Das könnte sie Google fragen. Während sie in ihrer Tasche kramt, fällt ihr ein, dass ihr Telefon auf der Anrichte in der Küche ihrer Mutter lädt. Lucy übernimmt, holt ihr Handy raus, und innerhalb weniger Sekunden hat sie herausgefunden, dass der Brillenladen heute früher schließt. Um fünf statt um sieben. Es ist ihr außerdem wichtig, Jo darauf aufmerksam zu machen, wie nachlässig es ist, dass auf der Webseite kein Foto von Eric dem Wikinger zu finden ist.

»Ich könnte es gerade noch schaffen«, sagt Jo, bewegt sich aber nicht.

»Ja, das könntest du«, bestätigt ihr Lucy.

Jo sieht ihrer besten Freundin jetzt direkt in die Augen. »Aber was ist mit dir, und … drehe ich gerade völlig durch?«

»Ja, das tust du«, sagt Lucy, zieht Jo aber dabei auf die Beine und schiebt sie zum Ausgang. An der Eingangstür zum Pub bittet Jo Lucy, ihrer Mutter Bescheid zu geben. »Sag ihr, dass ich sie aus der Wohnung anrufe, wenn ich in London angekommen bin. Und sag ihr, dass es mir leidtut. Und bei dir muss ich mich auch entschuldigen. Also, ich muss auch nicht fahren. Lucy, wenn du willst, kann ich auch bleiben, kein Problem.«

»Das weiß ich doch«, sagt Lucy und lächelt sie an. »Aber du magst diesen Kerl wirklich sehr, oder? Also hau ab. Ich bin versorgt.« Sie grinst. »Aber du musst mich anrufen, sobald es Neuigkeiten von Eric dem Wikinger gibt. Und ich will ein Foto. Keine Ausreden.«

»Aber vielleicht ist er nicht … Ich weiß nicht einmal, ob er noch …« Jo zögert.

»Geh endlich. Du wirst es sonst nie herausfinden«, ermutigt sie ihre beste Freundin.

Also umarmt sie Lucy und macht sich auf den Weg.

48

Die Fahrt nach London

Nach etwa einer halben Stunde Fahrt hört ihr Herz endlich auf zu rasen, und sie konzentriert sich ganz auf das Hier und Jetzt. Sie hat zwar kein Telefon, aber sie hat ihre Handtasche und die Reisetasche, die sie zu Lucy mitnehmen wollte. Kurz ärgert sie sich, als ihr auffällt, dass sie noch alle Geschenke im Auto hat. Dann konzentriert sie sich wieder auf die Straße. Und die braucht ihre ganze Aufmerksamkeit. Der Schneeregen trübt die Sicht, die Scheibenwischer laufen auf Hochtouren, und sie schickt ihrem Vater eine stumme Dankesbotschaft. Egal, wie das Wetter ist, sie weiß, dass ihr kleines Auto damit fertigwird. Alles ist überprüft worden. Zweimal.

Sie denkt an ihre Mutter. Zweifellos wird sie sich wegen des Wetters Sorgen machen, im Radio wird noch mehr Schnee vorhergesagt, aber sie weiß, dass sie sich auf ihren Vater verlassen kann, er wird ihre Mutter beruhigen. Jo hat schließlich schon mit vierzehn auf dem Hof fahren gelernt. Obwohl sie das besser nicht erwähnen sollte. Sie ist sich nicht sicher, ob ihre Mutter weiß, dass ihr Vater sie seinen alten Land Rover hat herumfahren lassen.

Bei Wetherby geht dann nichts mehr vorwärts. Im Radio hört sie (zwischen einem Weihnachtsklassiker von Slade und Bing Crosbys »White Christmas«), dass ein Lastwagen umgekippt ist und beide Fahrbahnen blockiert sind. Der Schneeregen hat aufgehört, dafür fallen jetzt dicke Schneeflocken langsam herunter. Sie schmelzen, sobald sie auf die Motorhaube fallen, aber der Rand der Schnellstraße verwandelt sich in schlammigen Schneematsch.

Sie ist froh, dass die Heizung ihres Autos so gut funktioniert, aber plötzlich bekommt sie Hunger. Sie denkt an Lucy. Ist sie zum Mittagessen im Pub geblieben? Jo lächelt, natürlich ist sie das. Sie wird sich zu Clare und Finn gesellt und sie nach Informationen ausgequetscht haben. Wahrscheinlich schaut sie sich gerade das Instagram-Profil von Eric dem Wikinger an.

Jo überkommen Zweifel. Das ist doch Wahnsinn. Sie könnte hier stundenlang feststecken. Und wenn es wirklich anfängt, richtig zu schneien, könnte sie über Nacht festsitzen. Sie versucht sich zu sagen, dass es ihr nur so geht, weil sie hungrig ist, aber sie kann nirgendwo halten, und es geht immer noch nicht weiter.

Dann fällt Jo ihr Geschenk für Sanjeev ein. Sie ist sich sicher, dass er es ihr nicht übelnehmen wird (so wie er sich darauf verlassen konnte, dass sie ihn vor seiner Frau verteidigen würde). Sie greift nach hinten und kramt in der Tragetasche, die mit Weihnachtsgeschenken gefüllt ist. Sie hat für Sanjeev einen altmodischen Strumpf mit Süßigkeiten von Cadbury's besorgt. Seit er ihr einmal erzählt hat, dass das als Kind sein Lieblingsgeschenk war, macht sie das jedes Jahr. Sie reißt das Geschenkpapier und die Verpackung auf und beißt in einen Schokoriegel.

Beim zweiten Riegel angelangt, fühlt sie sich besser, und der Verkehr setzt sich langsam wieder in Bewegung. Als Mantra, um sich selbst zu beruhigen, wiederholt sie laut: »Eric der Wikinger will mit mir ausgehen. Ich bin keine Durchschnitts-Jo, ich unternehme ein Abenteuer.«

Es dauert nicht lange, bis ihr das zu langweilig wird. Sie muss an Claudia Jones denken. Hat sie nicht so etwas über ihre Wahlkampftätigkeit geschrieben? *Ich langweile sogar mich selbst.* Jo greift zum Radioregler und dreht an den Knöpfen herum, bis sie eine Weihnachtssendung von Radio 4 findet. Perfekt. Das Theaterstück lässt sie an ihre Mutter zu Hause in der Küche denken, und das beruhigt sie.

Als sie sich London nähert, hat sie die Nase voll von allen Radiosendern. In Loughborough verdichtet sich der Verkehr weiter, und weil ab Luton noch mehr Menschen nach London hineinfahren, kommt sie nur noch mit etwa dreißig Meilen pro Stunde voran. Das ist der Punkt, an dem sie sich endlich eingesteht, dass sie keine Chance mehr hat, vor fünf Uhr in Highgate zu sein. Sie dachte, alle verlassen London über Weihnachten. Da lag sie wohl falsch.

Nachdem sie die M25 überquert hat, wird es besser, aber dann bremst starker Schneefall ihr Vorankommen. Jetzt fallen die Flocken groß und dick. Sie stellt sich vor, wie viele Kinder sich darüber freuen werden, aber vor allem fühlt sie sich albern, müde und hungrig. Ihr bleibt nichts anderes übrig, als sich auf die Straße zu konzentrieren. Weil der Schnee liegenbleibt, sind die Fahrspuren mittlerweile nicht mehr zu erkennen, und so schleichen sie alle auf nur noch einer Spur in Richtung Hauptstadt.

Es ist nach acht, als sie in Nordlondon ankommt, und sie muss noch einen Parkplatz finden. Nach einigen Umwegen findet sie ein Parkhaus, dann macht sie sich durch dichtes Schneetreiben auf den Weg zu Onkel Wilburs Wohnung. Sie hat wenig Hoffnung, dass noch jemand in der kleinen Gasse ist, und stellt sich auf einen einsamen Weihnachtsabend in der kalten Wohnung ein. Dann denkt sie an Malcolm. Müsste er nicht auch zu Hause sein? Sie könnte ihn immer noch anrufen.

Ihre Laune hebt sich, und sie freut sich über den Anblick der vielen Menschen, die feiern und fröhlich sind. Der Schnee verleiht der weihnachtlichen Stimmung zusätzliche Festlichkeit. Einige Leute werfen Schneebälle, andere gehen einfach Hand in Hand, die Gesichter zum Himmel gerichtet. Wegen der verliebten Pärchen muss sie wieder an Eric den Wikinger denken und beschleunigt ihr Tempo. Vielleicht …

Die Gasse ist dunkel und still. Die Straßenlaterne vorn an der High Street ist kaputt. In der Ferne sieht sie eine Bewegung und eilt darauf zu. Eine Gestalt tritt mit dem Schlüssel in der Hand aus einer Tür.

Sie dreht sich um.

»Jo! Was machst du denn hier?«

»Lando, wie geht es dir?« Sie versucht, ihre Enttäuschung nicht zu zeigen. »Hast du Eric gesehen?«

Er schüttelt den Kopf. »Tut mir leid, er ist schon vor Stunden los. Ich bin nur kurz zurückgekommen, weil ich Sachas Geschenk hier vergessen habe. Jetzt muss ich mich beeilen, weil Ferdy auf mich wartet. Wir müssen die Karotten für die Rentiere noch rauslegen. Frohe Weihnachten dir!«

Jo wünscht Lando ein schönes Weihnachtsfest, und sie verabschieden sich. Der Schnee sammelt sich jetzt auf Jos Wimpern, und sie muss blinzeln. Sie sollte endlich in

Onkel Wilburs Laden gehen und das Beste aus dem Abend machen. Drinnen im Laden ist es kalt und still. Sie hebt die Post auf, die auf den alten indigoblauen und bronzenen Fliesen liegt, und räumt den Stapel in das nächstgelegene Regal. Die weißen Papierbögen vor den Fenstern verleihen dem Innenraum eine unheimliche Atmosphäre, als ob sich bereits Schnee vor den Fenstern aufgetürmt hätte. Sie drückt auf den Lichtschalter neben der Tür, aber es passiert nichts.

Im hinteren Teil des Ladens sieht sie ein fahles orangefarbenes Licht, und da fällt ihr die Zeitschaltung ein, die Kendrick für sie eingestellt hatte. Sie geht, um die Lampe zu holen, und drückt im Vorbeigehen auf den Schalter des Wasserkochers. Sie hat keine Milch, aber dann macht sie eben Kaffee. Plötzlich wird ihr bewusst, wie wenig sie bei sich hat. Sie hat nicht einmal ihr Telefon. Aber dann erinnert sie sich daran, dass sie in London ist und es immer Geschäfte gibt, die lange geöffnet haben. Eine Welle der Einsamkeit vertreibt ihren Hunger, sie schiebt ihre Taschen beiseite und setzt sich auf den Hocker hinter dem Tresen. Sie beugt sich runter, um die Lampe anzuschließen, und schaltet gleichzeitig den Heizlüfter ein, den sie mit dem Fuß so vor sich schiebt, dass er seine ganze Wärme in ihre Richtung abgibt. Sie entdeckt etwas, das halb versteckt unter dem Tresen am Boden liegt. Sie hebt es auf und schüttelt den Staub ab. Es ist die Tintenzeichnung eines Wikingers.

Bei diesem Anblick fühlt sie sich gleichermaßen dumm und einsam.

Sie sitzt im schwachen Licht da und starrt auf das leere Weiß der Fenster. Was sollte sie jetzt nur machen?

Plötzlich liegt die Antwort so klar auf der Hand, sie kann nicht glauben, dass sie nicht schon früher daran gedacht hat. Sie fragt sich, ob ein Teil von ihr (und vielleicht die Götter?) schon immer wussten, wohin sie heute Abend gehen würde, selbst als sie im Pub noch unsicher war. Und sie hat noch Zeit. Es ist erst neun Uhr. Die Geister werden nicht vor zehn Uhr abends unterwegs sein.

So lauten schließlich die Regeln.

49

Heiligabend auf dem Highgate Cemetery

Jo durchsucht Onkel Wilburs Schränke und Kommoden nach seinen wärmsten Anziehsachen. Sie zieht mehrere Paar Socken übereinander, bis ihr seine schweren Winterstiefel passen. Sie könnten noch aus seiner Zeit bei beim Militär stammen. Dann zieht sie Pullover, Schals und Handschuhe an. Zum Schluss schlüpft sie in seinen langen Wintermantel und setzt eine graue Wollmütze auf. In seine Klamotten gekleidet, fühlt sie sich ihrem Lieblingsonkel nah und schickt ihm einen stillen Dank. Nicht nur für diesen Moment, dass er seine Klamotten mit ihr teilt, sondern für all ihre Kindheitserinnerungen und das, was ihr die letzten Monate gegeben haben.

Ganz hinten im Schrank findet sie einen Gehstock, und mit ihm holt sie einen Schwall an Erinnerungen hervor. Sie sieht ihren Großvater mütterlicherseits, beide Hände auf den Knauf gestützt, die Augen tief in Gedanken halb geschlossen, auf den Hügeln, die zum Ullswater hinabfließen, stehen. Karl Marx hat eine Fotografie seines Vaters in der Brusttasche getragen. Onkel Wilbur hat also den Gehstock seines Vaters aufgehoben.

Die Gedanken an ihre Familie erinnern sie daran, dass sie noch nicht zu Hause angerufen hat, also zieht sie die Handschuhe wieder aus und ruft bei ihren Eltern an. Zum Glück geht ihr Vater ans Telefon, und ohne nach weiteren

Details zu fragen, verspricht er ihrer Mutter auszurichten, dass sie gut angekommen ist und sie Lucy Bescheid geben soll.

Draußen hat es aufgehört zu schneien, aber der Boden ist vereist und rutschig, obwohl sie Onkel Wilburs Schuhe trägt und sich auf den Gehstock ihres Großvaters stützt, ist es mühsam. Es wird etwas leichter, als sie von der High Street abbiegt. Hier sind weniger Leute unterwegs gewesen, und der frische Schnee gibt ihr mehr Halt. Sie geht auf die schmale Gasse zu, die zum Highgate Cemetery hinaufführt.

Die Häuser sind mit Weihnachtslichtern erleuchtet, und sie ist allen dankbar, die die Vorhänge offen gelassen haben und ihr somit einen Blick auf die weihnachtliche Gemütlichkeit dahinter gewähren. Von irgendwoher hört sie, dass jemand Cello spielt, das leise Kratzen des Bogens ist von der Fülle der Melodie umgeben. Plötzlich hört das Cellospiel auf. Ein Hund bellt.

Von der High Street kann Jo Gelächter hören, dann geht sie die schmale Gasse entlang, und sie hört nur noch ihre Schritte auf dem Schnee und ihren Atem. Hier geht es besser als gedacht, aber sie kommt nur langsam voran, hält sich an Zäunen und Laternen fest, bis sie das Eingangstor zum östlichen Teil des Friedhofs erreicht.

Das Tor ist verschlossen.

Daran hatte sie nicht gedacht. Sonst waren sie immer mit Malcolm unterwegs, wenn sie den Friedhof besuchten, daher hatte sie erwartet, er sei immer zugänglich, immer für sie da.

Sie nimmt den Rucksack, den sie dabeihat, von der Schulter und sucht nach ihrer Taschenlampe. Dann, mithilfe des hellen Lichtstrahls, geht sie die Gasse weiter entlang und studiert die Friedhofsmauer. Sie ist nicht hoch, aber darauf befindet sich eine hohe Brüstung. Sie ist gut in Schuss, und es gibt keine offensichtlichen Lücken. Ihr wird bange ums Herz.

Aber sie ist so weit gekommen, sie kann jetzt nicht aufgeben. Sie denkt an John Lobb, der den ganzen Weg von Cornwall nach London zu Fuß gegangen ist. Sie kann zumindest noch etwas weitersuchen. Jetzt fällt es ihr leichter zu gehen, denn der Schnee ist fester, und sie kann sich an einem Geländer festhalten.

Sie muss nicht lange suchen, bis sie sie sieht. Fußspuren führen den Weg entlang zu einer Stelle weiter vorne am Hügel. Dann enden sie vor der Mauer zwischen einem Steinsockel und einer Straßenlaterne. Ein Paar kleine, hüpfende vogelhafte Spuren im Schnee. Das andere Paar von größeren Füßen (und vermutlich in John Lobbs gekleidet). Jo wird von noch größerer Euphorie überkommen als bei ihrem Bad im Hampstead-Badeteich.

Natürlich sind sie hier. Tief im Herzen wusste sie das. Und Malcolm kam vorbereitet. Über dem Geländer, zwischen dem Steinsockel und der Straßenlaterne, entdeckt sie eine Trittleiter.

Die beiden sitzen auf einer Bank in der Nähe von Karl Marx' Grab. Als sie das Knirschen ihrer Schritte auf dem Schnee hören, drehen sie sich erschrocken um.

Malcom springt auf, dann entspannt er sich sichtlich. »Joanne? Joanne! Bist du das wirklich?« Er mustert sie unsicher, und Jo nimmt den Schal vom Gesicht, damit er sie besser sehen kann. Da wird sie auf einmal von der Vikarin beinahe umgerannt.

Ruth wirft ihr die Arme um den Hals und drückt sie fest. Über ihre Schulter hinweg kann Jo sehen, wie Malcolm in die Hände klatscht (allerdings sieht er nicht wie der klassische Malcolm aus). »Ich hatte schon gedacht, du würdest vielleicht kommen. Als du nicht ans Telefon gegangen bist, habe ich mich gewundert und gehofft …«, sagt er freudig.

Ruth lässt sie los und macht einen Schritt zurück, um zu ihr aufzusehen. »Wie wunderbar, dich zu sehen. Und ich *danke* dir, Jo. Dir und Angela. Ich kann dir gar nicht sagen, was für eine Freude ihr mir gemacht habt.« Sie wendet sich an Malcolm. »Meinst du, wir haben noch Platz für eine mehr?«

»Ja, in der Tat«, sagt Malcolm und tritt zur Seite, sodass Jo die Bank sehen kann. Sie ist mit einer Art Plane bedeckt (oder Ikea-Tüten?), und darauf liegen Decken und Kissen. Jo entdeckt die grün-beige karierte Decke, die sonst auf Malcolms Ottomane liegt. Vor der Bank steht ein kleiner faltbarer Campingtisch. Darauf eine große Laterne, eine Thermoskanne, zwei Cocktailgläser und ein Cocktailshaker. Ein runder Korb steht neben dem Tischchen. Malcolm kramt darin und holt ein drittes Glas hervor. »Wollen wir?«, fragt er und deutet auf die Bank.

Ruth stößt ein schnaubendes Lachen aus. »Du hast ein drittes Glas eingepackt?« Sie sieht Malcolm misstrauisch an. »Wusstest du, dass sie kommt?«

»Nein«, antwortet Malcolm, »aber ich wusste, dass du für ihre sichere Heimkehr beten würdest, als wir sie nicht erreicht haben.«

Ruth sieht ihn noch misstrauischer an. »Und …?«, sagt sie.

Dann wiederholt Malcolm, was er einst zu Jo gesagt hat. »Reverend Ruth, ich werde nie an Gott glauben. Aber ich glaube an dich.«

»Oh, Malcolm«, sagt Ruth und greift nach seiner Hand.

Niemand hat Malcolms Aufzug kommentiert. Er trägt eine lila Baskenmütze, einen zinnroten Schal und einen langen türkisfarbenen Afghanen-Mantel, der mit Blumen bestickt ist.

Ein paar Minuten später sitzen sie auf der Bank, eine Decke über den Beinen und mit einem Glas in der Hand. Malcolm hat seinen Weihnachtscocktail gemixt. In der Thermoskanne, von der Jo dachte, sie würde Tee enthalten, ist noch genug Cocktail für eine zweite und dritte Runde. Reverend Ruth sitzt zwischen Jo und Malcolm. Jo atmet erleichtert auf.

»Ich habe ein paar Würstchen im Schlafrock dabei. Sie sollten noch warm sein. Möchte jemand?«, bietet Malcolm ihnen an, und Jo bemerkt wieder, wie hungrig sie ist.

Während sie Würstchen im Schlafrock und etwas Brie mit Preiselbeeren essen, den Malcolm ganz vergessen hatte, fängt es wieder an zu schneien. Langsam und träge fallen die Flocken um sie herum. Die Bank steht geschützt, sodass sie nicht einschneien, aber die Gräber um sie herum sehen aus, als wären sie frisch gezuckert. Jo leuchtet mit ihrer Taschenlampe auf die Grabmale. Die Steinengel sind in Weiß gehüllt, und Karl Marx trägt ein Toupet aus Schnee.

Jo weiß nicht, ob es an dem lächerlichen Anblick von Karl Marx liegt oder der puren Freude, mit diesen beiden Menschen zusammen zu sein, aber sie fängt an zu lachen. Das Geräusch hallt von den Gräbern wider, und ihre

Freunde stimmen mit ein. Jo muss an den Abend denken, als sie gemeinsam in Onkel Wilburs Küche getanzt haben.

»Was sind wir eigentlich?«, fragt sie schließlich. »Ich meine, schaut uns an«, wieder muss sie lachen.

»Ich muss sagen«, fängt Malcolm an, »ich finde, wir sind ziemlich fabelhaft.«

Ruth stimmt zu. »Ich weiß, was du meinst, Jo. Wir drei. Ich weiß auch nicht genau, wie ich uns beschreiben würde.«

Malcolms Atem kondensiert in der kalten Winterluft. »Ich schätze, Reverend Ruth, ich würde uns einfach als Freunde bezeichnen und es damit gut sein lassen.«

Jo fragt sich, ob das alles ist. Sie weiß, Freundschaften können kompliziert sein, und aufgrund ihrer Freundschaft mit Lucy weiß sie, dass man körperlich darunter leiden kann, wenn etwas schiefgeht. Aber wenn alles gut läuft, sind Freundschaften dann nicht herrlich unkompliziert? Jemand ist schlicht dein Freund. Und so einfach kann es sein.

Eine Weile sitzen sie schweigend da, dann fragt Jo: »Wenn es dir nichts ausmacht, Ruth, willst du uns erzählen, wie es mit deinem Bruder gelaufen ist?«

»Ah, ja, Don. Guter Gott, das war hart. Er hat nur alles wiederholt, was meine Eltern mir all die Jahre vorgeworfen haben: dass ich zu eingebildet bin, zu anders. Einfach nicht, was sie sich vorgestellt haben.« Ruths Stimme zittert. »Aber ich bereue es nicht. Zumindest jetzt nicht mehr. Ich habe es versucht, und das weiß ich. Ich muss zugeben, dass es mich anfangs sehr getroffen hat, aber dann hast du mir den Link zu diesem wunderbaren Forum geschickt, das du und Angela eingerichtet habt.« Ruth lehnt sich zu ihr und gibt ihr einen Kuss auf die Wange. »Ich weiß gar nicht, wie ich euch dafür danken soll.«

Malcolm füllt ihre Cocktailgläser erneut, zuvor schlägt er die Ärmel seines türkisfarbenen Afghanen-Mantels zurück, damit er nichts darauf verschüttet. »Und jetzt, Reverend Ruth, denke ich, ist es an der Zeit, dass du Joanne und mir erzählst, wie du zur flüchtigen Vikarin wurdest.«

Malcolm hat sich tatsächlich etwas von der Direktheit seiner Freundin Reverend Ruth Hamilton angeeignet.

50

Das Geheimnis der flüchtigen Vikarin

»Oh, muss das sein?«, beschwert sich Ruth. »Ich hätte mir denken können, dass ihr zwei herausfindet, dass ich euch nicht alles erzählt habe.«

Aber an ihrem Tonfall kann Jo erkennen, dass sie es ihnen erzählen wird. Sie klemmt ihren Arm unter den von Reverend Ruth und wartet ab.

»Oh, Malcolm, ich komme mir so dämlich vor«, gesteht Ruth.

»Bring es besser hinter dich, sonst stellen Joanne und ich uns nur das Schlimmste vor, und ich bin sicher, so übel ist es nicht«, beharrt Malcolm.

»Ich glaube schon«, sagt Ruth beinahe mürrisch.

»Du bist auch nur ein Mensch, Reverend Ruth«, redet Malcom ihr gut zu.

»Ich weiß, Malcolm, das weiß ich wirklich, aber ich habe mich selbst enttäuscht und meine Berufung.« Als sie weiterredet, hat Jo den Eindruck, ihr Tonfall wird humorvoller. »Und es ist mir *so* peinlich, wenn ich zurücksehe.« Ruth seufzt. »Na gut. Lasst mich euch die Geschichte von Stan erzählen … also, was ist das schon für ein Name? Nicht wirklich romantisch, oder?«

Malcolm und Jo antworten nicht. Darauf kann man nicht viel erwidern.

»Also, Stan Pickwell war neu in unserer Gemeinde. Er

kam ursprünglich aus Liverpool.« Ruth stöhnt. »Ein Buchmacher.«

Jo grinst.

Ruth scheint das zu bemerken. »Ja, ich weiß, ich weiß. Nun ja, er hat das alte Herrenhaus gekauft. Hat viel Geld hineingesteckt. Ich glaube, er wollte gerne das Dorf gentrifizieren.« Ruth schnaubt. »Das hätte nie hingehauen.« Jo findet, sie sagt das mit einem Anflug von Stolz.

»Ich habe vorbeigeschaut, wie ich das bei jedem Neuankömmling gemacht habe. Wir haben natürlich immer Spenden für die Gemeinde gebraucht.«

Jetzt klingt Ruth wieder gut gelaunt.

»Also, ich bin um das Haus herumgelaufen, und es sah so aus, als wäre niemand zu Hause. Aber dann habe ich Stan im Anbau, wo es einen Pool gab, gefunden. Er war gerade schwimmen. Egal, ich habe mich vorgestellt, und während wir uns so unterhalten, fällt mir irgendwann auf, dass er nichts anhat.« Ruth lacht. »Er war splitterfasernackt. Natürlich hätte ich gehen sollen. Aber er war so freundlich, und gerade als ... nun ja, der springende Punkt war, dass er gesagt hat, er würde der Kirche eine große Summe spenden, wenn ich zu ihm in den Pool steige.«

»Und das hast du gemacht?« Jo muss lachen.

»Natürlich! Er hat mich herausgefordert. Ich weiß, das war verrückt, aber er war so lustig und behandelte mich wie eine Frau und nicht wie eine Vikarin. Ich mochte ihn einfach. Da war diese ...«

»Chemie?«, schlägt Jo vor.

»Genau«, bestätigt Ruth und drückt ihren Arm.

»Und, du meine Güte, hatten wir Spaß! Zumindest am Anfang. Und der Sex! Ich hatte noch nie so viel Spaß. Ich hatte nicht damit gerechnet, dass ich halb so viel draufhatte, wie sich dann herausstellte.« Ruth sagt das voller Stolz und ohne jede Scham. »Wir konnten nicht genug voneinander bekommen … Es gab nur ein Problem«, sagt Ruth ernster.

Ah. Er war verheiratet, denkt Jo.

»Es ist mir etwas unangenehm, das zu sagen. Ich habe es noch nie jemandem erzählt. Also, ich bin zwar nicht prüde. Aber, nun ja, es hat sich einfach nicht richtig angefühlt.«

Jos Gedanken rasen. Was zum Teufel hat der Mann von ihr verlangt?

»Es war weniger etwas, das er getan hat …«

»Ja?«, sagen Jo und Malcolm gleichzeitig.

Dann sagt Ruth: »Seht mich nicht an, wenn ich es euch erzähle.«

Jo und Malcolm sehen sie automatisch an und dann schnell wieder weg.

»Also, wenn Stan … ihr wisst schon … ähm …«

Das ist so untypisch für Ruth, die sonst so direkt ist.

»Also, wenn er … nun ja … wenn er gekommen ist«, sagt Ruth schnell, »hat er immer sehr laut ›Sweet Jesus!‹ gerufen.«

Für einen kurzen Moment folgt absolute Stille, dann brechen Jo und Malcolm in so schallendes Gelächter aus, dass die Bank wackelt. Schließlich muss auch Ruth laut lachen. »Ich weiß, dass nicht jeder meinen Glauben teilt, aber *im Ernst!*?«

Es dauert eine Weile, bis das Gelächter verstummt, weil Malcolm und Jo immer wieder »Sweet Jesus!« prusten und das Lachen von Neuem beginnt. Irgendwann haben sie sich beruhigt, und Ruth fügt vollkommen sachlich hinzu: »Und dann war da natürlich noch das Problem, dass er verheiratet war. Irgendwie hatte er vergessen, das zu erwähnen. Er sprach viel von seiner Ex-Frau, aber nicht von der aktuellen, die, wie sich herausstellte, den Sommer in Frankreich verbrachte.«

»Oh, Ruth«, sagt Jo mitfühlend.

»Vielleicht meine eigene Schuld …«

»Nein, das war es sicher nicht«, sagt Malcolm.

»Ich habe mich irgendwie mitreißen lassen. Es war zu *gut* zwischen uns beiden. Wir hatten so viel Spaß. Die Arbeit war so stressig, all die Sachen, von denen ich euch erzählt habe, stimmen. Mein Leben war anstrengend. Also war es wundervoll, meine Verantwortung zu vergessen und nur Frau zu sein. Und …«, fügt Ruth genussvoll hinzu, »der Sex war wirklich fantastisch.«

»Bist du wegen der Affäre davongelaufen?«, fragt Jo und zieht Ruth näher zu sich.

»Ja und nein«, antwortet Ruth und legt den Kopf von einer zur anderen Seite. »Es hat sich alles an einem Tag zugespitzt. Ich saß zu Hause und habe darüber nachgedacht, was ich tun soll. Da wusste ich schon, dass ich die Sache mit Stan beenden musste. Ich hatte gerade herausgefunden, dass er eine Frau hat. Und da habe ich gesehen, wie Colin Will-kill-soon den Pfad zum Haus raufkam. Ich konnte mich ihm einfach nicht stellen. Ich wusste nicht, was es wohl diesmal sein würde, aber über irgendetwas hat er sich immer beschwert. Also habe ich nicht geantwortet, als er geklopft hat. Dann habe ich gehört, wie er die Klinke der Haustür heruntergedrückt hat, und mir ist eingefallen, dass ich nicht abgesperrt hatte. Dann ist er einfach hereingekommen und Richtung Küche gegangen. Ich habe mir meine Tasche geschnappt und bin einfach durch die Hintertür in den Garten. Ich dachte, von dort könnte ich vorgeben, ich wäre unterwegs gewesen und käme gerade erst heim.«

»Guter Plan«, lobt Jo.

»Aber dann stand ich da im Garten, im Schatten von einem Lorbeerbaum, und habe Colin in der Küche beobachtet. Und plötzlich habe ich mein ganzes Leben von außen betrachten können. Ich habe den Stapel Papierkram auf dem Tisch gesehen, den Kalender voller Termine. Und Colin, der in allem herumgewühlt, Briefe angeschaut, die Notizen in meinem Kirchenkalender gelesen hat. Er hat sogar den Kühlschrank geöffnet und hineingeschaut. Ich habe sein Schnauben hören können, als er die Weinflaschen in der Tür entdeckt hat.«

»Ich hätte ihm eine übergebraten«, sagt Malcolm, und Jo weiß, der friedvolle Mann neben ihr meint es ernst.

»Als er die Treppen hinaufging, hat er das Fass zum Überlaufen gebracht. Heute kann ich nicht glauben, dass ich nicht hineingerannt bin und ihn angeschrien habe, aber alles hat sich so unwirklich angefühlt, als ob ich in das Leben von jemand anderem hineinschaue. Da habe ich gehört, dass er die Schubladen in meinem Schlafzimmer aufzog.«

»Der Bastard«, ruft Jo.

»Wirklich«, stimmt Malcolm mit Genugtuung zu.

»Und das war es dann. Ich sah die Arbeit vor mir, die endlosen Probleme. Aber vor allem habe ich mich selbst als eine Person gesehen, über die die Leute dachten, urteilen zu können. Deren Briefe man einfach so lesen konnte.

Durch deren Schubladen man kramen konnte. Aber das Schlimmste war, ich *wusste*, was Colin in der Schublade im Schlafzimmer finden würde. Es war *so* demütigend.«

»Du musst es uns nicht erzählen, wenn du nicht willst«, versichert ihr Jo.

»Ach, jetzt habe ich euch schon so viel erzählt.« Trotz allem fängt Ruth an zu lachen. »Eigentlich ist es ja ein Kompliment gewesen.« Sie macht eine lange Pause, und ein Schwall Schnee rutscht von einem der nahegelegenen Gräber. »Die Sache ist die, Stan war ziemlich vernarrt … nun ja … in meine Brüste.«

Jo kann sich ein breites Grinsen nicht verkneifen.

»Er hat mir ein Gedicht geschrieben, und ich war mir ganz sicher, dass Colin es finden würde, und ich … konnte die Vorstellung einfach nicht ertragen.«

Jo hat aufgehört zu grinsen. »Natürlich nicht. Dieser Bastard«, wiederholt sie wütend.

Sie sitzen schweigend da, dann sagt Ruth gut gelaunt: »Wollt ihr es hören?«

»Ja!«, rufen Jo und Malcolm sofort gleichzeitig aus.

»Na gut, jetzt ist es ohnehin schon egal«, sagt Ruth und holt ihr Handy raus. Sie scrollt durch ein paar Bilder. »Ich habe ein Foto davon gemacht«, erklärt sie. Auf dem Friedhof ist es still, und dann hebt Reverend Ruth Hamilton die Stimme, als würde sie ihre Kirchengemeinde ansprechen.

Der Talar, den du mit so viel Stolz trägst
Verdeckt Perfektion, die du allen verwehrst.
Deine Brüste sind unvergleichbare Wunder,
Ich danke dem Herrn für jede Sekunde.
Wer hätte geahnt, die Freude darin,

Unser erster Kuss gibt meinem Leben Sinn.
Ohne dich kenn ich nur Schmerz,
Denn dir und deinen Brüsten gehört mein Herz.

Malcolm und Jo müssen lachen, aber beide drücken sich auch fest an Reverend Ruth. »Ich finde, das ist wirklich fabelhaft«, verkündet Malcolm. »Du hast den Mann eindeutig inspiriert.«

»Was ist dann passiert?«, fragt Jo. »Nachdem du Colin in deinem Haus gesehen hast?«

»Ich habe mich einfach … umgedreht und bin losgegangen. Ich bin runter zur Kreuzung am Ende vom Dorf gelaufen, und ein Lkw hat angehalten und mich mitgenommen. Der Fahrer kam aus Italien, also hat er von der Geschichte wohl nie erfahren. Danach … konnte ich einfach nicht mehr zurück.«

Jo nickt verständnisvoll und muss an einen Kommentar von Malcolm denken: *Ah, zurückzukehren, den Willen dazu aufzubringen, das ist ein viel schwierigeres Unterfangen.*

»Was ist seither passiert? Hast du noch mal von Stan gehört?«

»Oh, nein, das ist gelaufen.«

»Und die Zeitungen?«, fragt Jo.

»Mittlerweile ist die Geschichte ein alter Hut. Aber mein Bischof und ich hatten eine Idee, und ich habe vor einer Woche der Lokalpresse eine Pressekonferenz über mein Verschwinden gegeben.«

»Davon habe ich ja gar nichts gehört«, sagt Jo.

»Oh, das wäre auch unwahrscheinlich gewesen«, sagt Ruth kichernd.

»Wieso?«, fragen die anderen beiden.

»Erinnerst du dich noch, wie ich mit Betrugsanrufern umgehe?«, fragt Ruth Jo.

»Oh, sicher«, antwortet sie.

»Also, stell dir das vor, nur hoch zehn. Ich habe über Theologie gesprochen und meine Zweifel an der Bibel. Stundenlang habe ich jede Kleinigkeit meines Glaubens dargelegt und wie ich wieder zu Gott gefunden habe.« Ruth lacht. »Darüber wollte natürlich niemand schreiben, also bin ich ziemlich sicher, dass wir darüber nichts mehr hören werden«, erklärt Ruth zufrieden.

Jo hört das Zischen der Kerze vor dem Hintergrund der völligen Stille des verschneiten Friedhofs.

»Tja«, sagt Ruth abschließend, »das war's.«

Jo lehnt sich zurück an die Bank. Das ist also Reverend Ruths Geheimnis. Aber ist das auch das Ende ihrer Geschichte? Sie glaubt, da kommt noch mehr. »Und was kommt jetzt?«, fragt sie.

»Ich gehe in eine neue Gemeinde.«

Jo muss an Angela denken und all die Leute, die auf dem Forum Nachrichten hinterlassen haben. Sie alle würden sehr enttäuscht sein.

»Ich habe mir überlegt zurückzugehen«, sagt Ruth, als hätte sie Jos Gedanken gelesen, »aber am Ende hat der Bischof ein Machtwort gesprochen und mich daran erinnert, dass auch ich nur ein Mensch bin.«

»Ganz richtig«, bestätigt Malcolm und kickt den Schnee von seiner Schuhspitze. »Du musst dich nicht mehr mit Leuten wie Colin Will-kill-soon abgeben.«

»Oh, ich glaube, der Bischof hat seinem Treiben ein Ende gesetzt.« Jo hört, wie sehr Ruth das befriedigt. »Man kann nur sechs Jahre lang als Kirchenvorsteher dienen, außer man bekommt eine Verlängerung. Colin hatte sich zwar darum bemüht, aber ein Anruf hier, ein Glas Sherry dort, und … nun ja, sagen wir, der Bischof wird der Erste sein, der ihm hingebungsvoll für seinen Dienst danken wird, wenn er abdanken muss.«

Malcolm kichert, dann sagt er nachdenklich: »Es gibt eine Sache, Ruth, die ich dich noch fragen wollte. Du hast uns einmal gesagt, dass es zwei Leitgedanken gibt, nach denen du dein Leben führst. Ich weiß, der eine war die Nächstenliebe, aber ich frage mich, was ist der zweite?«

»Oh, Malcolm, muss das sein?«, fragt Ruth und schüttelt den Kopf.

»Ich würde das auch gerne wissen, Ruth, wenn es dir nichts ausmacht«, sagt Jo.

»Na gut. Aber ich weiß, was du dazu sagen wirst, Malcolm. Der zweite ist die Liebe zu Gott«, sagt Ruth schnell, »und bevor du etwas sagst, Malcolm, ich weiß, das klingt offensichtlich, aber ich sehe es nicht so, wie du vielleicht denkst. Für mich bedeutet das Demut. Einfach anzuerkennen und mich daran zu erinnern, dass es da draußen noch etwas gibt, das viel wichtiger ist als ich. Für mich ist das der christliche Gott, aber für andere ist es Allah oder Buddha. Was auch immer dich daran erinnert, dass du nicht auf alles eine Antwort hast und nicht alles wissen kannst.«

»Nein, das kann ich nachvollziehen«, sagt Malcolm sanft.

»Aber wo gehst du hin«, will Jo wissen, »wo ist deine neue Gemeinde?«

»Richmond.«

»Ein ausgesprochen schöner Ort«, sagt Malcolm. »Besonders die Sommer sind wunderschön an der Themse.«

»Nein, nicht Richmond in Surrey«, sagt Ruth kichernd. »Richmond in Yorkshire.«

»Du machst Witze!«, ruft Jo. »Oh, Ruth, das ist ja fantastisch!« Sie muss an Onkel Wilbur denken. Vielleicht hatte er von Anfang an recht, als er sagte, die flüchtige Vikarin müsse nur ihren Platz finden. (*Ein Platz für alles, alles an seinem Platz.*)

»Nun ja, du hast mir den Nordosten Englands ziemlich schmackhaft gemacht«, erklärt Ruth. »Ich wollte einen Neuanfang, und da hab ich mir gedacht, warum nicht dort?«

»Du wirst es lieben. Und du bist mehr oder weniger in meiner Nähe.«

»Wirklich?«, fragt Ruth mit einem Funkeln in den Augen.

Malcolm stößt einen langen Seufzer aus. »Ah.« Aber er klingt traurig.

Jo wendet sich an ihn. »Was ist mit dir, Malcolm?«

»Also, ich habe mir Reverend Ruths Vorschlag zu Herzen genommen. Der Highgate Cemetery hat ausreichend Unterstützer, aber es gibt viele andere Friedhöfe, die Gefahr laufen, der Stadtentwicklung zum Opfer zu fallen. Ich habe mich einem Verein angeschlossen. Mir geht es dabei genauso sehr darum, die Wildtiere zu schützen wie die Geschichte zu bewahren. Ich habe mir sogar ein paar Handschellen gekauft für den Fall, dass ich mich irgendwo anketten muss«, fügt er gut gelaunt hinzu.

»Ich bin überzeugt, dass es viele schützenswerte Friedhöfe in Yorkshire gibt«, kommentiert Ruth unschuldig.

Malcolm sitzt ein paar Sekunden vollkommen reglos da.

»Und du meinst …?«, überlegt er.

»Das tue ich in der Tat«, erwidert Ruth und leiht sich eine Phrase aus Malcolms Repertoire.

»Das denke ich auch«, fügt Jo begeistert hinzu. Sie ist überzeugt davon, dass sie drei sich für noch viele weitere Szenen die Bühne teilen sollten.

»Wollen wir auf die Zukunft anstoßen?«, schlägt Ruth vor und greift nach der Thermoskanne mit dem Cocktail. Sie besteht darauf, dass sie aufstehen, und füllt ihre Gläser auf. Es hat aufgehört zu schneien, aber die dicke Schneedecke dämpft die Geräusche der Stadt jenseits der Friedhofsmauern. Sie sind umhüllt vom Licht der Laterne, beschützt von den Reihen an Grabsteinen, die ihre kleine Gruppe umgeben. Für sie wird das immer ein wichtiger Berührungspunkt sein zwischen ihr, Reverend Ruth Hamilton und dem Aktivisten Malcolm Buswell.

»Ich finde, jemand sollte etwas sagen«, meint Ruth, hebt ihr Glas und nickt in Richtung Malcolm.

Malcolm schüttelt knapp den Kopf. Ein mutiger, aber immer noch ein zurückhaltender Mann.

Jo hört ihre eigene Stimme in der Dunkelheit und beobachtet, wie ihr Atem in der Luft kondensiert. »Ich möchte etwas sagen.«

Beide sehen zu ihr.

Es ist ihr spontan eingefallen, als sie auf den dunklen Friedhof hinausgesehen hat.

»Auf uns drei.« Sie macht eine Pause, dann fügt sie die Worte von George Eliot hinzu: »Es ist nie zu spät, das zu werden, was man hätte sein können.«

Alle drei heben die Gläser.

51

Jo Sorsby fasst einen Plan

Ein ruhiges, nachdenkliches Trio lässt sich wieder auf der Bank nieder. Jos Träumerei wird von Reverend Ruth unterbrochen. Direkt wie (fast) immer, kommt sie gleich auf den Punkt.

»Nun denn, Jo, genug von uns, erzähl uns von deinen Plänen. Was machst du an Heiligabend wieder in London?«

»Bevor ich euch das erzähle, sollten wir einen Spaziergang über den Friedhof machen«, schlägt Jo vor. Sie braucht eine Unterbrechung, eine Gelegenheit, ihre Gedanken zu sammeln. »Wir werden wahrscheinlich nie wieder so hier zusammenkommen.«

»Du hast recht, Joanne. So gerne ich mich auch jedes Jahr an Heiligabend mit den Geistern treffen würde, habe ich doch Schwierigkeiten mit dem Geländer. Sogar trotz der Trittleiter«, gibt Malcolm zu.

Ruth ist bereits auf den Beinen und zieht etwas aus ihrer Tasche.

Jo ist beeindruckt. »Gute Stirnlampe.«

Die Lampe hat einen sehr starken Lichtstrahl, also geht Ruth voran, und Jo bildet das Schlusslicht. Zuerst besuchen sie das Grab von George Eliot und bleiben einige Augenblicke schweigend stehen, bevor sie weiter in den Friedhof vordringen. Der vereiste Weg knarzt unter ihren

Füßen, und beim Vorbeigehen streifen sie Äste und Zweige und lösen Schnee, der mit einem leisen Seufzen herabfällt.

Während sie gehen, sprechen sie über ihre Geister, wo sie jetzt sind und was sie vielleicht gerade tun. Jo glaubt, dass William Foyle und John Lobb ihr zweites Bier trinken. Ihre beiden Geister, die sie daran erinnert haben, wie wichtig Freundschaft ist. Malcolm vermutet, dass Issachar George Eliot gerade jetzt die Auslage ihrer Romane im Schaufenster von Waterstones zeigt. Issachar erzählt ihr (laut, damit die anderen Passanten es hören können), dass er das nur für sie arrangiert hat.

Ruth ist ruhiger, was ihre Geister angeht. Schließlich sagt sie, dass sie hofft, sie haben mehr Erfolg als die beiden, sich mit ihrer Vergangenheit und ihren Familien auszusöhnen.

Malcolm streckt die Hand aus und klopft ihr auf die Schulter. »Du hast alles getan, was du tun konntest, Ruth. Niemand hätte mehr machen können. Manchmal ist es Zeit loszulassen.«

Jo fragt sich, ob Malcolm auch von sich selbst spricht.

Jo denkt, dass jeder, der sie hört, sie für verrückt halten würde. Doch sie weiß, dass für sie drei, hier und jetzt, ihre Geistergeschichte vom Weihnachtsabend Wirklichkeit geworden ist.

»Wirst du deine Geistergeschichte schreiben, Malcolm?«, fragt Jo.

»Ganz bestimmt. Vielleicht fange ich damit an, wenn ich umgezogen bin. Ich habe gehört, dass Yorkshire schön sein soll.«

Jo hört ein leises »Ah, wunderbar« von Reverend Ruth.

Jetzt sind sie tiefer in den Friedhof vorgedrungen, die

Äste sind unter dem Gewicht des Schnees tief gebeugt. Es fühlt sich an, als hätten sie eine kleinere Welt betreten, eine Höhle aus Zweigen, Efeu und Eis. Es ist dunkler, und die Stille hat eine neue Tiefe.

Jos Taschenlampenstrahl erfasst den Grabstein eines Gefreiten, der 1917 im Alter von neunzehn Jahren gestorben ist.

Malcolm sieht ihn auch. »Joanne, das ist sehr nachlässig von mir. Ich hätte dir für dein wunderbares Geschenk danken sollen. Ich habe den ganzen Nachmittag damit verbracht, die Geschichten der Piloten zu lesen.«

Nach einer halben Stunde Wanderung über den Friedhof sind sie zurück an ihrer Bank. Karl Marx starrt sie immer noch an, aber es fällt schwer, ihn mit seinem Toupet aus Schnee ernst zu nehmen. Malcolm geht hinüber und räumt den Schnee vom Grab von Claudia Jones weg. Währenddessen klettert Jo wieder unter die Decke. Sie nimmt ihr Cocktailglas und schüttet, während Malcolm und Ruth den Grabstein studieren, einen Schluck des Weihnachtscocktails auf die Erde. Sie nimmt an, dass die Götter auch Cocktail mögen.

»Also raus damit«, sagt Ruth und setzt sich wieder. »Was hast du vor, Jo?« Sie hält Malcolm die Decke hin, damit er sich zu ihnen daruntersetzen kann.

Jo lächelt und erinnert sich an die Entscheidung, die sie vor ein paar Tagen im Moor getroffen hat. »Ich werde mein eigenes Schreibwarengeschäft eröffnen.«

»Ah«, sagt Ruth und strahlt. »Das freut mich.«

»Hervorragend«, stimmt Malcolm zu. »Du hast also nicht vor, das Geschäft deines Onkels Wilbur weiterzuführen?«

»Ich habe darüber nachgedacht, aber nein. Ich möchte näher an zu Hause wohnen. Näher an den Bergen.« Näher an Lucy und an Mum und Dad, denkt sie.

Ruth und Malcolm nicken.

»Onkel Wilbur hilft mir auf jeden Fall«, sagt sie. »Er hat die Wohnung und den Laden Mum vererbt, und sie sind eine gewaltige Summe Geld wert. Mum möchte mir etwas davon abgeben, um mir den Start zu erleichtern. Ich dachte, ich nehme die bronzenen und indigoblauen Bodenfliesen, die im Eingang liegen, und setze sie in meinen neuen Laden, und den Eichentresen behalte ich auch. Und die Pinnwand natürlich.«

»Und der Sessel deines Onkels war äußerst bequem …«, überlegt Malcolm.

Jo grinst. »Ja, darauf habe ich auch ein Auge geworfen«, gesteht sie.

Sie möchte in ihrem neuen Laden immer etwas vom Geist ihres Onkels haben. Ihr Lieblingsonkel, der stets bei ihr ist und nie vergessen wird. Sie wird ihren Laden *Lieber Wilbur* nennen und plant auch eine Website, um mit den anderen Schreibwarenliebhabern aus London in Kontakt zu bleiben.

»Wo wird dein neuer Laden sein?«, fragt Ruth.

»Ich bin mir noch nicht sicher«, antwortet Jo nachdenklich. »Ich glaube, die letzten sechs Monate haben mir klargemacht, dass ich einen Neuanfang brauche. Aber irgendwo näher an meinem Zuhause.« Sie lächelt. »Mein Herz wird immer dem Nordosten gehören, aber ich möchte nicht einfach an die alten Orte zurückkehren.« Und sie denkt, zu alten Gewohnheiten. »Also habe ich mir Städte wie Ilkley angeschaut. Es ist etwa eine Stunde von meinen

Eltern entfernt und nicht allzu weit von dem Ort, an dem meine beste Freundin Lucy lebt.« Sie stupst Ruth an. »Ich schätze, von Richmond aus ist es auch nur eine Stunde.«

»Ausgezeichnet«, sagt Ruth, und Jo hört Malcolm ihr zustimmen.

Jo versucht, die richtigen Worte zu finden, um ihren Spaziergang im Moor und all das, woran sie gedacht hat, zu beschreiben. »Ich glaube, in London habe ich gelernt, dass man überall Gemeinschaften und Freundschaften finden kann.«

»Sprich weiter«, fordert Ruth sie auf.

»Mir ist klar geworden, dass man an unerwarteten Orten Freunde finden kann. Als ich beschlossen habe, Onkel Wilburs Laden zu schließen, habe ich über Twitter so viele Unterstützungsnachrichten von Kunden erhalten, von Menschen, die Schreibwaren lieben. Sie verbreiten, was es hier im Laden alles gab, und ich habe den Eindruck, einige von ihnen wirklich kennenzulernen.«

Die Kerze in der Laterne brennt nur noch schwach, und es wird nicht mehr lange dauern, bis sie gehen müssen. Der Gedanke an Eric den Wikinger drängt sich ihr auf, aber Jo möchte noch mehr sagen.

»Als ich zu Hause war, ist mir klar geworden, dass ich einen Neuanfang brauche, bei dem ich nicht nur Durchschnitts-Jo bin …«

»Das bist du ganz sicher nicht …«, fangen ihre Freunde an.

Aber Jo hält sie auf. »Ich war schon immer irgendwo in der Mitte, wenn es um die meisten Dinge geht, und obwohl das nicht unbedingt etwas Schlechtes ist, glaube ich, dass es für mich zu einem Problem geworden ist.«

»Wie meinst du das?«, fragt Ruth.

»Ich glaube, ich habe mich mit Dingen zufriedengegeben, die nicht gut für mich waren.« Jo denkt an James, der ihr Leben übernommen hat. An ihren Job in der Bank, den sie zwar mochte, aber nicht liebte. »Und weil ich mich für durchschnittlich und gewöhnlich hielt, habe ich immer zu Leuten aufgesehen, denen es scheinbar besser ging als mir, und ich dachte immer, dass ich vielleicht versuchen sollte, mehr so zu sein wie sie, aber ich habe nichts dafür getan.« Jo denkt dabei vor allem an die »coolen Kids«, mit denen sie anfing herumzuhängen.

»Also«, fährt Jo fort, »habe ich mich am Ende unzulänglich und dann schlecht gefühlt, weil ich nichts unternommen habe, um das zu ändern.«

»Und jetzt willst du etwas ändern?«, fragt Malcolm.

»Nun, ja und nein«, lacht Jo. Sie schaut hinaus auf den Friedhof, um sich inspirieren zu lassen. Und es funktioniert. »Ich bin froh, dass es Menschen gibt, die schreiben können wie George Eliot, die so intelligent sind wie Marx, die Kampagnen führen wie Claudia, die das Geschick von John Lobb haben, den Geschäftssinn von William Foyle, die singen und spielen können wie Hutch und große Ideen haben wie Issachar. Aber ich gehöre nicht dazu. Und damit habe ich auch kein Problem. Ich weiß jetzt, was ich will. Ich möchte ein Schreibwarengeschäft führen. Ich muss auf die Hügel hinausgehen können. Aber ich habe auch festgestellt, dass ich Städte mag. Daher denke ich, dass Ilkley perfekt sein könnte. Es liegt am Rand der Yorkshire Dales, aber nicht zu weit weg von Leeds. Und es ist okay, wenn man nicht viel mehr will als das.« Jo erwähnt ihre Sehnsucht nach einer Familie nicht. Eines der

Dinge, die ihr in den Mooren klar wurden, war, dass dies für sie wirklich von den Göttern abhing. Sie fährt fort. »Ich muss also nicht außergewöhnlich sein. Ich möchte einen kleinen Laden führen, ich möchte Zeit mit meinen Freunden und meiner Familie verbringen, ich möchte spazieren gehen, ins Pub gehen, kochen, mit einem Füllfederhalter schreiben.« Sie lächelt. »Ich glaube, ich würde gerne mehr in Teichen baden …«

Ruth stupst sie an. »Vielleicht komme ich sogar mit dir mit.«

»Aber abenteuerlicher wird es nicht. Und das ist in Ordnung.«

»Ich würde sagen, es ist mehr als in Ordnung«, stimmt Malcolm ihr zu.

»Du würdest also nichts bereuen, wenn du London verlässt?«, fragt Ruth vielsagend.

Was soll sie dazu sagen? Sie hat keine Ahnung. Hier auf dem Highgate Cemetery war es magisch. Sie wird die Erinnerung an diesen Weihnachtsabend für immer in Ehren halten.

Aber … Eric der Wikinger? Ihr Magen kribbelt. Wo ist er? Wann wird sie ihn wiedersehen? Ist es schon zu spät?

»Hat Eric der …?« Aber Ruth kommt nicht weiter.

»Natürlich!«, ruft Jo aus. Und sie erinnert sich daran, als Lando erzählt hat, dass Eric an Heiligabend immer Sehtests für Obdachlose anbietet. War er jetzt noch dort? Könnte sie herausfinden, wo dort ist?

»Joanne, ich glaube, du verschweigst uns etwas«, sagt Malcolm.

Und so erzählt sie es ihnen. Sie erzählt von Karamellkonfekt-Clare, von Finn und wie sie Lucy im Pub hat sitzen lassen und durch den Schnee gefahren ist, um hierherzukommen. Aber als sie in der Seitenstraße ankam, war Eric der Wikinger nicht mehr da.

»Was hast du jetzt vor?«, fragt Malcolm.

»Ich habe keine Ahnung.«

»Soll ich eine Kerze für dich anzünden?« Ruth grinst.

»Machst du das?«

»Natürlich.«

»Wisst ihr, da fällt mir noch etwas ein, oben im Moor«, sagt Jo. »Manche Kunden im Laden haben immer die Füllfederhalter auseinandergenommen. Ich glaube, manche Menschen betrachten das Leben und die Religion auf die gleiche Weise. Sie müssen alles zerlegen, um einen Sinn darin zu sehen. Ich gehöre einfach nicht zu ihnen. Ich glaube nicht, dass ich meinen Glauben immer wieder auseinandernehmen muss. Ich weiß einfach, was ich fühle. Und das ist genug.«

Sie versteht jetzt, dass sie jemand ist, der eine Kerze für einen Freund anzündet, ihm in Gedanken alles Gute wünscht, in einem eiskalten Teich schwimmt, um einer außergewöhnlichen Frau zu gedenken, die sie nie kannte ... und künftig wird sie den Göttern auch manchmal mit Wein danken. Sie glaubt auch, dass ein Fuchs einen trauernden Mann besuchen kann und sie, indem sie ihrem abwesenden Onkel jeden Abend Gute Nacht sagt, irgendwie mit ihm in Verbindung bleibt.

Es mag für andere keinen Sinn ergeben, aber für sie tut es das. Sie blickt auf die beiden Gestalten neben ihr, die in Mäntel und Decken gehüllt sind, die Gesichter halb erleuchtet von der brennenden Kerze, und ist überwältigt von ihrer Liebe zu ihnen. Das sind ihre lieben Freunde.

Sie sitzen einige Zeit schweigend da. Dann zischt die Kerze schließlich und erlischt.

»Zeit, nach Hause zu gehen, denke ich«, ertönt Malcolms Stimme in der Dunkelheit. Ruth schaltet ihre Stirnlampe ein, und gemeinsam sammeln sie alle Decken und Kissen ein und stopfen sie in die Ikea-Taschen, auf denen sie gesessen haben. Vorsichtig machen sie sich auf den Weg zur Trittleiter. Es ist niemand zu sehen, und die Straßenlaterne wirft einen orangefarbenen Schein auf den frischen Schnee. Ihre Fußabdrücke von vorhin sind fast verschwunden. Mit viel Ermutigung und Gelächter schaffen sie es, das Geländer zu überwinden, ohne dass etwas passiert. Dann verstaut Malcolm die Trittleiter und die Laterne außer Sichtweite hinter einer Hecke und sagt, dass er sie später einsammeln wird.

»So, jetzt haben wir zwei Dinge weniger, die wir zurücktragen müssen. Was haben wir jetzt vor?«, fragt er.

»Nun, ich gehe zu Reverend Abayomrunkojes Mitternachtsmesse. Er hat angekündigt, dass es Glühwein und Mince Pies geben wird. Möchtest du mich begleiten?«

Jo ist erstaunt, als Malcolm sagt: »Ja, ich glaube, das würde ich gerne tun.« Er fügt jedoch einen Vorbehalt hinzu. »Aber du musst nicht denken, dass ich meine Ansichten über Gott ändere.«

»Oh, bevor du dich versiehst, wirst du den Kuchenstand organisieren«, scherzt Ruth.

Und Jo hält das für sehr gut möglich. Gott hin oder her.

»Und du, Joanne, willst du dich uns nicht anschließen?«, fragt Malcolm mit leicht gesenktem Kopf in alter Höflichkeit.

»Nein, ich glaube, ich gehe zurück in die Wohnung. Ich

sollte Lucy anrufen und …« Sie weiß nicht, was sie noch sagen soll, denn sie hat keine klare Ahnung, was sie tun wird.

Ruth nimmt die beiden mit Decken und Kissen gefüllten Ikea-Taschen in die Hand. »Also, du rufst uns auf jeden Fall an. Und wenn du in London bleibst, komm morgen zum Weihnachtsessen zu uns. Malcolm hat mich zu sich eingeladen.«

Jo freut sich, dass Reverend Ruth wieder alles organisiert, aber nicht mehr so nervös wird wie früher. Malcolm holt einen Stift und ein Stück Papier aus dem Korb, damit er Jo ihre Telefonnummern aufschreiben kann. Sie verabschieden und umarmen sich. Jo verheddert sich in den Ikea-Tüten, dann stapfen Ruth und Malcolm die Gasse hinunter.

Jo sieht ihnen nach, wie sie nebeneinanderher gehen, die große Gestalt im Afghanen-Mantel schreitet elegant voran, die kleinere wirbelt mit kurzen, flinken Schritten einen Schneewirbel auf. Als sie aus dem Blickfeld verschwinden, glaubt Jo, die Worte »Sweet Jesus!« zu hören, die zu ihr zurückdriften, und lautes Lachen.

Oben auf dem Hügel liegt Schnee bis an die Friedhofsmauer, keine Autos haben den steilen Hang bezwungen. Die Landschaft vor ihr ist strahlend weiß, abgesehen von einer Reihe kleiner Pfotenabdrücke. Ein Fuchs? Jo muss kurz an Eve Buswell denken, dann steigt sie mithilfe des Gehstocks ihres Großvaters langsam den Hügel hinab.

52

Die Geister der Heiligen Nacht

Zwei Männer beobachten die drei, als sie die Tore des Highgate Cemetery verlassen. Beide tragen dreiteilige Anzüge. Der eine hat einen langen Bart und einen Dreispitz auf dem Hinterkopf, der andere trägt langes graues Haar, das er aus dem Gesicht gekämmt hat, und eine kleine Brille auf der Nase. Trotz des Schnees scheint ihnen die Kälte nichts auszumachen.

»Was denkst du, Will?«, fragt der Mann mit dem Bart den anderen.

Sein Begleiter findet, dass er den kornischen Dialekt heute Abend ein wenig zu dick aufträgt. Aber so ist John nun mal. Bald würde er ihn »mein Liebster« nennen.

»Wir sollten uns auf ein Bier ins Rub-a-Dub begeben.«

Der andere Mann nickt und zieht seinen Hut nach vorn.

William Foyle denkt, dass er es ihm zu einfach gemacht hat, und zermartert sich das Hirn nach einem gereimten Cockney-Slang, den John Lobb nicht kennen dürfte. Er wird munter. Er könnte jederzeit ein paar Sätze erfinden. Das würde der andere nie merken.

»Nun, was hältst du von den dreien?«, fragt John, als sie sich in Richtung ihres Lieblingspubs machen.

»Gar nicht so übel«, antwortet William. »Die haben uns durchschaut.« Er lacht.

»Den alten Issy haben sie auch gut eingeschätzt«, stimmt John zu. »Wo treibt der sich eigentlich heute Abend rum?«

William schnaubt. »In Shabby mit Georgie. Ich habe sie auf den Bus warten sehen.«

John will es wissen, traut sich aber nicht zu fragen. Doch am Ende siegt die Neugierde. »Shabby?«

William gluckst. »Shabby ... Westminster Abbey. Er sagte so was wie: Die alte Georgie solle das letzte Lachen haben. Sie machen wohl ein Picknick in Poet's Corner.«

Beide kichern darüber, und William verschränkt seinen Arm mit dem von John.

»Was ist mit Karl?«, fragt William.

»Mit Claudia unterwegs, wie immer«, antwortet John. »Die beiden sind immer am Zanken. Aber er hat mir gesagt: ›Diese Frau langweilt mich nie.‹«

»Und 'utch?«

»So wie letztes Jahr«, nickt John. Und von irgendwo auf dem Friedhof (wenn man ganz genau hinhört) ertönt das leise Klimpern eines Klaviers.

»Also wieder mit George Michael unterwegs«, stellt William fest.

»Ganz genau«, bestätigt John. Etwas viel Wichtigeres fällt ihm ein. »Übrigens, denk dran, dass es deine Runde ist.«

»Na, da hast du aber was falsch verstanden, mein Junge«, erwidert William.

Und das Gezänk geht den ganzen Weg den Hügel hinunter so weiter.

53

Weihnachtstag

Als Jo an der Kreuzung zur Highgate High Street ankommt, glaubt sie plötzlich, dass sie einen Fehler gemacht hat. Wie soll sie Eric den Wikinger jemals aufspüren? Vielleicht arbeitet er die ganze Nacht? Wo soll sie überhaupt anfangen? Sie könnte mit Ruth und Malcolm in einer warmen Kirche sitzen und Glühwein trinken oder es sich mit ihnen vor dem Kamin gemütlich machen. Sie denkt an das waldige Wohnzimmer. Statt dieses Komforts (und wahrscheinlich noch mehr Knabbereien und einem Glas Whisky) geht sie zurück in einen kalten Laden und eine kalte Wohnung. Und die Elektrik funktioniert definitiv nicht, vielleicht hat sie nicht einmal Strom in der Wohnung? In der Ferne hört sie das schwache Läuten der Kirchenglocken. Dann wird es lauter, als die Glocken Mitternacht schlagen.

Es ist der erste Weihnachtstag.

Als sie in die Seitenstraße einbiegt, sieht sie ein Leuchten. Anstelle des leeren Weiß ihrer provisorisch abgehängten Schaufenster schimmert es dahinter orange. Hatte sie die Heizung angelassen? Sie hätte die Sicherungen und die Verkabelung überprüfen sollen, als das Licht nicht funktionierte. Sie rennt zur Tür und kramt nach ihren Schlüsseln. Ist sie gerade dabei, das Erbe ihrer Mutter abzufackeln? Sie denkt an all das Papier. Und an die Holzregale.

Sie stößt die Tür auf, und plötzlich fällt ihr ein, dass das ein Fehler ist. Brendan (Brand- und Sicherheitsbeauftragter der Bank) hatte immer gesagt: »Wenn man den Sauerstoff reinlässt, füttert man das Feuer.« Also weicht Jo instinktiv zurück und rechnet mit dem Rückstoß, von dem Brendan versprochen hat, er würde sie töten.

Aber nichts passiert. Nur der sanfte Klang von klassischer Musik dringt zu ihr. Es erinnert sie an das Cello, das sie vorhin spielen gehört hat. Jetzt wird es von einem Klavier begleitet. Die Erinnerung an eine Melodie, die sie vielleicht gehört hat, als sie an den Toren des Highgate Cemetery vorbeiging, kommt ihr wieder in den Sinn.

Vorsichtig wagt sie sich hinein. Die kleine Lampe brennt, und auf den Regalen und Fensterbänken stehen Dutzende von Gläsern in allen Größen. Wein, Pint, Tumbler. In jedem Glas brennt eine Kerze. Das Funkeln der Lichter des Weihnachtsbaums trägt zu dem sanften Licht bei. Hinter dem Tresen auf ihrem Hocker, sitzt Eric der Wikinger. Er hat ein Buch vor sich aufgeschlagen.

Sie hat noch nie einen Wikinger weinen sehen. Er weint nicht, wie er lacht, mit großen, lauten Schluchzern. Er lässt die Tränen einfach laufen. Er sieht müde und unordentlich aus, aber da ist noch etwas anderes. Er sieht sie an, als hinge sein Leben von diesem Moment ab. Von ihr. Und sie weiß, wie schon ihre Mutter in dem Café in der Nebensaison es wusste, dass sie diesen Mann liebt.

»Du bist hier.« Er versucht zu grinsen, aber sein Gesicht verzieht sich, und er fährt sich mit einer großen Hand über die Augen. »Macht mich jedes Mal fertig«, sagt er. Und er versucht noch einmal, zu lächeln. Er nickt auf das

Buch hinunter. »Ich kann nicht anders. Lyrik. Bringt mich immer zum Weinen.«

Sie macht einen Schritt auf ihn zu, aber er hält sie mit vorgestreckter Hand auf. »Ich dachte, du würdest nicht mehr kommen. Clare hat mir eine Nachricht geschickt und Lando auch. Ich habe deinen Schlüssel benutzt und deine Tasche gesehen. Aber ich dachte, ich bin zu spät. Also habe ich dir etwas geschrieben.« Er blickt kurz hinter sich auf ihre Wand aus Worten und Zeichnungen, die sich nun vor Kälte und Feuchtigkeit kräuseln. »Ich habe es dorthin gepinnt. Aber eigentlich wollte ich es dir vorlesen.«

»Lies es mir jetzt vor«, fordert sie ihn auf und starrt ihn an, nimmt ihn ganz in sich auf. Sein altes Grinsen ist wieder zurück. »Ich muss sicher weinen«, sagt er ihr.

»Das macht nichts. Ich auch.« Sie weint bereits. Der Wikinger aus Birmingham nimmt ein Stück Papier von der Wand hinter sich und liest im flackernden Kerzenlicht, was er für sie geschrieben hat.

Die Zeit war dahin und sie war da,
Das Leben nicht mehr, wie es einmal war.
Die Glocke hing still in der Luft
Und der ganze Raum erstrahlte da,
Denn die Zeit war dahin, und sie war da.

Bei der letzten Zeile stockt seine Stimme, und die zerbrechliche Verletzlichkeit, die sie darin erkennt, löst etwas in ihr. Und dann steht sie hinter dem Tresen, in ihren Stiefel, Pullovern, Mantel und allem, und er zieht sie zu sich. Der Hocker fällt um, aber das macht ihnen nichts.

Als er sie küsst, spürt sie seine Hand in ihrem Haar und dann an ihrer Wange. Sie streckt die Hand aus und verschränkt ihre Finger mit seinen. Dann hat er seine Arme fest um sie geschlungen, und Jo versinkt in der Gewissheit, dass sie ihr Zuhause gefunden hat.

(*Ein Platz für alles, und alles an seinem Platz.*)

Irgendwann stellen sie den Hocker wieder auf, sie sitzt auf ihrer Seite des Tresens (immer noch im Mantel ihres Onkels, das Gesicht rot von der Kälte und vom Weinen. Und vom Bart des Wikingers), und er sitzt auf seiner Seite, an seinem gewohnten Platz.

»Wo warst du denn, Schreibwaren-Girl? Ich dachte, du kommst nicht mehr.«

Also erzählt sie ihm alles. Von ihren Freunden und den Geistern auf dem Highgate Cemetery.

»Ihr seid also eingebrochen.« Das Walrosslachen ist zurück.

»Ja, sieht so aus, das sind wir wohl«, gibt Jo etwas überrascht zu und fragt sich, warum sie jemals dachte, sie sei durchschnittlich.

Er will alles über die Figuren wissen, die sie recherchiert haben, und über ihre Ideen für Gespräche. Er unterbricht sie nur kurz, um nach nebenan in seinen Laden zu gehen. Er kommt mit einer Flasche Champagner, Räucherlachs und zwei Schachteln Keksen zurück, Geschenke von Kunden (darunter auch eins von Dwayne, der jetzt wieder geradeaus sehen kann, aber, wie Eric der Optiker vorausgesagt hat, mit einer Augenklappe zu allen Weihnachtsfeiern geht). Sie trinken den Champagner aus Bechern.

Am Ende ihrer Erzählung sagt er: »Das beweist nur, dass dein Onkel Wilbur recht hatte.«

Sie sieht ihn fragend an.

»Er hat erzählt, wie sehr sich diese Gegend im Laufe der Jahre verändert hat, aber auch, dass die Menschen immer gleich bleiben und sich ähnlicher sind, als sie meinen.«

Jo nickt und denkt dabei an ihren Lieblingsonkel und an die Geister, die sie zufällig ausgewählt haben und die alle etwas Wichtiges zu sagen hatten.

»Du findest also, dass Lando und ich uns permanent auf den Arm nehmen …«, beginnt Eric aus spöttischem Protest.

Kurz darauf fragt Jo, ob sie sich sein Handy leihen kann, und macht ein Selfie von den beiden, das sie Lucy schickt. Sie findet, das ist das Mindeste, was sie ihr schuldig ist. Eric leitet das Foto noch an Lando und Clare weiter.

»Du weißt gar nicht, wie viele Leute mich schon gefragt haben, wo du abgeblieben bist.«

Das erinnert sie daran, dass sie mit ihrer Mutter sprechen muss, aber als sie auf die Uhr schaut, beschließt sie, es ist jetzt zu spät, um anzurufen. Sie wird sie morgen früh anrufen, aber dann fällt ihr auf, dass es schon morgens ist. Es ist fast zwei Uhr.

Danach leiht sich Jo Erics Handy noch einmal und schickt das Foto und eine Nachricht an Ruth und Malcolm. Sie ist sich sicher, dass die beiden darauf warten, von ihr zu hören. Sie entschuldigt sich dafür, dass sie am Weihnachtstag nicht bei ihnen sein kann. Offensichtlich hat Eric der Wikinger andere Pläne. Sie hofft nur, dass es nordische Tradition ist, den ganzen Weihnachtstag im Bett zu verbringen.

Sie blasen alle Kerzen aus, und Eric nimmt ihre Reisetasche. Als er die Tür öffnet, sieht sie, dass es wieder zu schneien begonnen hat. Er hält ihr die Hand entgegen.

»Okay, Jo Sorsby, Schreibwaren-Girl, wollen wir nach Hause gehen?«

Manchmal braucht es nur einen Wimpernschlag, um eine Entscheidung zu treffen.

Epilog

Zwei Jahre später

The Ilkley Gazette
Eric und Jo Sveinbjörnsson geben die
Geburt ihres Sohnes Eliot bekannt.
Geboren am 24. Dezember

Danksagung

Dieses Buch handelt in erster Linie von Freundschaft. Ich hätte es nicht ohne die Unterstützung meiner Freunde schreiben können. Sie sind wirklich zu zahlreich, um sie aufzuzählen (wofür ich sehr dankbar bin). Aber ihr wisst, wer ihr seid, und könnt euch meiner Dankbarkeit und meiner Liebe sicher sein.

Wie Jo habe ich das Glück, eine beste Freundin zu haben. Wenn Reverend Ruth sagt, dass es eine fundamentale Wahrheit, ein Trost und eine Freude ist, eine beste Freundin zu haben, könnte ich nicht mehr zustimmen. In der Geschichte verschwimmen manchmal die Grenzen zwischen Familie und Freundschaft, was im Leben eben auch vorkommt. Meine Freunde, Sally und Michael, sind zu Familienmitgliedern geworden. Und meine Schwägerin Judith ist nicht nur Familie, sondern auch eine gute Freundin. Besonders am Herzen liegen mir wie immer meine Töchter Alex und Libby, danke für eure unermüdliche Unterstützung und Ermutigung und dafür, dass ihr mich in die Freuden des Wildschwimmens eingeführt habt.

Was kann ich über Reverend Anne Heywood sagen?! Sie hat dieses Buch wirklich inspiriert. Ich habe so viel gelernt, indem ich ihre Einstellung zu Menschen und zum Leben beobachtet habe. Danke, Anne, dass du deine Geschichten und deine Philosophie mit mir geteilt hast. Auf dass wir noch viel mehr Wein und Lachen miteinander teilen.

Danke an Fiona, die mir ihre Lyrikkenntnisse zur Verfügung gestellt hat. Danke an die Mitarbeiter und Freiwilligen des Highgate Cemetery, ich kann nur jedem empfehlen, sich die Zeit für einen Besuch zu nehmen (aber bitte nicht an Heiligabend einbrechen!). Als ich über die Geister von Malcolm nachgedacht und mich gefragt habe, wer sich an Heiligabend treffen würde, habe ich einige Namen der auf dem Friedhof Begrabenen aufgeschrieben und sie in einen Hut gesteckt. Dann habe ich sie nach dem Zufallsprinzip ausgelost (genau wie Jo, Malcolm und Ruth). Wer wen getroffen hat, war also wirklich eine Frage des Zufalls. Ich denke, das beweist, dass Onkel Wilbur recht hatte: Die Menschen sind sich ähnlicher, als sie zunächst annehmen, und sie werden immer etwas finden, das sie miteinander teilen können.

Was den Rest von Highgate und Hampstead angeht, wie er im Buch erwähnt wird, so verzeiht mir, dass ich mir Freiheiten genommen habe. Ich habe Gassen und Geschäfte hinzugefügt, wie es mir gefiel, aber ich hoffe, dass ich die Atmosphäre der Gegend gut wiedergegeben habe. Was die Geografie und die Landschaft des Nordostens betrifft, so hoffe ich, dass ich auch diese richtig wiedergegeben habe. Es ist eine Gegend, die mir sehr am Herzen liegt, aber ich bin mir bewusst, dass ich eher eine Besucherin als eine Bewohnerin bin.

Außerdem möchte ich dem Team von Robert Frith's in Gillingham, Dorset, danken. Alle waren so geduldig bei der Beantwortung meiner Fragen über das Leben und die

Prüfungen eines Optikers. (Eric der Wikinger bedankt sich auch.)

Jeder Autor wird euch sagen, dass es ein ganzes Team gibt, das ein Buch herstellt und auf dem Weg zum Leser unterstützt. Vielen Dank an meine Agentin Tanera Simons. Und dem Team von Harper Fiction, das so viel Zeit und Leidenschaft in das Lektorat gesteckt hat: Martha Ashby, Lucy Stewart und Belinda Toor sowie einen besonderen Dank an Katie Lumsden.

Ich möchte auch denjenigen im Team danken, die so viel dafür tun, dass mein Buch in die Köpfe und Hände der Leser gelangt. Alice Gomer, Harriet Williams und Bethan Moore aus dem Vertriebsteam, Jo Kite und Sophie Raoufi aus dem Marketingteam. Fliss Denham und Sofia Saghir aus dem Werbeteam. Und Ellie Game, die das Coverdesign so toll gestaltet hat.

Schließlich möchte ich noch Charlotte Ledger von Harper Collins erwähnen. Sie ist die Verlegerin, die mir mit meinem ersten Buch *Das Glück der Geschichtensammlerin* eine Chance gab. Das vergesse ich nie. Und auch nicht, dass ihr Hund Betty heißt. Charlotte, ich hoffe, es hat dir nichts ausgemacht, dass ich mir ihren Namen für Angela Greens Hund ausgeliehen habe.

Bibliografie

Bei der historischen Recherche für diesen Roman habe ich mich an einigen der hervorragenden Biografien über jene Leute bedient, die auf dem Highgate Cemetery zur Ruhe kamen. Darunter:

Abel, E. Lawrence, *Lincoln's Jewish Spy: The Life and Times of Issachar Zacharie* (Jefferson, USA, 2020)

Breese, Charlotte, *Hutch* (London, 1999)

Davies, Carole Boyce, *Left of Karl Marx: The Political Life of Black Communist, Claudia Jones* (Durham, USA, 2008)

Dobbs, Brian, *The Last Shall be First: The Colourful Story of John Lobb The Bootmakers of St James's* (London, 1999)

Hughes, Kathryn, *George Eliot: The Last Victorian* (London, 1999)

Samuel Bill, *An Accidental Bookseller: A Personal Memoir of Foyles* (Puxley, 2019)

Wheen, Francine, *Karl Marx* (London, 1999)

Whittell, Giles, *Spitfire Women of World War II* (London, 2021)

Vielen Dank, dass ihr mir geholfen habt, Malcoms Geister zum Leben zu erwecken.

Die Zeilen aus dem Gedicht »Silence« von Edgar Lee Masters auf Seite 63 lauten im Original:

I have known the silence of the stars, and of the sea,
And the silence of a city when it pauses

(Deutsche Übersetzung: Yola Schmitz)

Die Zeilen aus dem Gedicht »Meeting Point« von Louis MacNeice auf Seite 363 lauten im Original:

Time was away and somewhere else,
The waiter did not come, the clock
Forgot them and the radio waltz
Came out like water from a rock:
Time was away and somewhere else.

(Deutsche Übersetzung: Yola Schmitz. Mit freundlicher Genehmigung von David Higham Assiciates, Ltd.)

LESEPROBE

ISBN der gedruckten Ausgabe 978-3-423-21879-5
eBook ISBN 978-3-423-44275-6

Prolog

Jeder hat eine Geschichte zu erzählen.

Aber was, wenn man keine eigene Geschichte hat? Was dann?

Wenn man Janice ist, sammelt man die Geschichten anderer Menschen.

~

Sie hat sich einmal die Dankesrede einer berühmten englischen Schauspielerin bei einer Oscar-Verleihung angesehen. Darin erzählte diese von ihrem früheren Leben als Reinigungskraft und dass sie als junge Schauspielanwärterin manchmal vor dem Spiegel in fremden Badezimmern stand und den WC-Reiniger wie eine Oscar-Statue hochhielt.

Janice fragt sich, was wohl aus der Person geworden wäre, wenn sie es als Schauspielerin nicht geschafft hätte. Wäre sie dann noch immer eine Putzfrau, wie sie selbst? Sie sind beide ungefähr gleich alt – Ende vierzig –, und sie findet, dass sie sich sogar ein bisschen ähnlich sehen. Na ja (sie muss lächeln), *so* ähnlich vielleicht auch wieder nicht, aber sie sind beide eher klein, was wohl eine leicht untersetzte Zukunft erahnen lässt. Sie fragt sich, ob diese Schauspielerin wohl auch eine Geschichtensammlerin geworden wäre.

Sie kann sich gar nicht mehr so genau erinnern, womit ihre Sammlung angefangen hat. Vielleicht war es der flüchtig erhaschte Blick auf ein Leben, während sie durch das Umland von Cambridge zur Arbeit fuhr? Oder ein Gesprächsfetzen, den sie beim Putzen eines Waschbeckens aufschnappte? Doch irgendwann fiel ihr auf, dass die Leute ihr gerne ihre Geschichten erzählten, während sie in Wohnzimmern Staub wischte oder Kühlschränke abtaute. Vielleicht hatten sie das auch schon früher getan, aber nun ist es anders, die Geschichten strecken sich ihr geradezu entgegen, und sie sammelt sie ein. Sie ist wie ein aufnahmebereites Gefäß. Während sie sich die Geschichten anhört, bestätigt sie mit einem kleinen Nicken, was ihr klar geworden ist: dass sie für viele einfach ein Aufnahmebehälter ist, in dem sie bequem ihre Vertraulichkeiten abladen können. Oft sind die Geschichten unerwartet, manchmal sind sie lustig und fesselnd. Manchmal von Bedauern durchdrungen und manchmal lebensbejahend. Sie glaubt, dass die Menschen möglicherweise mit ihr reden, weil sie an ihre Geschichten glaubt. Sie erfreut sich an den unerwarteten Wendungen und verschlingt ihre Übertreibungen. Abends zu Hause bei ihrem Mann, der sie eher mit Vorträgen überschüttet, lässt sie ihre Lieblingsgeschichten dann noch einmal Revue passieren und taucht nacheinander in jede einzelne davon ein.

1

Der Beginn der Geschichte

Der Montag hat eine ganz bestimmte Reihenfolge: Er beginnt mit Lachen und endet mit Traurigkeit. Wie zwei ungleiche Buchstützen fassen diese Stimmungen ihren Montag ein. Sie hat es absichtlich so arrangiert. Denn die Aussicht auf Lachen hilft ihr, aus dem Bett zu kommen, und stärkt sie für das, was später kommt.

Janice hat festgestellt, dass eine gute Reinigungskraft ihre Arbeitstage und Stunden selbst bestimmen kann – und, was sehr wichtig für ihre Balance am Montag ist, auch die Reihenfolge ihrer Aufträge. Jeder weiß, dass zuverlässige Putzhilfen schwer zu finden sind, und eine überraschende Anzahl von Leuten in Cambridge scheinen herausgefunden zu haben, dass Janice außergewöhnlich gut in ihrem Job ist. Was die Auszeichnung »außergewöhnlich« betrifft, die sie aufgeschnappt hat, als eine ihrer Auftraggeberinnen eine Freundin zum Kaffee dahatte, ist sie sich nicht so sicher. Sie weiß, dass sie keine außergewöhnliche Frau ist. Aber ist sie eine gute Putzfrau? Ja, sie glaubt, dass sie das ist. Auf jeden Fall hat sie genug Übung darin. Sie hofft bloß, dass das nicht das Resümee ihres Lebens sein wird: »Sie konnte gut putzen.«

Als sie aus dem Bus aussteigt, nickt sie dem Fahrer zu, um sich von diesem immer öfter wiederkehrenden Gedanken abzulenken. Er nickt zurück, und sie beschleicht der flüchtige Eindruck, dass er noch etwas sagen wird, doch dann schließen sich die Türen mit einem lauten Seufzen.

Nachdem der Bus abgefahren ist, wird ihr Blick frei auf eine lange, begrünte Allee mit frei stehenden Häusern. Einige Fenster der Häuser glänzen im Sonnenlicht, andere liegen im Schatten und wirken finster. Sie stellt sich vor, dass sich hinter all diesen Fenstern Geschichten verbergen, aber heute interessiert sie sich nur für eine davon. Es ist die Geschichte des Mannes, der in dem weitläufigen edwardianischen Anwesen an der Ecke wohnt: Geordie Bowman. Sie glaubt nicht, dass ihre anderen Kunden Geordie je persönlich kennengelernt haben, und sie weiß, dass es unwahrscheinlich ist, dass sie ihn durch sie kennenlernen werden (so sollte die Welt nach Janice' Meinung nämlich nicht funktionieren). Aber natürlich haben sie schon von Geordie Bowman gehört. Jeder hat schon von Geordie Bowman gehört.

Geordie lebt seit vierzig Jahren in diesem Haus. Zuerst hatte er darin nur ein Zimmer zur Untermiete, denn die Mieten in Cambridge waren wesentlich günstiger als in London, wo er arbeitete. Als er schließlich heiratete, erwarb er das Haus von seiner Vermieterin. Doch er und seine Frau brachten es nicht übers Herz, die bestehenden Mieter hinauszuwerfen, also lebte seine wachsende Familie dort zusammen mit einer bunten Mischung aus Malern, Akademikern und Studenten, bis diese, einer nach dem anderen, aus freien Stücken auszogen. Dann begann jedes Mal der Kampf um das frei gewordene Zimmer.

»John, also, der war der Gerissenste«, erinnert sich Geordie oft mit Stolz. »Er räumte einfach sein Zeug rein, bevor sie überhaupt mit dem Zusammenpacken fertig waren.«

John ist Geordies Ältester, der mittlerweile mit seiner eigenen Familie in Yorkshire wohnt. Der restliche Nachwuchs von Geordie lebt in der ganzen Welt verstreut, besucht ihn jedoch, wann immer es geht. Seine geliebte Frau Annie ist bereits vor Jahren verstorben, aber seither hat sich im Haus nichts verändert. Jede Woche gießt Janice ihre Pflanzen – von denen einige mittlerweile so groß geworden sind wie kleine Sträucher – und wischt den Staub von der Sammlung amerikanischer Romane. Geordie ermuntert Janice immer wieder, sich diese Bücher auszuleihen, und hin und wieder nimmt sie sich Harper Lee oder Mark Twain mit nach Hause, als Ergänzung zu ihrer Wohlfühl-Lektüre.

Geordie öffnet bereits die Tür, noch bevor sie den Schlüssel herausholen kann.

»Wie heißt es so schön? Timing ist alles«, ruft er ihr dröhnend entgegen. Geordie ist von stattlicher Statur, und seine Stimme passt dazu. »Kommen Sie herein, und wir trinken erst einmal Kaffee.«

Das ist ihr Stichwort, auf das sie starken Kaffee für beide zubereitet, mit viel heißer Milch, so wie Geordie ihn mag und genau so, wie Annie ihn immer gemacht hat. Janice stört es nicht. Die meiste Zeit kümmert sich Geordie um sich selbst (wenn er sich nicht gerade in London, im Ausland oder im Pub aufhält), und sie glaubt, dass Annie es gutheißen würde, wenn sie ihn ab und zu verwöhnt.

Geordies Geschichte ist eine ihrer liebsten. Sie erinnert Janice an die unglaubliche innere Stärke, die Menschen haben können. Es geht darin sicher auch darum, seine Talente zu nutzen, aber damit möchte sie sich nicht näher befassen. Denn das wäre zu nah an den Bibelgeschichten ihrer Kindheit und erinnert sie an ihren eigenen Mangel an Talent. Also schiebt sie diesen Gedanken beiseite und konzentriert sich lieber auf die innere Stärke, wie sie von dem Jungen, der später einmal Geordie Bowman werden sollte, demonstriert wurde.

Geordie wuchs (wenig überraschend bei dem Vornamen!) in Newcastle auf. Sie glaubt, dass sein Name eigentlich John oder womöglich Jimmy lautet, ist sich jedoch nicht sicher; mit der Zeit wurde er einfach »Geordie«. Er lebte in den Straßen bei den Docks, wo sein Vater arbeitete. Sie hatten einen Hund, den sein Vater liebte (mehr als seinen Sohn), und einen Barschrank in Form einer Gondel, der der ganze Stolz der Familie war (bis zur Erfindung von Plasmabildschirmen). Mit vierzehn Jahren war Geordie eines Abends in den Straßen von Newcastle unterwegs. Der Hund der Familie hatte den Nachbarn gebissen, und Geordies Vater wollte Blut sehen – das des Nachbarn. Da von Vernunft und Logik keine Rede mehr sein konnte, hatte sich Geordie durch die Hintertür davongemacht. Die Nacht war kalt, es lag Schnee in den Straßen, und Geordie hatte nur eine leichte Jacke an. Trotzdem zog es ihn nicht nach Hause, also bog er, anstatt nach rechts zu den Docks hinunterzugehen, links in eine Gasse ein und schlich sich durch eine Seitentür ins Rathaus von Newcastle.

Im Konzertsaal erklomm er eine Galerie, wo es warm war und er wahrscheinlich nicht entdeckt werden würde. Und dort hockte er, versteckt hinter einem Scheinwerfer (zusätzliche Wärme), und verputzte eine Tafel Schokolade, die er am Kiosk geklaut hatte, als der Gesang einsetzte. Der erste, sich aufschwingende Ton bohrte sich Geordie wie ein Speer in die Brust und ließ ihn erstarren. Oper war ihm kein Begriff, geschweige denn dass er jemals eine gehört hatte, und doch sprach ihn die Musik direkt an. Später, in einem Fernsehinterview, sagte Geordie einmal, dass man, wenn man ihn nach seinem Tode aufschneiden würde, wohl die Partitur von *La Bohème* um sein Herz gewickelt finden würde.

Danach kehrte er für ein paar Tage oder Wochen – er merkte kaum, wie lange es war – nach Hause zurück. In der Zeit schmiedete er einen Plan. Da er im Nordosten des Landes noch nie von einer Oper gehört hatte, ging er davon aus, dass dies nicht der richtige Ort dafür war. Es musste London sein. Dort war die Oper doch sicher zu Hause? Schließlich war es die Heimat von allem, was vornehm war. Er musste also nach London. Aber ganz ohne Geld kam eine Fahrt mit dem Zug oder Bus nicht infrage. Also kam er zu dem Schluss, dass er laufen musste. Und genau das tat er dann auch. Er packte so viel Essen ein, wie in seinen Rucksack passte, zusammen mit einer aus der Gondelbar geklauten Flasche, und machte sich zu Fuß auf den Weg in Richtung Süden. Unterwegs lernte er einen Landstreicher kennen, der ihn weite Teile des Weges begleitete. Der Landstreicher brachte ihm Dinge bei, die ihm in der Stadt nützlich sein könnten, und zeigte ihm, wie er seine Kleidung auf der Reise sauber halten konnte. Dazu gehörte, dass er saubere Kleidung von einer Wäscheleine nahm und die gestohlenen Kleidungsstücke durch die schmutzigen ersetzte, die er getragen hatte. Und dies wurde dann bei jeder geeigneten Wäscheleine wiederholt.

In London klapperte Geordie die verschiedenen Konzerthäuser ab (die Namen hatte ihm der Landstreicher genannt), und schließlich ergatterte er einen Job in der Requisite. Und der Rest ist Geschichte.

Janice' Mann Mike hat Geordie noch nie getroffen. Doch das hindert ihn nicht daran, im Pub von ihm zu sprechen, als wäre er ein alter Freund. In der Öffentlichkeit widerspricht Janice ihm nicht – nicht, dass Mike es ihr danken würde. In seiner Vorstellung hat er sich schon oft mit Geordie unterhalten. Wenn er über den weltberühmten Tenor spricht (»Der Lieblingssänger der Queen, weißte«), hält sie sich an dem Gedanken fest, dass die beiden Männer sich nie und nimmer treffen werden. Von Zeit zu Zeit, wenn Mike »mal austreten« muss und sie (mal wieder) die Rechnung bezahlen lässt, denkt sie daran, wie Geordie ihr eine ihrer Lieblingsarien vorsingt, während sie den Ofen putzt. Doch in letzter Zeit ist Geordies Gesang lauter als zuvor, und das macht ihr langsam Sorgen, weil ihr außerdem aufgefallen ist, dass sie manchmal laut rufen muss, damit er sie hört, und dass er einiges, was sie sagt, gar nicht mitzubekommen scheint.

Nach dem Kaffee kann Geordie nicht widerstehen, ihr durchs Haus zu folgen. Er lungert unschlüssig in der Tür herum, während sie den Holzofen säubert und anschließend wieder Holzscheite hineinschichtet. Es scheint, als müsse man ihn ermutigen. Es überrascht einen, dass ein stattlicher Mann wie er so schüchtern ist und ungern mit der Sprache herausrückt.

»Waren Sie mal wieder unterwegs?«, erkundigt sich

Janice, in der Hoffnung, dass ihm das auf die Sprünge hilft und er ihr mitteilt, was er ihr ganz offensichtlich erzählen will.

Sie trifft sofort ins Schwarze, und er sieht sie strahlend an. »Nur ein bisschen innerhalb von London. Aber da trifft man vielleicht auf Idioten.«

»Das kann ich mir vorstellen.« Sie hofft, dass das genug Ermutigung ist.

Ist es.

»Ich bin mit der U-Bahn gefahren, und da war mal wieder so ein richtiger Knallkopf unterwegs. Es war voll, ja, aber nicht zu schlimm. Wissen Sie, wir haben alle das Beste draus gemacht. Und dieser feine Pinkel drängelt sich noch im letzten Moment, bevor die Tür zugeht, in den Wagen und fängt an rumzustänkern ...«

Nun setzt Geordie zu einer ziemlich treffenden Imitation des feinen Pinkels an und bringt Janice damit zum Grinsen. Sie hatte recht behalten; sie wusste, dass bei Geordie der beste Ort war, ihren Tag, ihre Woche zu beginnen.

Geordies feiner Pinkel ist jetzt so richtig in Fahrt. »Los jetzt. Einfach ein bisschen aufrücken! Ich bin überzeugt, da ist noch jede Menge Platz, wenn die Leute einfach ein bisschen nach hinten durchgehen würden. Da ist noch viel Platz. Wirklich! Los, nutzen Sie bitte den gesamten Zug!«

Geordie hält kurz inne, um sich zu vergewissern, dass er ihre Aufmerksamkeit hat.

»In dem Moment kam von weiter hinten im Waggon eine Stimme. Von einem anderen Burschen, einem Londoner, würde ich sagen. Egal, auf jeden Fall ruft der:

›Kumpel. Reiß das Maul noch ein bisschen weiter auf, dann passen da bestimmt noch ein paar Leute rein!‹«

Janice muss laut lachen.

»Das hat ihn zum Schweigen gebracht.« Geordie ist hocherfreut, sie so erheitert zu haben.

Sie lässt sich nicht zum Narren halten. Sie weiß genau, dass es Geordie war, der das in der U-Bahn gerufen hat. Er ist derjenige, der dem feinen Pinkel den Wind aus den Segeln genommen hat. Er ist zu bescheiden, um es direkt zu sagen, aber sie weiß es. Sie kann fast hören, wie seine Stimme durch den Waggon dröhnt und daraufhin anerkennendes Gelächter um ihn herum ausbricht.

Zufrieden mit ihrer Reaktion überlässt er sie ihrer weiteren Arbeit. Sie greift nach ihrem Staubtuch. Vielleicht sollte sie sich einfach damit begnügen, Menschen wie Geordie zu treffen. Viele der Leute, für die sie putzt, bringen etwas Besonderes in ihr Leben, und Janice hofft, dass sie auf irgendeine Weise auch einen kleinen Beitrag zu deren Leben leistet. Bei der Hälfte eines Bücherregals hält sie mit ihrem Staubtuch inne. Die Wahrheit ist, dass sie nicht recht davon überzeugt ist, und ein beklommenes Gefühl beschleicht sie. Es sind die Geschichten anderer Leute. Wenn sie darin überhaupt eine Rolle spielt, dann nur eine kleine, eine Statistenrolle. Sie muss wieder an die berühmte Schauspielerin denken und versucht, sie sich in Geordies Musikzimmer vorzustellen, mit erhobenem Staubwedel vor den Regalen voll mit Geordies Partituren. Würde die Schauspielerin sich damit zufriedengeben? Würde sie sich damit abfinden? Sie fährt mit dem Staubwischen fort und geniert sich dafür, sich diese Frage überhaupt gestellt zu haben.

Janice sieht Geordie noch einmal, als sie zu einem frühen Mittagessen aufbricht, um sich danach zu ihrer nächsten Arbeitsstelle zu begeben. Draußen ist es grau, und sie kann spüren, wie die kühle Februarluft durch den Türspalt dringt. Geordie hilft ihr in den Mantel. »Danke, den werde ich brauchen. Es wird immer kälter draußen.«

»Sie sollten kürzertreten, wenn Sie sich erkältet haben«, rät er.

»Nein, mir geht es gut«, versucht sie es erneut, diesmal lauter. »Es ist bloß kalt heute.«

Er reicht ihr ihren Schal. »Also dann, bis nächste Woche, und kurieren Sie sich aus.«

Sie gibt es auf.

»Ich fühle mich schon besser«, beteuert sie vollkommen wahrheitsgemäß.

Als er die Tür hinter ihr schließt, fragt sie sich, ob die Geschichte des Lebens eher eine tragische Komödie oder eine komische Tragödie ist.